BIBLIOTHÈQUE DU VOYAGEUR

LE GRAND GUIDE DU CHILI

Traduit de l'anglais par Isabelle Etterlé, Nathalie Fève,
Guilhem Lesaffre, Sabine Sirat, Yves Tixier

GALLIMARD

Aucun guide de voyage n'est parfait. Des erreurs,
des coquilles se sont certainement glissées dans
celui-ci, malgré toutes nos vérifications. Les informations pratiques, adresses, numéros de téléphone,
heures d'ouverture, peuvent avoir été modifiés ;
certains établissements cités peuvent avoir disparu.
Nous serions très reconnaissants à nos lecteurs de
nous faire part de leurs commentaires, de nous sug-
gérer des corrections ou des compléments qui
pourront être intégrés dans la prochaine édition.

Insight Guide, Chile
© Apa Publications GmbH & Co. Verlag KG
(Singapore branch), 2002
© Éditions Gallimard, 2003, pour la traduction française
Première édition : 1995 ; nouvelle édition : 2003

Dépôt légal : octobre 2003
N° édition : 122868
ISBN : 2-74-241184-4

Imprimé à Singapour

CEUX QUI ONT FAIT CE GUIDE

Les éditions APA, installées à Londres, ont confié la direction et la réalisation de la nouvelle édition de cet ouvrage à **Natalie Minnis**. La première édition avait été réalisée par le journaliste australien **Tony Perrottet**. Historien de formation, il s'était rendu pour la première fois au Chili dans les années 1980, en tant que correspondant de presse. Il a collaboré à des publications telles que le *Morning Herald* de Sydney, *Géo* et *The South China Morning Post*. On lui doit plusieurs photographies illustrant ce guide ainsi que les chapitres sur l'archipel Juan Fernández, la province de Magallanes, la Terre de Feu et l'île de Pâques.

Pour réaliser cet ouvrage, Tony Perrottet s'était adjoint une équipe de journalistes de Santiago. L'Américain **Tim Frasca**, correspondant du *London Independent*, s'est chargé des chapitres sur la géographie, les déserts du Nord et la région des lacs. La journaliste et poète canadienne **Lake Sagaris**, correspondante du *Times* à Santiago a collaboré à des publications telles que *Mother Jones* et le *New York Internationalist*, ainsi qu'à la chaîne de télévision CTV. Elle a dressé le tableau des Chiliens et de la Nouvelle Chanson chilienne. Elle est aussi l'auteur des chapitres consacrés aux itinéraires autour de Santiago et à l'île de Chiloé.

L'écrivain chilien **Patricio Lanfranco** a évoqué sa ville natale, Valparaíso. Sous la dictature, il a été à deux reprises renvoyé de l'université pour ses convictions politiques. Depuis, il a choisi la musique comme forme d'expression : c'est l'un des fondateurs du groupe Amauto. Ses nombreux voyages dans le sud du pays lui ont fourni la matière pour écrire sur le peuple mapuche.

Le chapitre sur l'histoire du Chili est dû à la journaliste britannique **Imogen Mark**, correspondante de *The Economist* et du *Daily Telegraph*. Elle a également rédigé les textes sur les vins chiliens, la région d'Aisén et le Chili moderne.

Un autre journaliste britannique, **Malcom Coad**, s'est vu confier les pages sur Santiago.

Rebecca Gorman, correspondante de la radio australienne, a traité du rodéo et de la cuisine chilienne.

Pour l'édition anglaise, les mises à jour de cet ouvrage ont été effectuées par **Ruth Bradley**, une journaliste britannique installé à Santiago. Les chapitres historiques ont été revus et réactualisés par **Mike Gonzalez**, maître de conférences au département des études hispaniques de l'université de Glasgow. Les chapitres sur les activités de plein air, la faune et la flore ont été mis à jour par **Jane Letham** et **Mark Thurber**, responsables de l'agence spécialisée dans les sports d'aventure Inti Travel, à Quito, en Équateur. Enfin, **Shannon Shiell**, spécialiste de la salsa, et **Jan Fairley**, ethnomusicologue, se sont chargés de mettre à jour le chapitre sur la Nouvelle Chanson chilienne, le complétant par un encadré sur l'« art de la résistance ».

La plus grande partie des photos qui illustrent ce guide est due à **Eduardo Gil**, **Helen Hughes**, **Daniel Bruhin**, **Günther Wessel** et **Andreas Gross**.

Les adaptateurs français tiennent à remercier de leur concours Alejandro Carvajal, ministre-conseiller à l'ambassade du Chili à Paris, et Monique Chouraki, représentante en France de l'agence chilienne Turismo Cocha.

Les éditions Gallimard avaient confié la traduction et l'adaptation de la première édition du présent guide à **Isabelle Etterlé**, **Nathalie Fève** et **Sabine Sirat**. Pour la nouvelle édition française, la traduction des nouveaux textes a été confiée à **Guilhem Lesaffre**, **Sabine Sirat** et **Yves Tixier**. L'adaptation et la mise en page de cet ouvrage ont été menées à bien par **Domino**.

TABLE

DES MATIÈRES

Les Torres del Paine.

Légendes cartographiques

▬ ▬ ··	Frontière internationale
▬ ▬ ▬	Frontière régionale
⊖	Poste frontière
▬ • ▬	Parc national/réserve
	Route maritime
Ⓜ	Métro
✈ ✈	Aéroport international/régional
🚌	Gare routière
Ⓟ	Parking
❶	Office du tourisme
✉	Bureau de poste
🏛 † ⸸	Église
†	Monastère
☾	Mosquée
✡	Synagogue
🏰 🏯	Château
∴	Site archéologique
∩	Grotte
⌶	Monument
★	Curiosité

BIENVENUE AU CHILI

Le « pays longiligne » était le nom que Pablo Neruda réservait à sa patrie. La première chose que l'on remarque en observant une carte du Chili, c'est que ce pays est doté d'une géographie bien particulière : un long cordon de terre qui s'étire sur plus de 4 300 km au bord du Pacifique et ne dépasse qu'exceptionnellement 180 km de large. Du Nord au Sud se déclinent tous les extrêmes : un des déserts les plus arides du monde cède la place à des forêts denses, puis à un enchevêtrement de fjords et de glaciers. Enfin, le territoire chilien, situé dans la ceinture de feu du Pacifique, ne compte pas moins de 2 085 volcans, dont 55 en activité ; dans certaines parties du pays, la terre tremble plusieurs fois par mois.

Ces particularités n'ont pas empêché le Chili de devenir l'une des nations les plus développées du continent, et les économistes ne se lassent pas de le citer en exemple. De fait, nombre de voyageurs sont surpris lorsqu'ils découvrent l'efficacité des infrastructures de transport, du système bancaire et du secteur tertiaire en général. Mais cette apparente prospérité dissimule encore d'importants déséquilibres socio-économiques.

Les Chiliens sont avant tout des *mestizos*, descendants d'Indiens et d'Espagnols. Toutefois, le pays compte aussi quelque 300 000 Mapuches, et les communautés originaires d'Allemagne, de Suisse ou de Yougoslavie ont pendant très longtemps conservé leurs traditions, leur langue et leur identité. L'influence européenne est sensible tant dans l'architecture des villes que dans la physionomie et le mode de vie des Chiliens. Leur conformisme et leur sens des affaires leur ont valu le surnom quelque peu ironique d'« Anglais sud-américains ». Mais le Chili est aussi réputé pour sa créati-vité : peintres, poètes, musiciens et troupes de théâtre sont célèbres dans toute l'Amérique latine et en Europe.

Les événements politiques des années 1970 ont attiré l'attention de la communauté internationale sur ce pays longtemps resté en marge : le Chili avait élu pour la première fois un gouvernement socialiste… qui fut renversé trois ans plus tard par un coup d'État sanglant appuyé par les États-Unis. Pendant les dix-sept années qui suivirent, la dictature du général Pinochet révolta les consciences. Mais l'élection présidentielle et les législatives de décembre 1989, puis celles de décembre 1993 ont scellé le retour à la démocratie.

Depuis que leur pays accueille un nombre croissant de visiteurs étrangers, les Chiliens témoignent d'un sens de l'hospitalité vanté par tous les voyageurs depuis le XVIIIe siècle. Après une longue période de repli sur eux-mêmes, ils voient dans l'intérêt qu'on leur porte des signes encourageants pour l'avenir. Il est vrai que l'excellente tenue de leur économie par rapport à celle des autres pays latino-américains peut leur donner toutes les raisons d'espérer.

Pages précédentes : le glacier Grey, dans le Parque Nacional Torres del Paine ; fermiers mapuches dans la région des lacs ; le long de la carretera Austral ; le port de Castro, sur l'île Chiloé. À gauche, un pêcheur de Valparaíso.

DE GLACE ET DE FEU

Le Chili se distingue par l'une des situations géographiques les plus étonnantes du globe. Sa superficie (757 000 km², soit presque une fois et demie la France) le place au septième rang des pays d'Amérique du Sud.

Pourtant, sur une carte, ses 4 300 km de côtes le font paraître immense. De fait, Arica, dans le Nord, et Punta Arenas, la ville la plus australe du pays, sont aussi éloignées que Paris et Téhéran, par exemple. Mais, d'est en ouest, la largeur moyenne du pays n'est que de 180 km et, de certaines plages du littoral pacifique, on aperçoit les sommets andins qui marquent la frontière orientale du territoire.

DEUX CORDILLÈRES ENCADRANT UNE DÉPRESSION

Trois grands éléments longitudinaux composent le relief du pays, dont les aspects varient du nord au sud. À l'ouest s'étire un horst : la cordillère littorale, aux versants abrupts dans le nord du pays et des collines et des plateaux ailleurs. Une barrière ferme le pays à l'est : la cordillère des Andes, dont certains sommets dépassent les 6 000 m. Elle se caractérise, au nord, par des volcans enneigés et des lagunes salées et, plus bas, par des vallées encaissées dominées par un versant abrupt. Les altitudes baissent à mesure que l'on progresse vers le sud et sont généralement inférieures à 4 000 m au sud de Santiago. Enfin, le centre du pays est occupé par une dépression tectonique coincée entre les deux cordillères. On y observe, du nord au sud, des « pampas » arides et des dépressions salées, les rivières des Andes, des lacs et des chenaux creusés par les glaciers.

Du nord au sud se succèdent des régions aux climats extrêmement variés : la route traverse tour à tour d'immenses étendues désertiques, une vallée fertile plus vaste que l'Italie et une zone de lacs et de volcans ; puis elle contourne une vaste région de glaciers, tantôt au Chili, tantôt en Argentine, et se termine en Terre de Feu : de l'autre côté du détroit de Magellan, qui sépare le Chili continental de la Terre de Feu, elle serpente sur plusieurs centaines de kilomètres à travers cet archipel à peine habité.

À gauche, des neiges éternelles coiffent le volcan Llaima, qui se dresse dans le Parque Nacional Conguillío ; à droite, le geyser Puchuldiza, dans le Parque Nacional Volcán Isluga.

DES CONTRASTES SAISISSANTS

Dans le nord du Chili s'étend le désert d'Atacama, la région la plus aride de la Terre (*voir p. 208*). Dans le centre, la cordillère des Andes, qui, sur 4 000 km, marque la frontière avec l'Argentine, s'élève très rapidement du côté chilien, passant, en un peu plus de 100 km, du niveau de la mer à l'ouest à une altitude maximale supérieure à 6 000 m. Dans le Sud, on trouve une calotte glaciaire rendant l'extrême Sud inaccessible par la terre ferme. Enfin, l'île de Pâques, seule possession extracontinentale du pays avec l'archipel Juan Fernández, est le coin de terre le plus isolé du monde, à 2 000 km du premier

groupe d'îles. « Un pays comme le nôtre mériterait davantage le nom d'île, écrivait un géographe chilien, Benjamín Subercaseaux, même si ses frontières interdisent en réalité une telle définition. »

LE DÉSERT DU NORD

L'extrême Nord du Chili, le Norte Grande, arraché à la Bolivie et au Pérou à l'issue de la guerre du Pacifique (1879-1883), ne semble pas à première vue digne de l'intérêt qu'il suscita alors. Des collines sombres et stériles parsèment un désert (précipitations annuelles inférieures à 10 mm, température moyenne de 17 °C) si aride que, dans certains endroits, il ne pleut absolument

jamais. On ne voit donc pas de rivières, excepté le Loa, ni de végétation. Mais cette terre déshéritée recèle de vastes gisements de nitrates naturels, utilisés dans l'élaboration de nombreux engrais. On y trouve aussi de l'argent, du cuivre et de l'or. En dehors de quelques villages de montagne, de vallées habitées depuis l'époque précolombienne et de centres miniers, la majeure partie de la population du Norte Grande vit dans quelques villes, oasis portuaires dont l'économie dépend du commerce et qui doivent tout importer, des matériaux de construction à l'eau potable.

LA SERENA

Le Norte Grande prend fin à La Serena ; là commence la végétation. L'irrigation a permis d'étendre l'agriculture jusque dans la vallée de Copiapó, dans la région semi-aride du Norte Chico (« petit nord »), où il y a peu de variations de température. Les nombreux cours d'eau qui descendent des montagnes, alimentés par les pluies saisonnières et la fonte des neiges, permettent d'irriguer les cultures tout au long de l'année. Les fruits tropicaux, en particulier la papaye et la *chirimoya* (« anone »), spécialités réputées de La Serena, y sont récoltés pour être expédiés dans tout le Chili et à l'étranger. Enfin, les conditions atmosphériques de cette région sont particulièrement propices à l'étude du ciel, et un important observatoire a été construit sur une colline proche de La Serena.

LE CHILI CENTRAL, DE COQUIMBO À CONCEPCIÓN

Cette zone est caractérisée par un climat méditerranéen avec des pluies d'hiver et, sur le plan végétal, par le *matorral* (« maquis ») ainsi que l'*espinal* (brousse à acacia et cactus). Santiago, la capitale du Chili, se trouve dans une vallée fertile longue de 1 000 km, juste au milieu du pays. La ville a une pluviométrie annuelle de 360 mm (1 500 mm à Concepción) et une température moyenne de 14 °C. Elle est adossée aux contreforts des Andes et ceinte de jolies collines qui font barrière à l'air, contribuant à aggraver l'importante pollution produite par cette métropole de près de cinq millions d'habitants.

Dans la vallée centrale ainsi que sur cette partie de la côte, la pluie tombe de façon sporadique entre mai et octobre. En revanche, les mois de janvier à mars (l'été austral) sont chauds et ensoleillés. Cette partie du Chili est aussi une impor-

Le désert d'Atacama, le plus sec au monde.

tante région agricole, la seule à bénéficier d'un véritable réseau hydrographique ainsi que d'un climat méditerranéen. Les vignes chiliennes, si réputées, mais aussi les pêches, les brugnons, les pommes, les poires, les kiwis et les cerises y mûrissent très rapidement.

LA RÉGION DES LACS

Plus au sud, dans la région des lacs, le paysage est très verdoyant, grâce à des précipitations abondantes qui limitent l'activité agricole à certaines formes d'élevage et à la culture des céréales. La plupart des volcans encore en activité au Chili se concentrent dans cette région, composant des paysages spectaculaires. Mais les particules toxiques qu'ils émettent présentent un certain danger pour les populations alentour. Douze grands lacs, pour la plupart d'origine glaciaire, s'égrènent au pied du versant occidental de la cordillère. Au sud de Puerto Montt, la vallée centrale s'enfonce petit à petit dans l'océan, et la cordillère littorale se transforme en un archipel d'un millier d'îles, dont la plus importante est Chiloé. Certaines parties de l'archipel reçoivent plus de 4 000 mm d'eau par an, ce qui constitue un autre extrême en matière de précipitations. C'est de cette région que part la carretera Austral, route partiellement goudronnée qui traverse une des contrées les plus sauvages de toute l'Amérique du Sud, la Patagonie chilienne, parsemée de glaciers et trouée de fjords. La route rejoint ensuite le lac General Carrera pour se terminer à Cochrane, entre deux grandes étendues glaciaires.

PUNTA ARENAS ET LA TERRE DE FEU

Une fois dépassé Cochrane, on n'accède plus à la pointe sud du Chili que par bateau ou par avion. Punta Arenas est la ville la plus méridionale du globe, si l'on exclut la localité d'Ushuaia, dans la partie argentine de la Terre de Feu. Ce port de la rive nord-ouest du détroit de Magellan est recouvert en permanence d'une chape de nuages ; la température y dépasse rarement 10 °C. Au-delà du détroit s'étendent l'archipel de la Terre de Feu et l'Antarctique, dont le Chili revendique une très vaste zone (1 250 000 km). Peu peuplée, la Terre de Feu est occupée pour l'essentiel par une forêt hygrophile, la steppe occupant la partie nord de l'Isla Grande (dont les sommets culminent à plus de 2 000 m d'altitude), et les îles du Sud étant couvertes de prairies rases. Les parages regorgent de dauphins, de baleines, de morses et de phoques.

Dans la forêt hygrophile de la province d'Aisén.

LES GRANDES DATES

13 000-10 000 AV. J.-C. Un groupe de chasseurs de mastodontes s'établit dans la région du Monte Verde, près de l'actuel Puerto Montt.

VERS 1450 APR. J.-C. Les Incas s'emparent du nord du Chili, sans parvenir à soumettre les tribus du Sud.

1520. Le Portugais Magellan est le premier Européen à poser les yeux sur le Chili alors qu'il emprunte le détroit qui porte désormais son nom.

1533. Pizarro met fin à l'Empire inca.

1535. Almagro se rend de Cuzco à Copiapó puis dans la vallée de l'Aconcagua en quête d'or.

1540. Pedro de Valdivia se lance à la conquête du Chili et fonde Santiago en 1541.

1550-1552. Valdivia fonde Concepción, Valdivia et Villarrica.

1553. Mort de Valdivia à Concepción, tué par des Indiens Mapuches commandés par Lautaro.

1557-1561. Le nouveau gouverneur, García Hurtado de Mendoza, reprend Concepción et fonde Osorno et Cañete.

1598. Les Indiens se soulèvent et éliminent toutes les colonies espagnoles au sud du río Bío-Bío dans la vallée centrale.

XVIIᵉ siècle. L'élevage devient la principale source d'exportation du pays. Dans les haciendas, des paysans métis asservis remplacent les Indiens décimés par les maladies européennes.

XVIIIᵉ siècle. Une vingtaine de milliers d'Espagnols émigrent au Chili.

1740. Le Chili, autorisé à commercer directement avec les autres colonies du Nouveau Monde et l'Espagne, prend ses distances avec la vice-royauté du Pérou, siège de l'Empire espagnol des Amériques.

1750. Le Chili a le droit de battre monnaie.

1808. Napoléon envahit l'Espagne et détrône le roi Ferdinand VII.

18 septembre 1810. Lors d'un *cabildo abierto* (conseil municipal ouvert aux citoyens), les notables chiliens forcent le gouverneur espagnol à la démission et nomment à sa place une junte fidèle au roi Ferdinand. Cette date est fêtée comme celle de l'indépendance.

1811. Première assemblée du Congreso.

1812. À la suite d'un coup d'État, le gouvernement Carrera demande que l'Espagne reconnaisse la souveraineté du Chili et en accepte la nouvelle constitution démocratique.

1813. L'Espagne envahit le Chili.

1814. Après la défaite de Rancagua, les chefs nationalistes doivent fuir en Argentine.

1817. Les troupes de Bernardo O'Higgins, soutenues par celles du général argentin José de San Martín, battent les Espagnols à Chacabuco.

12 février 1818. Bernardo O'Higgins proclame l'indépendance du Chili.

1823. Abolition de l'esclavage.

1837. Assassinat de Diego Portales, qui avait instauré un régime républicain conservateur sous le contrôle d'un gouvernement fortement centralisé.

1839. Émission des premiers billets de banque.

Années 1840. Période de prospérité liée à la découverte de gisements d'argent dans le Nord, et à l'exportation de produits agricoles vers la Californie. Fondation de Magallanes (l'actuelle Punta Arenas) pour servir d'escale aux navires marchands européens.

1842. Fondation de l'université du Chili.

À partir de 1848. Vague d'immigration allemande qui introduit les idéaux révolutionnaires au Chili. Début de la construction de la première voie ferrée du pays entre Copiapó et Caldera.

Années 1850. Découverte de guano et de nitrate de sodium (ou salpêtre) au nord de Coquimbo. Le Chili, le Pérou et la Bolivie se disputent la région.

1852. Installation de la première ligne télégraphique du pays entre Valparaíso et Santiago.

1860. L'enseignement primaire devient gratuit.

1876-1878. Famine due à des inondations dans le Sud et à une sécheresse dans le Nord. Ces problèmes agricoles, conjugués à une baisse du cours de l'argent, plongent le Chili dans une grave crise économique.

1879-1883. Guerre du Pacifique.

1881. Dernier soulèvement indien au Chili. La rébellion est écrasée par l'armée, et le territoire des Mapuches, dans le sud du pays, devient territoire d'État.

1891. Une guerre civile éclate à la suite d'un conflit entre le Congreso et le président José Manuel Balmaceda qui, battu, se donne la mort.

1907. Massacre de l'école du village de Santa María, près d'Iquique, lors d'une grève de mineurs.

1912. Luis Emilio Recabarren fonde le Parti ouvrier socialiste (futur Parti communiste).

1917. La découverte des nitrates synthétiques entraîne l'effondrement des cours du salpêtre.

1920-1924 et 1925-1927. Présidence du réformiste Arturo Alessandri. Nouvelle constitution.

1927. Une crise économique et politique place le colonel Carlos Ibáñez del Campo à la tête d'un régime autoritaire.

1929. Crise économique et instabilité politique à la suite du krach de Wall Street.

1931. Ibáñez démissionne et part en exil.

1932. Arturo Alessandri redevient président. Reprise économique et stabilité politique.

1945. La poétesse chilienne Gabriela Mistral remporte le prix Nobel de littérature.

1949. Les femmes obtiennent le droit de vote.

1952. Retour au pouvoir d'Ibáñez del Campo.

1964. Le démocrate-chrétien Eduardo Frei est élu à la présidence.

1970. Salvador Allende, à la tête de la coalition de gauche de l'Unité populaire, remporte de justesse l'élection présidentielle et instaure le premier gouvernement socialiste chilien.

1971. Le gouvernement Allende nationalise les mines de cuivre et lance un vaste programme de réformes touchant les banques, les compagnies d'assurance, le commerce et l'industrie. Le poète Pablo Neruda remporte le prix Nobel de littérature.

4 mars 1973. Élections législatives. La gauche progresse.

11 septembre 1973. Coup d'État militaire. Allende trouve la mort dans le palais de la Moneda et le général Augusto Pinochet s'empare du pouvoir. Des milliers de personnes seront torturées et assassinées par le nouveau régime.

1980. La nouvelle constitution stipule qu'un plébiscite sur la poursuite du régime militaire sera organisé en 1988. Pinochet s'installe dans le palais de la Moneda.

Pages précédentes : « Presencia de América Latina » (détail), de Jorge González Camarena (pinacothèque de Concepción). À gauche, Diego de Almagro entend la messe ; à droite, manifestation contre le dictateur Pinochet.

1982-1983. La récession économique entraîne grèves et mouvements de protestation.

1986. Tentative d'assassinat contre Pinochet.

5 octobre 1988. Plébiscite visant à reconduire Pinochet. Le non l'emporte à 56 %.

1989. Le démocrate-chrétien Patricio Aylwin est élu président. Cependant, Pinochet s'est nommé sénateur à vie et la Constitution de 1980 demeure en vigueur.

1991. La « Commission nationale pour la vérité et la réconciliation », créée en 1990, établit la responsabilité des militaires dans les violations des droits de l'homme commises sous la dictature, mais très peu seront condamnés.

1994. Eduardo Frei, fils de l'ancien président

Eduardo Frei, arrive au pouvoir à la tête d'un gouvernement démocrate-chrétien.

1998. Pinochet prend sa retraite de chef des armées et se rend au Royaume-Uni. L'Espagne demande alors son extradition pour des crimes commis contre des citoyens espagnols. Il est assigné à résidence.

2000. Élection du socialiste Ricardo Lagos Escobar à la présidence.

2 mars 2000. Pinochet est libéré pour raisons de santé et rentre au Chili.

9 juillet 2001. Suspension des poursuites contre Pinochet pour raisons de santé.

7 janvier 2002. Michèle Bachelet, fille d'un général victime de la junte, est nommée ministre de la Défense du nouveau gouvernement Lagos.

UN LONG ISOLEMENT

Contrairement à certains de ses voisins, le Chili n'a pas, dans un premier temps, attiré explorateurs et bâtisseurs d'empires. Tout d'abord, les nouveaux arrivants comprenaient que l'or était loin d'y couler à flots. D'autre part, le seul point de passage permettant d'entrer dans le pays, situé dans le Nord, débouchait sur un désert aride, peu accueillant. Plus au sud, il existait bien de prometteuses forêts, mais elles étaient occupées par des groupes d'Indiens farouches.

Les Incas, qui avaient établi leur domination sur un vaste territoire englobant le Pérou actuel, la Bolivie et une partie de l'Équateur, s'y aventurèrent vers le milieu du XVe siècle. Leur domination, qui s'étendit jusqu'à l'actuelle ville de Santiago, ne dura même pas un siècle.

La moitié nord du Chili était habitée par des peuples qui formaient des sociétés relativement organisées. Selon la théorie classique, ils étaient venus d'Asie par le détroit de Béring, comme les autres occupants du continent, et s'étaient installés au Chili vers le Xe millénaire avant J.-C. : les vestiges trouvés à San Pedro de Atacama datent de cette époque. Des théories plus récentes, fondées sur les découvertes génétiques, évoquent la possibilité d'une occupation par des Mélanésiens, qui auraient traversé l'océan, ou par des Européens. Ces derniers, après avoir glissé le long de la calotte polaire qui, à l'époque, descendait bas dans le nord de l'Atlantique, auraient débarqué sur la côte est du continent puis se seraient progressivement déplacés vers l'ouest.

Parmi ces peuples, les Atacameños et les Diaguitas connaissaient l'irrigation et cultivaient le haricot, le maïs, la pomme de terre et la coca. Ils élevaient des lamas et tissaient. Les Diaguitas et les Picunches fabriquaient des poteries influencées par la culture de Tiahuanaco et commerçaient avec leurs voisins du Pérou. Les Atacameños embaumaient les morts et, chez les Diaguitas, les femmes accompagnaient leur époux dans la tombe. Les Picunches, qui habitaient la fertile vallée centrale, entre l'Aconcagua et le Bío-Bío, pratiquaient également l'agriculture et bénéficiaient d'un climat tempéré et d'un sol naturellement irrigué. Ils vivaient en petits clans familiaux et autarciques. On n'en sait guère plus sur ces sociétés qui, à l'époque des Incas, formaient une population de près de 80 000 personnes.

À gauche, tapisserie atacameña ancienne ; à droite, momie atacameña exposée au musée Gustavo Le Paige, à San Pedro de Atacama.

LES FAROUCHES GUERRIERS DU SUD

Dans le sud du Chili, les Incas se heurtèrent à une féroce opposition de la part de peuples qui représentaient environ un million d'Indiens, répartis en plusieurs groupes parlant la même langue mais présentant certaines différences culturelles, les plus connus étant les Mapuches et les Huiliches, établis au sud du río Bío-Bío.

Ces derniers furent d'ailleurs les plus difficiles à asservir, ainsi que, dans une moindre mesure, les Pehuenches, les Puelches et les Tehuelches. Les Incas surnommèrent « peuples rebelles » ces chasseurs et cueilleurs semi-nomades qu'ils ne purent jamais vaincre. Les Espagnols appelèrent

les Mapuches « Araucans » : ce nom fut notamment utilisé par Alonso de Ercilla dans son poème épique *La Araucana*, publié entre 1569 et 1589. Ce groupe vivait dans une zone qui s'étendait du río Itata au río Toltén. Comme les Huiliches, répartis entre le Toltén et l'île de Chiloé, les Mapuches pratiquaient la culture sur brûlis, changeant de territoire quand le sol s'épuisait. Ces deux peuples se composaient essentiellement de clans guerriers qui ne s'unissaient sous le commandement d'un chef commun qu'en temps de guerre.

Les Incas renoncèrent à coloniser ces nomades farouches auxquels les concepts d'autorité centrale et d'impôt étaient totalement étrangers. Ils établirent donc leur frontière méridionale sur le río Cachapoal (à environ 90 km au sud de Santiago) et ignorèrent par la suite les tribus du Sud. Ils ne cherchèrent guère à modifier les us et coutumes des habitants des territoires conquis, dès lors que ceux-ci leur payaient un tribut en or et en main-d'œuvre.

La domination inca dura peu de temps et les garnisons furent bientôt renvoyées à Cuzco, capitale de l'empire. Car, entre-temps, les Incas s'étaient heurtés à de nouveaux ennemis, Francisco Pizarro et ses conquistadors, et l'empire était sur le point de disparaître. Les Fils du Soleil laissèrent cependant au Chili une contribution durable : un réseau routier appelé « route des Incas », qui reliait Arequipa, au Pérou, à Talca,

dans l'espoir de découvrir de nouvelles richesses dans le Sud. Il traversa la cordillère en plein hiver – un grand nombre des 500 hommes qui l'accompagnaient y périrent –, arriva à Copiapó, où il fut assez bien reçu par les Indiens, atteignit la vallée de l'Aconcagua et y chercha en vain les trésors dont les Incas avaient fait miroiter l'existence.

Après une brève expédition vers le détroit de Magellan, d'où les soldats revinrent avec des histoires terrifiantes sur la férocité des indigènes, la troupe, démoralisée, refusa la proposition d'Almagro de s'établir dans les nouveaux territoires pour les coloniser. En 1537, le conquistador ramena à Cuzco des hommes épuisés et convaincus qu'ils avaient été floués par Pizarro.

située à 260 km au sud de Santiago. Les Espagnols utilisèrent plus tard ces voies de communication pour leurs déplacements vers le Chili.

LE TEMPS DES CONQUISTADORS

L'explorateur portugais Fernand de Magellan fut le premier Européen à apercevoir le Chili. En 1520, il emprunta le détroit qui porte désormais son nom et découvrit la Terre de Feu. Toutefois, il ne s'arrêta pas sur les côtes chiliennes et poursuivit sa route vers les Philippines, où il devait trouver la mort l'année suivante.

Quinze ans plus tard, un Espagnol, Diego de Almagro, associé de Pizarro dans la conquête du Pérou, partit de Cuzco à l'instigation de ce dernier,

Dans la lutte fratricide qui s'ensuivit, Almagro fut vaincu, capturé et exécuté.

Pizarro, vainqueur, offrit en récompense à l'un de ses fidèles soldats, Pedro de Valdivia, ces fameux territoires du Sud qu'Almagro et son armée avaient dédaignés. En janvier 1540, Valdivia prit donc à son tour la route du Chili, en compagnie d'une douzaine de conquistadors que l'expérience d'Almagro n'avait pas découragés, et de sa compagne, Inés de Suárez.

En chemin, d'autres aventuriers se joignirent à eux, et c'est une troupe de 150 personnes qui décida de s'installer dans la vallée du Mapocho. Le 12 février 1541, au cours d'une cérémonie officielle, cette première colonie espagnole fut baptisée Santiago del Nuevo Extremo, en hommage à l'apôtre saint Jacques et à la terre natale de Pedro de Valdivia (*Extremadura*, l'Estrémadure).

Enrôlés de force au service des Espagnols, les Mapuches se rebellèrent au bout de quelques mois. Un chef local, Michimalongo, profita de l'absence de Valdivia et de la plupart de ses hommes pour attaquer la nouvelle colonie. Inés de Suárez, en cotte de mailles, harangua les soldats pour qu'ils aillent au combat, menaçant de tuer les déserteurs de sa propre main. Elle se battit toute une journée à leurs côtés. À la tombée du jour, ils avaient gagné le combat, mais leur campement, leurs vivres et leurs vêtements n'étaient plus qu'un amas de cendres.

trouve de magnifiques pièces de bois pour édifier des habitations, ainsi que de grandes quantités de bois de chauffage. Partout, il y a de la terre à ensemencer, des matériaux de construction, de l'eau, de l'herbe pour les animaux, de sorte que c'est exactement comme si Dieu avait voulu pourvoir là à tous les besoins de l'homme. »

Valdivia attribua à ses soldats des parcelles de terrain, les *encomiendas*, ainsi que les Indiens qui les occupaient. Ce système permettait aux Espagnols de disposer d'une main-d'œuvre gratuite pour travailler la terre et extraire l'or. Les Indiens mouraient en grand nombre du fait des mauvais traitements. Valdivia poussa ensuite vers le sud afin de conquérir la Terre de Feu pour

DES DÉBUTS DIFFICILES

Malgré la dureté des conditions de vie et la rareté de la nourriture, Valdivia se prit très vite à aimer son nouveau pays. Il écrivit au roi d'Espagne : « Cette terre ne peut avoir d'égale. Il n'y a que quatre mois d'hiver... et l'été y est si tempéré, si délicieusement frais, que les hommes peuvent marcher tout le jour sous le soleil sans en être incommodés. L'herbe y est abondante et capable de nourrir tout le bétail et tous les animaux domestiques que vous pouvez imaginer. Des plantes nombreuses et variées y poussent et l'on

À gauche, une place forte inca ; ci-dessus, Inés de Suárez se bat aux côtés des troupes espagnoles.

la couronne d'Espagne. Il avait aussi besoin de nouveaux espaces pour ses hommes et d'Indiens pour travailler ces terres. Des renforts étaient arrivés du Pérou et, malgré les escarmouches avec les Mapuches autour de Santiago, Valdivia entendait bien poursuivre la conquête.

En 1544, il fonda La Serena, en 1550, Concepción, l'année suivante, La Imperial et Angol et enfin Valdivia et Villarrica en 1552. Chaque fois, il laissait derrière lui une cinquantaine d'hommes chargés de construire la ville avec l'aide des Indiens soumis. Mais, de ce fait, sa troupe s'amenuisait. À la fin de 1553, il quitta Concepción avec 50 hommes seulement. Le jour de Noël, alors qu'ils atteignaient le fort de Tucapel, ils trouvèrent un amas de ruines fumantes.

Les Indiens, menés par Lautaro, un jeune Mapuche fin stratège qui avait travaillé quelque temps chez un officier espagnol pour s'initier aux techniques militaires, les attaquèrent aussitôt. Les Espagnols se battirent courageusement, mais, à la tombée du jour, il ne restait plus aucun survivant. On raconte que Valdivia lui-même connut une fin atroce, attaché à un arbre et contraint d'avaler de l'or fondu. Après leur victoire à Tucapel, les Mapuches rasèrent Concepción puis marchèrent sur Santiago. Mais Lautaro fut poignardé par un traître la veille de l'attaque. Privés de leur chef et décimés par la variole, les Indiens durent renoncer à s'emparer de la ville. Lautaro devint par la suite un héros de l'histoire chilienne.

Valdivia mort, sa succession fut assurée par García Hurtado de Mendoza, fils du vice-roi du Pérou. Envoyé au Chili avec mandat de gouverneur en 1557, il rétablit l'autorité espagnole dans la région de Concepción, fit reconstruire la ville et réduisit les derniers rebelles. Il fonda également deux villes, Osorno et Cañete. Son gouvernement, qui dura jusqu'en 1561, marque la dernière phase de la conquête. Celle-ci avait demandé vingt ans.

Pendant tout le XVIIe siècle et une partie du XVIIIe, les Indiens continuèrent à s'opposer à la colonisation du Chili. Les forces espagnoles, une armée composée de volontaires, étaient mal équipées. À la suite du grand soulèvement de 1598, les villages de colons installés au sud du Bío-Bío furent anéantis et la rive nord du fleuve devint la nouvelle frontière entre les territoires espagnol et indien. Le gouverneur du Chili s'établit dans la ville de Concepción. La colonie comptait à cette époque environ 5 000 personnes.

TROIS SIÈCLES DE PRÉSENCE ESPAGNOLE

Les Espagnols avaient enfin compris qu'il n'y avait au Chili ni rivières d'or ni cités d'argent et que les richesses devaient être tirées de la terre ou extraites des mines. Inévitablement, Indiens et métis furent mis à contribution, et la nouvelle colonie commença bientôt à exporter du blé, du cuivre, du vin et des peaux.

Mais les autorités envoyées par Madrid avaient bien du mal à faire régner l'ordre parmi leurs propres troupes. Au XVIe siècle sévit l'une des plus redoutables figures de la haute société chilienne, doña Catalina de los Ríos, connue sous le nom de « la Quintrala ». Cette Agrippine passe pour avoir empoisonné son père, coupé une oreille à l'un de ses amants et fait assassiner un autre sous ses yeux, sans compter les multiples serviteurs qu'elle fit exécuter.

Les membres du clergé eux-mêmes ne montraient pas toujours le meilleur exemple à leurs ouailles. Des chroniques font état de querelles fréquentes entre les Augustins et les Franciscains. L'évêque dut interdire aux religieux de se rendre dans les maisons de jeu et même de posséder des cartes. Le jeu était alors la passion de la haute société, et les femmes, mais aussi certains hommes, consacraient leur temps et leur fortune à se constituer des garde-robes luxueuses.

À la fin du XVIIe siècle, le Chili s'était « civilisé ». L'influence des Bourbons, dynastie française montée sur le trône espagnol à la suite de la guerre de Succession, se fit sentir jusque dans les colonies d'Amérique. On enregistra un certain renouveau culturel et moral. Ainsi, le gouverneur Cano de Aponte arriva au Chili en 1720 avec « vingt-trois caisses de meubles et de vaisselle, un clavicorde, quatre violons, une harpe, plusieurs tambourins andalous et quinze mules chargées de riches vêtements ».

Les Jésuites pour leur part amenèrent différents spécialistes – tisserands, peintres, sculpteurs, architectes, ingénieurs et pharmaciens. Ils constituèrent aussi la plus importante bibliothèque de la colonie : vers 1750, elle contenait environ 20 000 volumes.

À gauche, Pedro de Valdivia ; à droite, la fondation de Santiago.

L'INDÉPENDANCE

La monarchie espagnole essaya longtemps de protéger ses colonies de toute influence étrangère : l'importation de livres imprimés hors d'Espagne était interdite, de même que toute activité d'imprimerie à l'intérieur des colonies. Mais cela n'empêchait pas les colons de rapporter de leurs voyages en Europe des ouvrages subversifs et des idées nouvelles.

À la fin du XVIIIᵉ siècle, la Révolution française et le soulèvement des colonies anglaises en Amérique du Nord offrirent deux modèles aux Chiliens : les idées des révolutionnaires français étaient séduisantes tandis que l'approche des Américains, plus raisonnable, était propre à les encourager. Les *criollos* (métis d'Indiennes et d'Espagnols), qui souffraient d'être écartés du pouvoir par les colons espagnols, étaient les plus enthousiastes. Finalement ce sont les ambitions napoléoniennes qui permirent aux mouvements indépendantistes de se développer dans les colonies espagnoles. L'invasion de l'Espagne par les armées impériales provoqua l'abdication, en mars 1808, du roi Charles IV en faveur de Ferdinand VII, que Napoléon remplaça dès 1808 par son frère Joseph Bonaparte.

Dans toute l'Espagne, les notables s'organisèrent en juntes, réunies sous l'autorité de celle de Séville, pour gouverner à la place du roi déchu. Les gouverneurs des colonies espagnoles d'Amérique du Sud se rallièrent au mouvement. Mais l'opinion publique était divisée en deux camps. L'un souhaitait former des États indépendants au cas où l'occupation de l'Espagne durerait. L'autre préférait rester fidèle au roi en exil. Au Chili, la municipalité de Santiago, dirigée par José Miguel Infante, Juan Martínez de Rozas et Bernardo O'Higgins, reçut la démission du gouverneur, qu'elle remplaça par un créole, don Mateo de Toro y Zambrano. Celui-ci convoqua les notables à une assemblée ouverte aux citoyens importants. Celle-ci se tint le 18 septembre 1810 pour élire une junte qui jura fidélité au monarque espagnol en exil.

Le premier souci fut d'assurer la défense du pays. On créa un bataillon d'infanterie et un escadron de cavalerie, et l'artillerie fut renforcée. Des émissaires furent envoyés en Europe pour y acheter des armes. Par ailleurs, la junte abolit l'esclavage et décréta la liberté de commerce avec tous les autres pays.

De 1810 à 1818, les Chiliens définirent les bases de la nouvelle nation. La junte créa une Assemblée nationale (*Congreso*) censée représenter les différentes régions et empêcher les abus de pouvoir, deux notions nouvelles empruntées à l'Europe et aux États-Unis. Les électeurs étaient des personnes « âgées de plus de 25 ans et qui, par leur fortune, leur travail, leur talent ou leurs qualités, jouissaient de la considération des habitants de leur région. Ils devaient désigner des députés qui, par leurs vertus patriotiques, leur talent et leur prudence reconnue, avaient su s'attirer l'estime de leurs concitoyens ». Pourtant

l'indépendance n'était pas encore acquise et elle exigea des années de lutte.

LES PATRIOTES

L'élection des députés eut lieu au début de l'année 1811. La première Assemblée nationale se réunit en juillet et ses membres jurèrent fidélité au roi d'Espagne. La majorité des élus était composée de propriétaires terriens conservateurs qui souhaitaient se cantonner à des réformes superficielles.

Seul un petit nombre d'entre eux aspirait à un changement radical. Les premiers qui tentèrent de s'emparer du pouvoir furent les trois frères Carrera, José Miguel, Juan José et Luis, et leur

À gauche, « La Vision de saint Martin », tableau exposé à l'Instituto San Martiniano de Buenos Aires, en Argentine ; à droite, un fantassin de l'armée révolutionnaire chilienne.

sœur Javiera. Ils étaient issus d'une famille aisée de Santiago mais avaient des idées avancées pour l'époque et des méthodes directes. Le 4 septembre, ils envahirent l'Assemblée à la tête d'un groupe de partisans et présentèrent une liste de « requêtes du peuple ».

Il s'agissait d'un véritable coup d'État. Les Carrera persuadèrent le Congrès de renvoyer ses membres les plus conservateurs et de former une junte dotée de pouvoirs exécutifs. Devant la lenteur des réformes, José Miguel força les élus à former une nouvelle junte, qu'il présida lui-même, avant de dissoudre l'Assemblée en décembre 1811. Les frères Carrera et leurs partisans voulaient l'indépendance du Chili, mais ils

sement et n'appréciaient guère Carrera et ses visées révolutionnaires. Mais avant qu'ils aient pu entreprendre quoi que ce fût contre lui, l'Espagne intervint.

LA GUERRE CONTRE L'ESPAGNE

Le 26 mars 1813, accompagnés d'officiers péruviens et de 2 000 hommes recrutés parmi les royalistes de Valdivia et de Chiloé, les Espagnols envahirent la vallée centrale du Chili. Ils s'emparèrent de Talcahuano et de Concepción et commencèrent à remonter vers le nord. Carrera prit le commandement de l'armée chilienne et organisa la défense de la capitale, secondé par un

n'étaient qu'une minorité. L'une de leurs premières initiatives fut d'acheter une presse, qu'ils confièrent à un prêtre radical, le frère Camilo Henríquez, qui répandit bientôt des idées révolutionnaires dans son journal *La Aurora de Chile*.

En 1812, le gouvernement promulgua une nouvelle constitution. Dans les termes, elle restait loyale au roi d'Espagne, à qui il était en retour demandé de reconnaître la souveraineté du Chili. Elle établissait principalement les droits des individus et posait des limites aux prérogatives du gouvernement, qui était désormais élu par le peuple. En deux ans, le Chili s'était totalement éloigné de la monarchie.

La plupart des Chiliens, en particulier les aristocrates, n'étaient pas préparés à un tel bouleverse-

autre chef militaire qui devait bientôt connaître la gloire mais aussi l'exil : Bernardo O'Higgins.

Ce dernier appartenait à l'élite chilienne. Il était le fils illégitime d'Ambrosio O'Higgins, un immigré irlandais qui s'était montré l'un des plus efficaces gouverneurs du Chili, et d'une aristocrate chilienne. Il avait fait ses études à Lima puis en Angleterre. De retour au Chili, il avait été élu député au Congrès. Il se distingua ensuite comme chef militaire et remplaça l'impétueux José Miguel Carrera à la tête de l'armée en 1814.

À la fin de l'année 1813, la guerre tournait en faveur des royalistes. Mais les deux parties étaient à bout de forces, et le vice-roi du Pérou chargea un officier britannique, James Hillyar, d'aller négocier la paix au Chili. Le traité de

Lircay fut signé en mai 1814. Mécontents de l'issue du conflit, les Carrera et leurs partisans s'insurgèrent et réussirent à reprendre le pouvoir. José Miguel se proclama dictateur. O'Higgins fut chargé de le renverser, mais sur ces entrefaites arriva la nouvelle d'un débarquement de forces royalistes à Talcahuano. Divisés et mal préparés, les patriotes affrontèrent les troupes du vice-roi du Pérou à Rancagua le 1er octobre 1814 et furent vaincus. O'Higgins et les Carrera durent s'enfuir en Argentine.

LA REPRISE EN MAIN

Paradoxalement, c'est la reconquête du Chili par l'Espagne qui convainquit les Chiliens qu'ils n'avaient d'autre choix que l'indépendance. Les Espagnols commirent l'erreur d'abroger toutes les réformes adoptées par le gouvernement patriote : liberté du commerce, gratuité de l'école, abolition de l'esclavage, création d'une bibliothèque nationale.

Beaucoup d'insurgés furent privés de leur emploi, expulsés de leurs terres, exilés ou assignés à résidence. Tous les citoyens durent faire la preuve de leur loyauté à la Couronne ; les plus fortunés eurent à payer de lourdes amendes. Les Chiliens ne pouvaient plus voyager sans permis ni porter des armes.

Les deux mesures les plus impopulaires furent sans doute l'interdiction des fêtes publiques et la fermeture des maisons de jeu.

Pendant ce temps, en Argentine, ce qui restait de l'armée patriote avait rejoint les forces du général argentin San Martín à Mendoza, afin de s'entraîner pour la reconquête. Un réseau d'espions maintenait le contact entre les exilés et leurs sympathisants au Chili. Le chef de ce réseau était un jeune avocat, Manuel Rodríguez, qui avait contribué à la formation de bandes de guérilleros. Rodríguez devint un héros national, et, à de multiples occasions, il échappa aux Espagnols sous d'incroyables déguisements, ce qui fit de lui une légende. Ainsi rapporte-t-on qu'après une évasion il se réfugia dans un monastère et, habillé en moine, fit visiter les lieux… à ses poursuivants, pour leur prouver que celui qu'ils recherchaient ne s'y cachait pas ! En une autre occasion, il se déguisa en mendiant et aida courtoisement le gouverneur espagnol à descendre de voiture.

À gauche, Bernardo O'Higgins permit au Chili de gagner son indépendance, mais le pays n'en eut guère de reconnaissance et le força à s'exiler ; à droite, des religieux, nombreux au Chili au début du XIXe siècle.

En 1817, O'Higgins et San Martín décidèrent de passer à l'action. Ils traversèrent les Andes avec une armée de 4 000 hommes, affrontèrent les troupes royalistes à Chacabuco et remportèrent la victoire. Ils firent une entrée triomphale dans Santiago, recevant le meilleur accueil de la grande majorité des Chiliens à qui la domination espagnole était devenue insupportable.

La première tâche des vainqueurs fut de former un gouvernement. O'Higgins fut nommé *director supremo* (chef suprême). Le 12 février 1818, le nouveau régime proclamait l'indépendance du Chili. Cependant, les royalistes rassemblèrent de nouvelles forces et contre-attaquèrent depuis le Pérou. Ils prirent Talca mais les

patriotes leur infligèrent la défaite finale à Maipú le 5 avril 1818. L'indépendance du Chili était enfin acquise. Et pourtant toutes les villes n'étaient pas soumises. D'autre part, le Pérou, resté sous la tutelle de la métropole, constituait une menace potentielle pour le Chili libre.

Le nouvel État se dota d'une marine, placée sous le commandement de l'amiral écossais lord Thomas Cochrane ; les officiers et une grande partie des marins étaient eux-mêmes étrangers. En 1819, cette marine commença à patrouiller le long des côtes péruviennes et à empêcher que ne fussent approvisionnés les royalistes. À la fin de l'année, elle s'empara d'un de leurs derniers bastions, Valdivia. Le 20 août 1820, une puissante escadre commandée par San Martín quittait Valparaíso vers la côte péruvienne, pour accoster dans la baie de Paracas. Le 28 juillet 1821, la ville de Lima tombait.

LA VICTOIRE DES CONSERVATEURS

Leur indépendance assurée, les Chiliens s'employèrent à remplacer la monarchie absolue par une république. Au cours des treize années qui suivirent, ils expérimentèrent cinq formules constitutionnelles et connurent onze changements de gouvernement. Ces mutations se firent le plus souvent en douceur. Pourtant, en 1823, O'Higgins, dont les idées étaient considérées comme trop libérales, se heurta à l'opposition

La décennie qui suivit l'indépendance fut surtout marquée par la lutte entre les conservateurs (l'aristocratie terrienne et le clergé) et les libéraux, qui bénéficiaient d'une grande audience dans les villes et au sein de l'élite intellectuelle. Ces derniers conservèrent une majorité dans le gouvernement jusqu'en 1829.

À l'issue d'une période troublée de trois ans pendant laquelle se succéderont trois présidents, en 1833, les conservateurs réussirent à imposer une constitution, un modèle de gouvernement centralisé qui devait durer jusqu'au XXᵉ siècle. Une religion d'État fut instaurée, ce qui eut pour conséquence d'interdire tout accès à un poste de la fonction publique à un non-catholique. Le pré-

obstinée de l'aristocratie terrienne. Contraint de démissionner, il s'exila à nouveau au Pérou, où il vécut jusqu'à sa mort, survenue en 1842.

D'autres révolutionnaires, dont l'intransigeance n'était pas du goût de tous, ne connurent pas une fin aussi paisible. Deux des frères Carrera furent assassinés par les Argentins en 1818 et le troisième trois ans plus tard. On murmura que ces exécutions avaient été commanditées par une société maçonnique fondée par O'Higgins et San Martín à Buenos Aires en 1815. Chef politique têtu mais populaire, Manuel Rodríguez, qui était resté fidèle à l'esprit des Carrera, embarrassait également le nouveau gouvernement. Il fut emprisonné et abattu en 1818, alors que, selon la version officielle, « il essayait de s'échapper ».

sident voyait ses prérogatives se renforcer dans les domaines législatif, administratif, militaire et économique. L'Assemblée, qui comprenait une Chambre des députés et un Sénat, n'avait quasiment plus de pouvoir. Elle siégeait pour une durée de quatre mois, et le président pouvait mettre son veto à n'importe quelle loi pendant un an. De plus, il disposait de représentants dans chaque province. Enfin, il avait le droit de s'opposer à la nomination de certains électeurs, ce qui lui conférait une influence considérable sur l'élection des députés et de son successeur.

L'une des priorités de ce gouvernement fut la mise en place d'un nouveau système d'éducation. Sous l'impulsion de l'Instituto Nacional, des écoles et des lycées furent ouverts dans toutes les grandes villes du pays. En 1842 fut fondée l'université du Chili, où enseignaient les meilleurs professeurs dans leur discipline. Il n'existait qu'un organisme d'études supérieures, mais il y avait des écoles artistiques et musicales. En 1860, l'école primaire devint gratuite, à la charge de l'État. À cette époque, seuls 17 % des Chiliens savaient lire et écrire. Soixante ans plus tard, cette proportion atteignait le chiffre, honorable pour l'époque, de 50 %.

Le véritable chef du mouvement conservateur, bien qu'il n'eût jamais posé sa candidature à la présidence, préférant gouverner d'une autre façon, était Diego Portales, homme d'affaires de renom. Dans une lettre à l'un de ses amis, il expliquait : « Le système républicain est celui que nous devons adopter, mais savez-vous ce que j'entends par système républicain pour un pays comme le nôtre ? Un gouvernement fort et centralisateur, dont les membres soient de vrais modèles de courage et de patriotisme, capable de maintenir les citoyens dans la voie de l'ordre et de la vertu. Lorsque la moralité d'un peuple s'est affirmée, alors un gouvernement véritablement libéral peut s'installer, un gouvernement libre et fort de ses idéaux, auquel tous les citoyens puissent participer. » En d'autres termes, il était favorable à la démocratie, mais pour plus tard.

Tandis que l'Assemblée rédigeait la nouvelle constitution, Portales s'occupait à asseoir l'autorité d'un gouvernement centralisé. Lui-même détenait les portefeuilles de l'Intérieur, des Affaires étrangères, de l'Armée et de la Marine. Il purgea l'armée de ses chefs rebelles. L'Académie militaire fut réorganisée ; les officiers devaient reprendre le statut professionnel, apolitique, qui était le leur avant l'indépendance. Dans ce dessein, Portales remit en vigueur le système des milices locales directement contrôlées par le gouvernement.

Cette rigueur se révéla efficace. Le banditisme disparut des campagnes. Des réformes économiques et financières entraînèrent des coupes claires dans les budgets de l'administration et de l'armée, contribuant à l'assainissement des comptes de la Nation et à une meilleure maîtrise de la fiscalité. L'influence de l'« éminence grise » était telle que, en 1833, le consul de Grande-Bretagne écrivait à son roi : « Toutes les mesures prises par le gouvernement sont décidées par lui, et aucun organisme d'État n'oserait exécuter un ordre sans son approbation expresse... »

À l'exception de quelques changements mineurs, ce modèle de gouvernement perdura pendant près d'un siècle. Mais la contribution la plus durable de Portales à l'organisation politique de son pays fut cette exigence d'austérité et d'incorruptibilité de l'administration qui a très longtemps distingué le Chili de la plupart de ses voisins. Pourtant, une telle rigueur n'était pas toujours de mise quand il s'agissait de se débarrasser des gêneurs... Et Portales lui-même, qui s'était fait de nombreux ennemis, fut assassiné par des opposants en juin 1837.

UNE ÉCONOMIE TRIBUTAIRE DE L'ÉTRANGER

Les cinquante ans suivants s'écoulèrent dans un calme relatif : huit présidents furent élus constitutionnellement, sinon démocratiquement. Mais, en dehors des sphères gouvernementales, la plupart des Chiliens (1 500 000 au milieu du XIXᵉ siècle, plus de 3 000 000 en 1900) se préoccupaient surtout d'assurer leur subsistance.

Ceux qui faisaient fortune étaient le plus souvent des étrangers, Britanniques, Français et Américains surtout. Ils avaient pour atout des compétences qui faisaient défaut aux Chiliens, en matière de comptabilité, de banque, d'exploitation minière ou encore d'agriculture, et

À gauche, le mythique port de Valparaíso, chanté par tous les marins, vers la fin du XIXᵉ siècle. Il était l'un des plus actifs du monde ; à droite, un marché vers les années 1860.

s'assuraient ainsi des monopoles. Les colons étrangers, en particulier allemands, furent encouragés à s'installer dans le sud du pays pour y développer l'agriculture.

Le commerce maritime était alors dominé par les Anglais. En 1825, 90 navires britanniques accostèrent à Valparaíso ; quinze ans plus tard, ce nombre avait doublé. En 1875, l'Angleterre recevait 70 % des exportations chiliennes et destinait au Chili 40 % de ses propres exportations.

Une grande partie de la croissance provenait du commerce du cuivre. En 1860, il représentait 55 % des exportations chiliennes. Mais les fluctuations de ce marché rendaient l'intégration à l'économie mondiale particulièrement aléatoire.

En effet, dans les années 1830, la révolution industrielle en Grande-Bretagne avait fortement stimulé la demande de cuivre, puis les crises que connut l'Europe entre 1850 et 1870 la firent gravement chuter.

Le secteur minier se développa également autour de la production d'argent, dont on avait découvert d'importants filons dans le Nord, et du charbon, que l'on trouvait essentiellement dans le Sud, dans la péninsule d'Arauco, et que l'on extrayait à grande échelle pour l'exportation et pour l'usage domestique.

Le Chili était alors confronté au problème de l'éloignement de ses marchés. Vers 1840, il découvrit un nouveau commerce très rentable, celui du blé et de la farine : il vendait ces denrées à la Californie, alors en pleine expansion à cause de la ruée vers l'or. Mais, dès 1854, les fermiers nord-américains augmentèrent leur production, provoquant la réduction, par contrecoup, des exportations chiliennes.

Lorsqu'un peu plus tard l'Australie connut à son tour la ruée vers l'or, ouvrant ainsi un nouveau marché, les fermiers chiliens n'étaient plus en mesure de concurrencer leurs homologues californiens. Pendant la seconde moitié du XIXᵉ siècle, l'exode rural se poursuivit à un rythme régulier, les paysans quittant des exploitations de moins en moins rentables pour aller s'établir dans les villes et les centres miniers.

Dans le même temps fut initiée, dans le grand Sud, la colonisation de la région de Valdivia et Osorno. La fondation de Punta Arenas, en 1849, marqua le début du contrôle effectif du détroit de Magellan.

LE GOÛT DES DÉFIS

Par ailleurs, le commerce était freiné par la faiblesse et la lenteur des transports intérieurs. C'est pourquoi, en 1845, on décida de construire la première ligne de chemin de fer qui devait relier Copiapó au port de Caldera. Un Américain, William Wheelwright, collecta des fonds privés, et, en 1851, un premier tronçon, d'une longueur de 81 kilomètres, fut inauguré. Une autre ligne, entre Valparaíso et Santiago, fut achevée en 1863.

En 1852, on posa la première ligne télégraphique entre ces deux villes. Vingt ans plus tard, une cinquantaine de lignes reliaient les principales villes du Chili. Enfin, en 1853, le Chili imprimait ses premiers timbres-poste, treize ans seulement après la Grande-Bretagne.

Mais c'est la mise en place d'un système bancaire qui fut l'un des défis majeurs du Chili au XIXᵉ siècle.

Le pays manquait de pièces et de monnaie de papier – les premiers billets de banque furent émis en 1839. Dans le secteur minier, les entrepreneurs avaient commencé par utiliser leurs propres effets de commerce pour régler leurs achats. Pour éviter l'anarchie, il fallut donc créer des banques. En 1850, il en existait soixante, y compris le Banco de Chile. Mais, si le gouvernement réglementait l'émission de monnaie par les banques, il n'en émettait pas encore lui-même.

Dès 1840, les chroniqueurs notaient les effets d'une période de stabilité et de prospérité. La richesse s'affichait au grand jour. Santiago se parait d'élégantes maisons neuves. On comptait deux théâtres, une école de peinture et plusieurs magazines littéraires, non seulement à Santiago mais aussi à La Serena, à Copiapó et à Valparaíso.

LA GUERRE DU PACIFIQUE

Pendant la première moitié du XIXᵉ siècle, la partie septentrionale du désert suscita fort peu d'intérêt. Mais, dès 1850, on y découvrit des gisements d'engrais naturels (guano et salpêtre, ou nitrate de sodium). Le guano devint une source importante de revenus pour le Pérou, tandis que le Chili et la Bolivie se disputaient les gisements côtiers situés au nord de Coquimbo.

devaient lui assurer une importante source de revenus. Lors de ce conflit, le capitaine Arturo Prat Chacón, s'illustra par sa bravoure. La statue de ce héros s'élève dans de nombreux villages, et l'anniversaire de sa mort, survenue le 21 mai 1879 lors de la bataille d'Iquique, est une fête nationale.

Cette mort s'inscrit dans la plus pure tradition des héroïques défaites navales. Le vieux bateau de Prat, la *Esmeralda*, était cerné dans la baie d'Iquique par les deux plus gros cuirassés de la flotte péruvienne, le *Huáscar* et la *Independencia*. Prat refusa de se rendre et résista aux tirs de l'ennemi, jusqu'au moment où le *Huáscar* éperonna son bateau. L'épée à la main, Prat sauta sur le pont du navire péruvien et y trouva la mort.

En 1874, le Pérou et le Chili s'entendirent pour exploiter conjointement le guano. Mais la main-d'œuvre était surtout chilienne. En 1878, un différend surgit entre le Chili et la Bolivie, cette fois à propos des gisements de salpêtre. L'année suivante, les Chiliens occupèrent Antofagasta, en territoire bolivien. Apprenant que le Pérou et la Bolivie avaient conclu un pacte secret de défense mutuelle, le Chili déclara la guerre à ses deux voisins en 1879. La guerre du Pacifique allait permettre au Chili de s'approprier des terres qui

À gauche, le capitaine Arturo Prat, héros national, qui mourut au combat ; ci-dessus, des mineurs dans les déserts du Nord. Par leurs actions, ils furent les précurseurs des syndicats de travailleurs chiliens.

L'amiral Grau, qui commandait le cuirassé, se comporta en *gentleman* et envoya au Chili l'épée de son ennemi ainsi qu'une lettre à sa femme. Cette générosité lui valut un traitement de faveur lorsque, quelques mois plus tard, le *Huáscar* fut arraisonné par les Chiliens, qui acquirent à cette occasion la maîtrise des opérations navales.

L'armée chilienne remonta alors vers Lima, qu'elle prit en janvier 1881. En 1883 fut signé le traité d'Ancón, par lequel le Chili obtenait du Pérou et de la Bolivie les provinces de Tarapacá et d'Antofagasta. Les districts de Tacna et d'Arica lui étaient cédés pour dix ans. Le plébiscite qui devait décider de l'avenir de cette région n'eut jamais lieu. Le Pérou récupéra Tacna en 1929, mais le district d'Arica resta chilien.

Quant à la Bolivie, elle perdit alors son seul accès à la mer, la province d'Antofagasta.

Les recettes fiscales provenant des mines de nitrate alimentèrent les caisses de l'État chilien pendant les quarante ans qui suivirent le conflit. Mais l'homme qui en tira les plus gros bénéfices était un Anglais nommé John North, qui profita de la guerre pour racheter à bas prix plusieurs mines sur lesquelles il émit ensuite des actions à la Bourse de Londres. Le salpêtre du Chili connut un succès boursier considérable et North devint une célébrité. L'un de ses rivaux déclara même à son propos que c'était l'homme le plus important d'Angleterre après le Premier ministre Gladstone. Mais la surproduction guettait et, à la

veilleuse grâce à la personnalité de certains présidents qui, désireux d'éviter tout affrontement, s'étaient bornés à promulguer quelques réformes mineures.

Mais le problème essentiel demeurait : étant donné que le Congrès était en mesure de bloquer les décisions du gouvernement, les présidents s'efforçaient de faire élire des parlementaires qui leur étaient favorables, faisant jouer les rivalités entre factions pour obtenir des soutiens. À la fin du XIXe siècle, ces factions s'étaient transformées en véritables partis organisés, et il était de plus en plus difficile de les tenir.

Sous le mandat de José Manuel Balmaceda (1888-1891), le problème devint crucial. Ce pré-

fin du siècle, les cours chutèrent, d'autant plus brutalement que, presque au même moment, on découvrit un substitut beaucoup plus économique. On tenta de réduire la production, mais les cours continuèrent à baisser et l'industrie du nitrate déclina jusqu'à ce que, vers 1930, il ne restât plus qu'une poignée de sites (oficinas) en exploitation. On peut voir aujourd'hui, étonnamment bien conservés par l'air sec du désert, quelques-uns de ces villages fantômes autrefois débordants d'activité (voir p. 197).

LA VOIE DU PARLEMENTARISME

À partir des années 1860, la lutte pour le pouvoir entre le président et le Congrès avait été mise en

sident dut faire face à une forte opposition parlementaire et effectua certaines nominations qui parurent discutables.

Il parvint toutefois à lancer un programme d'équipement du pays et il prit un certain nombre de mesures sociales qui lui attirèrent l'inimitié de la classe dirigeante. Ayant perdu la majorité, il refusa de convoquer le Congrès pour procéder au vote du budget militaire. La marine se rebiffa. Appuyée par une grande partie des députés, elle affronta les troupes fidèles au président. Ces dernières furent battues et Balmaceda se suicida.

Ci-dessus, une galerie commerciale, telles qu'il s'en construisait beaucoup vers la fin du XIXe siècle.

L'HOMME QUI VOULAIT ÊTRE ROI

« Imberbes, robustes,
Le corps souple et musclé,
Les membres puissants, les nerfs d'acier,
Agiles, effrontés, enjoués,
Courageux, hardis, vaillants,
Endurcis par le labeur et insensibles au froid,
À la faim et à l'infernale chaleur. »

Peut-être l'intérêt d'Antoine de Tounens pour les farouches Araucans fut-il éveillé par cette description tirée de *La Araucana*, œuvre épique du poète espagnol Ercilla, qui connut au XVIᵉ siècle un grand succès en Europe. Tounens était un avoué périgourdin d'origine paysanne, né en 1825 à Chourgnac, en Dordogne. En 1859, il vendit sa charge et prit le train pour Paris, où il fit confectionner des drapeaux, frapper un sceau royal et des pièces de monnaie, puis il s'embarqua pour le Chili. Son ambition était de créer un État indépendant formé par la Patagonie et l'Araucanie, à la pointe sud du continent américain. Ces terres n'étaient pas encore officiellement annexées. Selon lui, les Patagons, modèles du « bon sauvage » selon Rousseau, ne pouvaient que l'accepter pour roi, puisqu'il se proposait de les défendre face à leurs puissants voisins.

Après un voyage hasardeux suivi d'un long séjour à La Serena puis à Valparaíso, où il fut victime de nombreuses escroqueries, il put enfin entrer en contact avec le cacique mapuche Manil qui lui donna une réponse favorable. Tounens se mit en route vers le río Bío-Bío, en compagnie d'un interprète et de deux autres Français, qu'il avait nommés ministre des Affaires étrangères et secrétaire d'État à la Justice de son futur royaume. Par une coïncidence tout à fait opportune, le cacique Manil était mort entre-temps, non sans avoir annoncé qu'un étranger barbu viendrait conduire son peuple vers la liberté. Le nouveau cacique, Quillapán, accueillit donc Tounens avec une certaine bienveillance, et les Patagons de l'autre versant des Andes (l'Argentine actuelle) en firent de même. Le 17 novembre 1860, Tounens s'autoproclama roi des Araucans et des Patagons sous le nom d'Orélie-Antoine Iᵉʳ.

Il rédigea alors la constitution de la « Nouvelle France », mais hélas, ni le Chili ni la France ne reconnurent son royaume. Sans céder au découragement, il retourna neuf mois plus tard sur ses

terres, avec un serviteur nommé Rosales. Cette fois, la guerre menaçait d'éclater, et Tounens déclara qu'il allait organiser une armée indienne pour défendre la frontière araucane. Si l'on en croit l'historien Braun Menéndez, le Français fut acclamé par les Indiens aux cris de « Un seul roi, un seul drapeau ! » Enivré par ce succès, Tounens pensa pouvoir rassembler 30 000 guerriers.

Des marchands ambulants de rhum rapportèrent ces nouvelles aux autorités chiliennes qui, cette fois, prirent le « roi de Patagonie » plus au sérieux. Tounens, trahi par Rosales, tomba dans une embuscade et fut capturé. Jugé par la Cour de justice de Santiago qui le déclara fou, il accepta d'être rapatrié. En 1869, il revint en Araucanie

pour essayer à nouveau de rassembler son « peuple ». Appréhendé par la police chilienne, il fut renvoyé en France. Lors de sa troisième tentative, en 1874, il fut arrêté avant même d'atteindre son but. Il mourut en 1878 dans son Périgord natal, pauvre, incompris et abandonné de tous. N'ayant pas eu d'enfants, il laissa son trône à l'un de ses cousins, qui prit le nom d'Achille Iᵉʳ.

L'un de ses descendants, qui se fait appeler le prince Philippe d'Araucanie, se consacre encore, en ce début du XXIᵉ siècle, à la défense des Indiens. Il effectue de fréquents voyages en Amérique du Sud, où il tente d'obtenir des autorités certaines concessions comme la restitution aux Mapuches des restes sacrés de leurs ancêtres.

À droite, Orélie-Antoine de Tounens, qui fonda le royaume éphémère d'Araucanie.

UN SIÈCLE DE SOULÈVEMENTS

La guerre civile des années 1890 fit pencher la balance du pouvoir en faveur du Congrès, qui instaura un régime parlementaire et élut comme président Jorge Montt. Mais de nouveaux acteurs étaient arrivés sur la scène politique avec le développement des villes et du chemin de fer. Une classe moyenne s'était formée, représentée par le Parti radical, fondé en 1859, qui avait réussi à faire voter la laïcité. Les francs-maçons, dont les loges constituaient des centres de débat politique, étaient des membres très influents de ce nouveau parti.

LA NAISSANCE DES PARTIS POPULAIRES

D'autre part, les travailleurs commençaient à constituer, eux aussi, une classe à part entière. Au cours de la première partie du XIXe siècle, l'industrie s'était développée dans quelques centres : fabriques de pâtes ou de biscuits à Valparaíso, brasseries allemandes dans le Sud, etc. Il fallait des ateliers pour la construction des voies de chemin de fer et pour approvisionner les villes en textiles, chaussures, savon, meubles… Dans les zones urbaines, le nombre des usines et des ateliers artisanaux explosa.

Dans les campagnes, en revanche, il était de plus en plus difficile de gagner sa vie. En conséquence, les paysans sans ressources étaient contraints d'émigrer vers le nord pour trouver du travail dans les mines. Il leur était difficile d'en repartir : leur salaire y était très bas et, surtout, il leur était payé en bons d'achat négociables seulement dans le magasin de la société qui les employait. La région minière était un lieu de non-droit, presque totalement dépourvu d'écoles, de police et de tribunaux. On disait qu'il était plus facile d'y trouver du whisky que de l'eau.

Les mineurs formèrent rapidement un auditoire très réceptif à tous les chantres d'une condition de vie meilleure – sociétés d'entraide, pionniers du syndicalisme, anarchistes, socialistes. L'un de ces apôtres de la révolution fut Luis

Pages précédentes : manifestants pour le « oui » à Pinochet, lors du référendum de 1988. À gauche, l'une des principales avenues de Santiago, le paseo Ahumada, dans les années 1930. Cette artère concentre la majeure partie de la vie sociale et commerciale du secteur. À droite, manifestation d'ouvriers en grève.

Emilio Recabarren, ancien ouvrier imprimeur qui publiait plusieurs feuilles donnant des informations sur les autres provinces du Chili. Ces journaux aidaient les immigrants de la « pampa » à garder le contact avec leur région d'origine.

Recabarren fut à deux reprises élu député, mais la Chambre des députés ne put se résigner à le laisser occuper son siège à l'Assemblée, allant jusqu'à l'accuser, lors de la première élection, d'avoir fraudé, ce qui lui valut d'aller en prison. Séduit par l'idéologie marxiste, il fonda en 1912 le Parti ouvrier socialiste, qui devint par la suite le Parti communiste. Il effectua même un voyage en Russie, où il fut photographié en compagnie de Lénine et de Trotski. Toutefois, ses relations

avec les communistes étaient conflictuelles et le Parti finit par le désavouer, le soupçonnant de déviation anarchiste.

Les mineurs, parfois surnommés *pampesinos*, s'organisèrent et commencèrent à mener des grèves et des manifestations. Pour la plupart, elles se soldèrent par des massacres, car les propriétaires des mines appelaient systématiquement l'armée à la rescousse.

AGITATION SOCIALE ET RÉPRESSION

L'un des plus tragiques événements de cette époque se déroula dans l'école Santa María de Iquique lors d'une grève, le 21 décembre 1907. Quelque 4 500 mineurs (15 000, aux dires de témoins) accompagnés de leurs femmes et de leurs enfants avaient marché sur Iquique pour réclamer une vie plus digne et leur paiement en argent. Croyant répondre à l'invitation de l'envoyé du gouvernement, ils se réunirent dans l'école et sur la place attenante. Mais ils y trouvèrent l'armée, qui tira sans sommation sur la foule massée sur la place principale, puis massacra les personnes restées dans l'édifice. Les militaires déclarèrent par la suite qu'il y avait eu 140 morts. Mais certains témoins déclarèrent en avoir recensé 195, et 390 blessés, et d'autres sources font état de chiffres bien plus importants. Ces exactions eurent pour conséquence d'accélérer la formation de partis et de syndicats.

lions de pesos furent consacrés à l'achat de matériel agricole et industriel, et 6,8 millions aux produits de luxe (champagne, bijoux, parfums...).

Le Chili n'était guère en mesure de s'offrir de telles largesses. La dette publique auprès des banques étrangères était déjà très élevée. Les recettes fiscales ne couvraient même pas les frais de fonctionnement de l'appareil d'État. Le sentiment de malaise était général. Or le Chili n'avait pas résolu le problème lié au parlementarisme auquel s'était heurté Balmaceda et se trouvait dans une impasse politique due à la primauté du Congrès sur un pouvoir exécutif réduit à l'inefficacité. C'est pour transformer le système politique et redonner à long terme du pouvoir au pré-

Au moment du déclin de l'exploitation du nitrate, dans les années 1920, beaucoup de mineurs retournèrent chez eux, acquis aux idées radicales et forts d'une certaine expérience politique. Il régnait alors un sentiment général de mécontentement, et l'agitation se faisait sentir au sein même de la classe dirigeante. Mais l'État se trouvait dans une impasse financière bien que l'exportation du cuivre fût en pleine expansion, car les mines fermant, les recettes fiscales sur le salpêtre diminuaient. L'agriculture stagnait, les grands propriétaires fonciers continuant à préférer vivre dans le luxe à la ville ou à l'étranger plutôt que d'investir dans leurs exploitations. À cet égard, les statistiques relatives aux importations de l'année 1907 sont révélatrices : 3,7 mil-

sident que, paradoxalement, l'armée intervint durant le mandat d'Arturo Alessandri.

DES RÉFORMISTES AUX MILITAIRES

Fils d'un immigrant italien, ce président très charismatique avait été porté au pouvoir en 1920 par un mouvement réformiste. En dépit de l'aura dont il jouissait auprès de son électorat, il n'eut pas plus de poids face au Congrès que n'en avaient eu ses prédécesseurs. Il tenta néanmoins de faire voter des lois visant à améliorer le sort des travailleurs. Contraint à la démission par l'opposition conjointe des conservateurs et d'une partie de l'armée, en 1924, Alessandri fut rappelé au pouvoir par de jeunes officiers l'année suivante.

La constitution que, sous l'égide de l'armée, il fit voter en 1925 marquait l'avènement d'un véritable système présidentiel, dans lequel le chef de l'État était maître de l'exécutif. Cependant, les tensions sociales s'accrurent et un grave différend entre Alessandri et son ministre de la Guerre, le colonel Carlos Ibáñez del Campo, amena le président à démissionner. En 1927, Carlos Ibáñez fut élu. Il instaura un régime populiste autoritaire d'inspiration fasciste (ses modèles étaient Primo de Rivera et Mussolini). Adversaire du multipartisme, il « invita » certains chefs politiques à quitter le pays et fit arrêter et déporter la plupart des responsables syndicaux et communistes. Le Chili connut à cette époque un retour à l'autorité tel qu'il n'en avait pas subi depuis le gouvernement de Portales.

Ibáñez del Campo engagea son pays dans la voie du dirigisme économique. Son gouvernement fut à l'origine de la création d'institutions comme la compagnie aérienne Lan Chile et le quotidien *La Nación,* et il imposa la notion de rôle régulateur de l'État dans l'économie. L'intervention de l'État supposait des dépenses que le Chili pouvait difficilement se permettre.

Le krach de Wall Street, en 1929, et la crise mondiale qui s'ensuivit plongèrent l'économie chilienne dans la récession. Alors que la production de nitrate était depuis longtemps sur le déclin, celle du cuivre se trouva brutalement affectée par la chute de la demande des pays industrialisés. Le chômage se répandit et l'agitation sociale s'intensifia. Le gouvernement mit sur pied un programme d'urgence pour l'emploi, qu'il finança en faisant fonctionner la planche à billets. L'inflation s'accéléra et le mécontentement s'accentua.

LA PÉRIODE RADICALE

Contraint de démissionner, Ibáñez s'exila en juillet 1931. Son successeur, élu, fut vite renversé par une junte civile et militaire. En juin 1932, le colonel Grove instaura une république socialiste qui prévoyait une réforme agraire au profit des paysans et ne dura que 13 jours. Après une série de dirigeants éphémères, Alessandri fut réélu en 1932. Devenu plutôt conservateur, il effectua des purges au sein de l'armée, mit fin aux grèves et

À gauche, des mineurs, parfois appelés « pampesinos », à la grande époque de la production du nitrate (ou salpêtre). Leurs conditions de travail étaient rudes dans un Nord aride, sans foi ni loi. À droite, Arturo Alessandri, président charismatique, assuma par deux fois les plus hautes fonctions.

musela les syndicats et la presse. Mais il réussit à stabiliser l'économie, en particulier grâce à l'industrie du cuivre naissante ; le budget fut rééquilibré, la production et les exportations reprirent, le chômage diminua.

En 1938, la constitution d'un Front populaire ramena les réformistes au pouvoir. Le président élu, Pedro Aguirre Cerda, proposait un programme social-démocrate. Il bénéficia d'abord du soutien des socialistes et des communistes, mais des désaccords mirent bientôt fin à cet état de grâce. Il mourut en 1941. À la suite de leur triomphe aux élections municipales de 1947 et à la demande des Américains, les communistes, qui faisaient pour la première fois partie d'un

gouvernement, celui de Gabriel González Videla, élu en 1946, furent brutalement évincés du pouvoir et déclarés hors la loi en 1948. Les radicaux parvinrent à stimuler le secteur public grâce à un vaste programme de développement de la sidérurgie et d'électrification du pays. La production industrielle progressa fortement, hélas en partie financée par des banques américaines auprès desquelles le pays s'endetta. Le PNB augmenta, mais sa répartition fut inégale.

Un autre conflit se dessinait : celui de la propriété des mines de cuivre. Les principaux gisements appartenaient, depuis le début, aux grandes compagnies américaines et anglaises. Au cours de la Seconde Guerre mondiale, puis durant la guerre de Corée, le gouvernement américain acheta le cuivre à un prix maintenu artificiellement très bas, faisant supporter au gouvernement chilien une baisse substantielle de ses recettes fiscales. Le contrôle d'une telle source de revenus prit alors une importance vitale.

UN PAYS DÉCHIRÉ

En 1950, les luttes intestines des partis et la corruption avaient une fois de plus ouvert la voie à un homme fort. En 1952, vingt et un ans après sa démission, Carlos Ibáñez del Campo fut réélu président, avec un programme appelant à « un changement de direction radical ». Mais il ne bénéficiait d'aucun soutien politique organisé. Il

tenta une réforme de la Constitution allant dans le sens d'un renforcement des pouvoirs présidentiels, mais il échoua et dut terminer son mandat sans majorité. Les élections de 1958 portèrent à la présidence le fils d'Arturo Alessandri, Jorge.

Le centre et la gauche étaient séparés en deux groupes bien définis. La gauche était formée de socialistes et de communistes. Ces derniers, des marxistes-léninistes purs et durs, prônaient la lutte armée et le renversement de « l'État bourgeois » mais aspiraient à se constituer un électorat pour l'emporter par des moyens pacifiques.

Leurs adversaires, les démocrates-chrétiens, demandaient la nationalisation des mines de cuivre et la répartition des terres. Le Parti démocrate-chrétien avait été formé dans les années

1930 par un groupe de jeunes catholiques du parti conservateur sous la direction d'Eduardo Frei. Ce petit parti, qui s'appela d'abord la Falange Nacional, revendiquait son appartenance à la mouvance fasciste. Vers 1950, ses idées avaient évolué vers le réformisme chrétien et faisaient un nombre croissant d'adeptes dans les classes laborieuses et moyennes. Les démocrates-chrétiens, violemment anticommunistes, entretenaient des liens très forts avec l'Église. Leur slogan était « la révolution dans la liberté ». Ils voulaient réformer en restant à l'écart du socialisme.

À partir de 1960, tandis que l'expérience cubaine enflammait les imaginations dans toute l'Amérique latine, les démocrates-chrétiens apparurent comme le meilleur contrepoids face à la menace du marxisme. Au Chili, soutenus par les États-Unis, ils s'assurèrent une majorité à l'Assemblée, ce qui fit d'Eduardo Frei, élu en 1964, le premier président chilien à contrôler, en théorie, l'exécutif et le législatif.

Les démocrates-chrétiens, enivrés par ce succès, se crurent solidement installés au pouvoir. Mais le gouvernement de Frei se fit deux puissants ennemis : les propriétaires terriens, farouchement opposés à la réforme agraire qu'il mit en chantier, et les militaires, mécontents de leur statut et de leur rémunération. Le général Viaux organisa une tentative de coup d'État en 1969.

La droite traditionnelle qui, faute de mieux, avait soutenu l'élection de Frei, lui retira bientôt son soutien et se reforma en un Parti national. Des tensions au sein même du Parti démocrate-chrétien conduisirent à une scission en 1969, et les éléments de gauche qui avaient soutenu Frei jugèrent les réformes entreprises trop timides et formèrent le Mouvement d'action unitaire populaire.

ALLENDE, « EL CHICHO »

Lors du scrutin du 4 septembre 1970, les partis de gauche, réunis dans une coalition appelée l'Unité populaire, présentèrent un candidat très connu, Salvador Allende. Cet ancien médecin issu des classes moyennes, cofondateur du Parti socialiste, avait notamment été député, puis président du Sénat de 1966 à 1969. L'Unité populaire l'emporta avec 36,3 % des voix. Allende commença aussitôt à mettre en œuvre le programme de la coalition en nationalisant les mines de cuivre et 80 % des industries, en morcelant les grands domaines au profit des petits paysans et en augmentant fortement les salaires.

Malgré les tensions sociales, Allende rencontra au départ un certain succès sur le plan intérieur. Ainsi, en 1971, il obtint le soutien massif de l'Assemblée pour nationaliser les mines de cuivre. Mais lorsqu'il décida que les propriétaires nord-américains ne seraient pas indemnisés, les États-Unis supprimèrent tous les crédits (sauf militaires) au Chili et tentèrent d'imposer un embargo mondial sur le cuivre chilien.

Le secrétaire d'État américain Henry Kissinger déclara ne pas voir comment son pays pourrait « laisser un pays devenir communiste par l'irresponsabilité de son propre peuple ». Au cours des trois années suivantes, le gouvernement de Nixon accorda à l'opposition chilienne 8 millions de dollars de financement indirect.

La tension politique montait. La politique économique mise en place par Allende, qui consis-

balance des paiements. ces difficultés suscitèrent l'inquiétude des classes moyennes, les renforçant dans leur crainte du marxisme. L'opposition était en effet persuadée qu'Allende cherchait à instaurer un gouvernement marxiste. Paradoxalement, le Parti communiste jouait un rôle modérateur, appelant à emprunter « la voie pacifique vers le socialisme ». En octobre 1972, les chauffeurs routiers se mirent en grève pour s'opposer à la proposition gouvernementale de nationaliser les transports, paralysant ainsi le pays. Médecins, commerçants et employés de banque se joignirent à ce mouvement, et des entrepreneurs organisèrent un lock-out ; on apprit plus tard que la CIA soutenait financièrement les protestataires.

tait à relever les salaires pour améliorer le pouvoir d'achat et relancer la production, fut, dans un premier temps, couronnée de succès : le PIB, la production industrielle et la consommation des ménages augmentèrent, tandis que le chômage et l'inflation reculaient. Mais, la production ne suffisant pas à satisfaire la demande, cette politique eut pour effet pervers l'augmentation des importations et un gros déficit de la

À gauche, l'horloge Turri à Valparaíso, équivalent local de Big Ben ; ci-dessus : à gauche, le président socialiste Salvador Allende, affectueusement surnommé « el Chicho » ; à droite, le général Augusto Pinochet, qui gouverna le pays d'une main de fer pendant quinze ans.

En même temps, l'inflation progressait, l'agitation croissait. Des groupes de travailleurs occupèrent leurs ateliers. Des comités de voisinage créèrent leurs propres réseaux de distribution.

Lors des élections législatives de mars 1973, le gouvernement obtint 43,4 % des suffrages, malgré l'agitation grandissante. Ce score était de mauvais augure pour l'opposition, qui décida de ne pas attendre les élections suivantes, prévues pour 1976. En juin, un premier coup d'État échoua. En août, la Chambre des députés déclara que le gouvernement avait enfreint plusieurs fois la constitution. Le 5 septembre, une manifestation réunit à Santiago des milliers de femmes réclamant la démission d'Allende. Enfin, l'armée, forte de la déclaration des députés, décida d'intervenir.

Le 11 septembre, des chars envahirent les avenues de Santiago, les militaires s'emparèrent des stations de radio, instaurèrent le couvre-feu et sommèrent Allende de démissionner. Retranché dans le palais de La Moneda, le président refusa. Casqué et équipé d'une mitrailleuse, il résista mais finit par être blessé par les balles de l'armée. Dans son ultime appel radiodiffusé à la nation, il demanda à ses partisans de capituler. Pourtant, il refusa d'être conduit sous escorte à l'aéroport et de s'exiler. Son médecin affirma qu'il s'était donné la mort dans le palais à demi détruit par les bombardements, ce que confirma, en mars 1991, le rapport de la Commission nationale pour la vérité et la réconciliation.

semble effectivement que le général n'ait été mis au courant de la conspiration que quelques jours auparavant. Toutefois, Pinochet s'imposa vite comme l'homme fort de la junte, et la dictature militaire s'installa, poursuivant et emprisonnant les dirigeants politiques et syndicaux, ceux des organisations populaires, des associations étudiantes et des mouvements culturels supposés proches du régime d'Allende.

L'USAGE DE LA FORCE

Dès le lendemain du coup d'État, des milliers de sympathisants présumés de la gauche furent parqués dans les stades de Santiago, notamment

L'ASCENSION DE PINOCHET

Le monde entier fut secoué par le coup d'État de 1973. Si, pour certains, l'élection de 1970 avait montré qu'une révolution socialiste pouvait avoir lieu de façon pacifique et progressive, cet espoir était désormais anéanti. Le Chili avait, certes, déjà connu une intervention militaire au cours du XXe siècle, mais le pays était apparu comme un havre de démocratie dans un continent où les problèmes politiques sont souvent résolus par le recours à la force.

Au moment du putsch, la nomination d'Augusto Pinochet au poste de commandant en chef de l'armée ne remontait qu'à quelques semaines. Allende le croyait loyal à la Constitution, et il

l'Estadio Nacional de Chile et l'Estadio Chile (aujourd'hui Estadio Víctor Jara), transformés en prison pour l'occasion, où ils furent pour la plupart passés à tabac et torturés et où certains d'entre eux furent tués. Des journalistes étrangers pris dans la rafle témoignèrent ultérieurement des violences perpétrées par les forces de l'ordre. L'assassinat du chanteur Víctor Jara (voir p. 91) allait devenir un triste symbole de cet événement. Dans les mois qui suivirent, des milliers de personnes furent torturées ou exécutées et des centaines de milliers de Chiliens s'exilèrent pour échapper aux persécutions ou pour trouver du travail, car les usines, les administrations, les écoles et les universités étaient désormais sous le contrôle direct des militaires.

Deux semaines après le putsch, l'enterrement à Santiago du grand poète chilien Pablo Neruda, mort d'un cancer – ses admirateurs affirment qu'il mourut de la tristesse que lui causa le coup d'État –, représenta la dernière manifestation d'hostilité à Pinochet jusqu'à l'agitation sociale causée par la crise de 1982-1983. Encadrées par des soldats, trois mille personnes suivirent le cortège en scandant des slogans contre l'armée et en arborant des pancartes aux noms de Neruda et d'Allende. L'Église s'éleva elle aussi contre les tortures et la répression. Juste après le coup d'État, les lieux de culte servirent de refuge à ceux qui ne trouvèrent pas asile dans les ambassades, et le Vicariat de la Solidarité (fondé en 1976)

de centres de rétention et de torture secrets. Elle sera remplacée, en août 1977, par la tout aussi redoutable CNI (Centrale nationale d'information). Parallèlement, tous les autres services de renseignements furent réunis sous le nom de Commandement conjoint (CC), dont l'objectif était d'anéantir le PS, le PC et le Mir (Mouvement de la gauche révolutionnaire), clandestins. Par tous les moyens. Le CC fut si violent que le gouvernement décida de le supprimer.

De nombreux pays s'indignèrent des exactions perpétrées par le régime chilien. Le pays fut mis au ban des Nations et condamné à plusieurs reprises par l'ONU. Pinochet prétendait que toutes ces critiques étaient à mettre sur le compte

apporta une assistance juridique efficace aux victimes de la répression.

En octobre 1973, une opération appelée « Caravane de la mort » fut menée dans tout le pays afin d'éliminer les opposants à la dictature. Toute opposition fut interdite par le nouveau régime, qui créa en 1974 une police secrète, la Dina (Direction d'intelligence nationale), chargée de surveiller l'opposition et les éléments de l'armée, de la justice et de l'administration susceptibles de sympathiser avec elle. La Dina fut aussitôt dotée

À gauche, l'attaque contre La Moneda, le palais présidentiel, lors du coup d'État du 11 septembre 1973. Salvador Allende y fut retrouvé mort ; ci-dessus, jeune fille manifestant contre Pinochet.

de la propagande marxiste. Il alla jusqu'à faire voter, en 1978, une loi d'amnistie qui exonérait les personnes impliquées dans les actes de torture perpétrés lors du coup d'État et ultérieurement.

LES SIRÈNES DE L'ÉCONOMIE DE MARCHÉ

Très vite, l'anticommunisme primaire du dictateur s'assortit d'un néolibéralisme économique qui entraîna une ouverture totale du pays au marché mondial, selon les théories de Milton Friedman et de ses disciples chiliens, les « Chicago Boys » (*voir p. 61*). Ceux-ci préconisaient une forte baisse des salaires et une réduction drastique des dépenses publiques.

À la fin des années 1970, la nouvelle politique économique avait relancé la consommation et attiré les investisseurs étrangers ; de nouveaux produits à l'exportation tels que le vin ou les fruits commençaient à se vendre, et les appareils électriques américains assemblés par la main-d'œuvre chilienne bon marché inondaient toute l'Amérique du Sud. Mais cette politique avait également engendré du chômage. Ce « miracle économique chilien » avait une face cachée : la pauvreté grandissante de la majorité de la population, soigneusement dissimulée sous le voile de la répression.

Cela explique pourquoi plus des deux tiers des votants du référendum de 1978 choisirent de

soutenir Pinochet. Deux ans plus tard, une nouvelle Constitution, élaborée par un sympathisant fasciste notoire, acheva de consolider l'emprise du dictateur sur la vie du pays. Lors du référendum de septembre 1980, elle obtint 67 % des voix. Le texte prévoyait un retour à une « démocratie » mesurée. Pinochet était désigné comme le président jusqu'en 1989 ; en 1988, un nouveau référendum serait organisé pour le reconduire au pouvoir jusqu'en 1997.

L'ÉCONOMIE S'EFFONDRE

En 1982-1983, l'économie chilienne fut secouée par une crise qui fit chuter le niveau de vie de la majeure partie de la population et mit fin à la période de croissance des années précédentes. En 1983, la baisse du produit intérieur brut suscita un mécontentement général. Les organisations politiques et les syndicats, muselés par le régime, profitèrent de ce climat de protestation pour se réorganiser. Grèves et manifestations reprirent. Le Parti communiste, qui avait adopté une position modérée sous le gouvernement socialiste d'Allende, était allé jusqu'à affirmer après le coup d'État que celui-ci était la conséquence de réformes trop rapides et trop audacieuses. Il se radicalisa sous l'influence des jeunes générations. En 1983, la création du Front patriotique Manuel Rodríguez marqua un passage à la lutte armée qui culmina avec l'assassinat manqué de Pinochet en 1986.

À l'approche du référendum de 1988, un front anti-Pinochet émergea. Le Parti socialiste, les démocrates-chrétiens et les syndicalistes mirent de côté leurs différends et élaborèrent une campagne commune pour répondre « non » au plébiscite qui visait à reconduire Pinochet pour huit ans, tandis qu'une grande majorité de chefs d'entreprise se prononçaient en faveur du dictateur. Encouragé par de bons résultats économiques, ce dernier était confiant, mais le « non » l'emporta avec 56 % des suffrages, ce qui entraîna la tenue d'une élection présidentielle l'année suivante. Afin d'assurer une transition pacifique, des pourparlers entre la « Concertation pour la démocratie » et le dictateur furent organisés. Pinochet renonça à la présidence mais fut loin d'abandonner tout pouvoir.

« RIEN À REGRETTER »

En fait, rien dans la société chilienne ne changera véritablement quand le démocrate-chrétien Patricio Aylwin accédera à la présidence en mars 1990. Deux raisons principales expliquent ce *statu quo*. D'une part, le pouvoir conservé par Pinochet comme chef des armées jusqu'en 1997 et le poids de ses partisans dans l'*establishment* chilien, d'autre part les entraves à la mise en place d'une véritable démocratie contenues dans la Constitution de 1980. Celle-ci stipulait en effet que neuf sénateurs sur trente-cinq étaient directement nommés par les militaires, ce qui assurait une majorité effective à la droite conservatrice. Le gouvernement se trouvait ainsi dans l'impossibilité de modifier la Constitution et même d'abroger la loi d'amnistie concernant les crimes contre les droits de l'homme mise en place par la dictature. De plus, la Cour suprême était sous le contrôle de juges nommés par Pinochet juste avant la passation des pouvoirs. Enfin, même si la « Commission nationale pour la vérité et la réconciliation », créée en 1990, allait chercher à jeter la lumière sur le sort des disparus et sur les exactions commises sous la dictature, les coupables ne seraient jamais véritablement inquiétés.

Sur le plan économique, la société chilienne demeurait extrêmement inégalitaire, les Chiliens enrichis sous Pinochet étaient protégés, les industries privatisées ne seraient pas rendues à l'État et le vaste programme de protection sociale ébauché par Allende ne serait pas repris.

Il n'est donc nullement étonnant que l'ancien dictateur ait continué à jouer un rôle si important dans la vie politique de son pays, ni qu'il ait

nouveau code du travail, et de nombreuses autres réformes passèrent purement et simplement à la trappe. La répression ayant suivi le coup d'État restait si présente dans les mémoires qu'une simple allusion à une intervention militaire suffisait à mettre au pas le Parlement.

Le niveau de vie moyen ne parvint à augmenter que lentement, et, en 1998, les statistiques montrèrent qu'une grande partie de la population était encore plus pauvre qu'au début des années 1970, même si les gouvernements successifs de Patricio Aylwin (de 1990 à 1994) et d'Eduardo Frei (de 1994 à 2000) tentèrent de remédier à cette situation en renforçant la protection sociale et en modifiant légèrement la politique fiscale.

déclaré publiquement en 1995 qu'il n'avait « rien à regretter et referai[t] exactement les mêmes choses s'il le fallait ».

Les partisans de la démocratie se trouvèrent alors partagés entre le désir de faire table rase des années de dictature et la crainte d'une révolution populaire. Pour sa part, la droite parlementaire ne se sentit aucunement menacée par le nouveau gouvernement et opposa tranquillement son *veto* aux initiatives les plus modérées. Il fallut quatre ans pour voir l'établissement d'un

À gauche, manifestation pour le non à Pinochet, lors du référendum qui aurait pu mener au maintien du dictateur au pouvoir ; ci-dessus, le palais du Congreso, à Valparaíso.

LA FIN D'UNE ÉPOQUE ?

En mars 1998, à l'âge de 82 ans, Pinochet pouvait prendre sa retraite de chef des armées en toute tranquillité. Il s'était nommé *senador vitalicio* (« sénateur à vie ») dans la Constitution de 1980, ce qui lui donnait une immunité de fait contre les poursuites judiciaires pour crimes contre les droits de l'homme – quelque deux cents affaires impliquant directement l'ancien dictateur étaient alors en suspens.

C'est donc avec l'esprit serein que l'ancien dictateur se rendit en Grande-Bretagne en septembre 1998, pour y recevoir des soins médicaux. Le régime de Pinochet avait en partie coïncidé avec le gouvernement Thatcher, dont il partageait l'idéologie néolibérale, et les relations entre le général et la Dame de Fer (et celles qu'il entretenait avec l'ancien président américain Reagan) avaient toujours été pleines de courtoisie.

Cependant, des poursuites contre Pinochet avaient été engagées par des familles de victimes non chiliennes. La plupart des cas se rapportaient au début des années 1980. Le dictateur avait alors collaboré avec les régimes militaires argentin et uruguayen, entre autres ; il s'agissait de mettre en commun leurs forces secrètes afin d'éliminer leurs ennemis politiques, c'est-à-dire les gens de gauche. L'opération secrète, surnommée « opération Condor », était dirigée par le tristement célèbre Manuel Contreras, chef de la

Dina, qui fut condamné par la suite à sept ans de réclusion pour sa participation à l'assassinat de l'ancien ministre des Affaires étrangères de Salvador Allende, Orlando Letelier, en septembre 1976 à Washington. Il est l'un des rares personnages clefs du régime à être emprisonné.

L'une de ces affaires devait être jugée par un tribunal espagnol. C'est pourquoi, à l'instigation du juge Baltasar Garzón, le général Pinochet fut arrêté à Londres le 16 octobre 1998. L'Espagne, soutenue notamment par la France, la Suisse et la Belgique, demanda son extradition. La Chambre des Lords autorisa dans un premier temps l'extradition avant de se rétracter, et Pinochet fut finalement autorisé par Jack Straw, ministre de l'Intérieur britannique, à regagner le Chili. Là,

en mars 2000, le Congrès adopta une réforme constitutionnelle accordant l'immunité aux anciens chefs de l'État (cette mesure visait aussi à inciter l'ancien président à se retirer tout à fait de la vie politique). En revanche, en avril 2000, la cour d'appel de Santiago refusa l'amnistie aux membres de la Caravane de la mort, mais pour une raison juridique : les corps des victimes n'ayant pas été retrouvés, ces crimes ne rentraient pas dans le cadre de la loi d'amnistie. Puis, en juin 2000, l'immunité parlementaire de Pinochet fut levée, et le juge chilien Juan Guzmán inculpa officiellement l'ancien dictateur six mois plus tard. Toutefois, à l'issue d'une longue bataille juridique, la cour d'appel chilienne décida qu'il ne serait pas jugé, les experts ayant diagnostiqué une « démence cérébrale modérée ». Pinochet échappa à toute poursuite.

Le Chili a peut-être laissé passer là l'occasion d'exorciser les fantômes du passé. Les plaies de la dictature sont en effet loin d'être refermées et les violations des droits de l'homme commises par la junte restent dans tous les esprits. En dépit des enquêtes menées par la Commission nationale pour la vérité et la réconciliation en 1990 et de pourparlers entre le gouvernement et les militaires en 1999, plus d'un millier de corps de disparus n'ont pas été retrouvés et ne le seront probablement jamais.

D'INDISPENSABLES RÉFORMES CONSTITUTIONNELLES

Depuis le 11 mars 2000, c'est Ricardo Lagos Escobar qui a repris les rênes du pays. Il a remporté de justesse les élections contre Joaquín Lavín, l'un des anciens « Chicago Boys » de Pinochet. Ancien ministre de l'Éducation nationale et ministre des Travaux publics, Lagos passe pour un pragmatique, mais sa tâche n'est pas facile, et, de l'aveu même de son gouvernement, l'issue des réformes constitutionnelles entreprises reste incertaine. Or, tant que ces réformes n'auront pas abouti, le Chili ne se sera pas débarrassé des chaînes de la dictature. Le président a hérité d'un pays dont la croissance avait atteint, en moyenne, 7 % avant la crise asiatique de la fin des années 1990, mais qui se caractérise encore par d'énormes inégalités et un taux de chômage préoccupant. Il a promis d'améliorer le système de santé et d'éducation, et a d'ores et déjà à son actif l'abolition de la peine de mort.

À gauche, parade militaire commémorant le coup d'État de 1973 ; à droite, le site de la Bourse dans la ville de Santiago.

LE LABORATOIRE DES AMÉRIQUES

Avant la dictature du général Pinochet, le Chili avait déjà mené une série d'expériences économiques originales. Ainsi, sous la présidence du démocrate-chrétien Eduardo Frei (1964-1970), le pays avait été le théâtre d'une « révolution » non communiste saluée par les États-Unis dans la mesure où elle représentait, pour les pays latino-américains, une solution de rechange au modèle cubain. Mais, en 1970, le président Salvador Allende prenait la tête du premier gouvernement de gauche démocratiquement élu du continent. Cette tentative d'assurer une « transition pacifique vers le socialisme » avorta, en raison de l'aide avérée que les États-Unis apportèrent au coup d'État sanglant du 11 septembre 1973. Durant près de quinze ans, le pays fut dirigé par une junte militaire, bien décidée à étouffer toute velléité de réforme sociale. Son projet économique était clair : ouverture totale au marché et adhésion à une théorie de la relance par la baisse des taux d'intérêt selon laquelle il faut aider les secteurs financiers et la grande industrie pour doper l'économie.

LES APÔTRES DE L'ULTRALIBÉRALISME

En gouvernant sans parlement et en interdisant l'exercice des droits syndicaux, le régime autoritaire avait réuni, selon ses conceptions, les conditions idéales pour mener à bien son programme économique. Pour aller jusqu'au bout de sa logique, il s'entoura d'un groupe d'économistes formés à l'université de Chicago (le fief de Milton Friedman, grand prêtre du monétarisme), bientôt surnommés les « Chicago Boys ».

Ceux-ci mirent en application une politique qui faillit être fatale au pays. À la fin des années 1970, le ministre des Finances gela les taux de change pour plus de deux ans et déréglementa les prêts bancaires. Les entreprises sollicitèrent des prêts colossaux auprès des banques chiliennes, qui, de leur côté, avaient emprunté des dollars sur le marché international. Lorsqu'il fallut dévaluer le peso, le pays connut une débâcle financière sans précédent. L'État dut renflouer la plupart des banques privées et prendre le contrôle

Pages précédentes : détente après un match de polo, image de la jeunesse dorée de Santiago ; des enfants jouent dans une rue de Lota, une cité minière de la plaine centrale. À gauche et à droite, la Bourse de Santiago.

des deux plus importantes. L'inflation diminua, mais le PIB aussi, et le chômage toucha plus d'un tiers de la population active.

Néanmoins, au début des années 1990, le Chili présentait des comptes bien équilibrés et jouissait d'une économie prospère, grâce à une augmentation sensible des exportations, et d'une image positive aux yeux des investisseurs étrangers. Les grandes banques et institutions internationales invitaient les autres pays du continent à imiter l'exemple de leur voisin.

En 1988, Joaquín Lavín, l'un des « Chicago Boys » les plus en vue, décrivit dans *La Révolution silencieuse* tous les changements survenus au Chili depuis l'avènement de la dictature. Ce livre,

qui fait l'apologie du modèle économique chilien, est devenu la bible de la droite et des milieux d'affaires chiliens. Entre autres exemples, Lavín évoquait les exportations de fruits, l'un des secteurs les plus dynamiques sous le régime du général Pinochet. Il brossait aussi un tableau idyllique de la région de Copiapó, dans le Nord, où prospéraient des entreprises modernes dans lesquelles les ouvriers gagnaient correctement leur vie.

LES DEUX CHILI

La voix du sociologue de gauche Eugenio Tironi s'éleva alors pour rappeler qu'en marge du monde de Lavín existait un autre Chili, à l'écart du progrès et de la prospérité. Dans son livre intitulé *Le Silence de la révolution : le revers de la modernisation*, il évalue le coût social de la politique des « Chicago Boys ». Il décrit la dualité de la société chilienne, au sein de laquelle deux mondes coexistent sans jamais se toucher : l'élite, moderne et de plus en plus ouverte au monde extérieur, et la masse des déshérités, dont le nombre ne cesse de croître et qui ne survivent que grâce aux aides publiques.

Tironi identifie quatre groupes de victimes du néolibéralisme à la chilienne. Le premier englobe ceux qui vivent dans la ceinture de pauvreté qui entoure Santiago ; leurs maigres revenus proviennent de « petits boulots » tels que la collecte de vieux papiers pour des entreprises de

leurs revenus (et leur prestige) diminuer. À titre d'exemple, le professeur, figure éminemment respectée autrefois, est aujourd'hui mal payé, surchargé de travail et manque cruellement de moyens pour se former et assurer l'éducation de ses élèves.

Pourtant, Lavín identifie une catégorie originale, celle du « professeur chef d'entreprise ». Selon lui, les hommes d'affaires se doivent d'assurer aux jeunes une formation adéquate. Désireux d'offrir des solutions à ceux qui n'ont pas la possibilité de fréquenter les universités traditionnelles, nombre d'entre eux ont, d'après lui, ouvert leurs propres établissements d'enseignement supérieur.

recyclage ou la vente à la sauvette. Cette population vit dans des conditions difficiles qui entraînent la recrudescence de certaines maladies liées à la misère telles que la gale, la typhoïde, les hépatites et l'impétigo. Les jeunes constituent le deuxième grand groupe des laissés-pour-compte touchés de plein fouet par le chômage. La troisième catégorie sinistrée est la classe ouvrière : la dictature ayant réduit le pouvoir des syndicats à une peau de chagrin, les ouvriers se sont retrouvés désarmés pour défendre leurs droits sur le marché du travail. Enfin, les classes moyennes, largement représentées dans la société chilienne, ont été affectées différemment par les changements. Si certaines professions libérales ont rejoint l'élite, d'autres métiers n'ont cessé de voir

À vrai dire, la première impression des visiteurs correspond souvent à la vision de Lavín (du moins en ce qui concerne Santiago) : rues proprettes, parcs et jardins bien entretenus, centres commerciaux flambant neufs, banques ultramodernes équipées de guichets automatiques, réseau de télécommunications très performant. Lavín explique que son pays a été le premier du sous-continent à se connecter à un réseau électronique mondial de transfert de fonds. Ainsi, il suffit de composer le numéro de son compte en Suisse pour obtenir un relevé dans les minutes qui suivent, et, paradoxalement, il est plus facile de déposer de l'argent sur son compte à l'étranger que de transférer une somme de Valparaíso à Santiago (à 120 km de là). Sans compter que rares sont les Chiliens qui détiennent un compte en banque, même dans leur propre pays !

LE « MIRACLE CHILIEN »

Dans son programme de « croissance avec équité », le gouvernement de Patricio Aylwin s'engageait à réduire les disparités sociales et à redresser le niveau de vie des classes moyennes tout en évitant de déséquilibrer la balance des paiements et de créer un déficit budgétaire. Globalement, il réaffirmait sa fidélité au modèle des monétaristes disciples de Friedman. Les socialistes eux-mêmes, membres de la coalition au

santé publique, négligés par les « Chicago Boys », pour qui le secteur privé devait régenter l'ensemble du pays.

Si l'accroissement des dépenses sociales a contribué à faire reculer la pauvreté (en quatre ans, le nombre de pauvres est tombé de cinq à trois millions de personnes sur un total de 13,5 millions d'habitants), les inégalités perdurent : 40 % des Chiliens vivent au-dessous du seuil de pauvreté et n'ont accès qu'à 12 % du revenu national, alors que 10 % de la population (les plus riches) se répartissent 42 % de cette même richesse. Plus grave, la privatisation à outrance a touché également les secteurs de la santé et de l'éducation, rendant ainsi particuliè-

pouvoir, ne remettaient pas en question le rôle essentiel du marché dans la répartition des ressources ; à leurs yeux, seule une économie mixte combinant les différentes formes de propriété était à même de garantir une croissance soutenue. Tout fut fait pour attirer le maximum de capitaux étrangers.

Au grand dam des partis de droite, le premier gouvernement de l'après-dictature vota une loi de réforme fiscale. L'augmentation de l'impôt sur les sociétés permit d'injecter des capitaux neufs dans les secteurs de l'éducation et de la

À gauche, dîner chic dans un restaurant de Viña del Mar ; ci-dessus, la vie précaire dans une « población » (bidonville) de Santiago.

rement difficile et désespérée la vie des classes les plus défavorisées.

Les efforts du gouvernement de Patricio Aylwin pour améliorer salaires et conditions de travail et pour renforcer le pouvoir des syndicats suscitèrent plus de controverses encore que les augmentations d'impôts. D'un côté, les forces de gauche rappellent qu'en l'absence de syndicats les travailleurs n'ont aucun recours face aux abus dont ils sont quotidiennement victimes. De l'autre, les milieux d'affaires soutiennent que seul le maintien de salaires bas pour les mineurs, les ouvriers agricoles et les travailleurs de l'industrie peut garantir la compétitivité des exportations chiliennes ; de plus, la montée en puissance des syndicats représenterait, d'après eux, une menace pour l'économie tout entière.

LA NOUVELLE DÉMOCRATIE

Le déclin des partis de gauche par rapport au Chili d'avant Pinochet a sérieusement entamé le pouvoir de négociation de la classe ouvrière. La crise qui touche le socialisme mondial n'a pas épargné le Chili. Le Parti communiste, qui connut son heure de gloire entre 1970 et 1980 (c'était alors le deuxième parti communiste du monde occidental juste après le PCI italien) est maintenant exsangue et rongé par des luttes intestines. L'extrême gauche ne constituait déjà

plus une menace pour le gouvernement d'Aylwin, et les risques d'un nouveau *golpe* (coup d'État) semblent eux aussi écartés.

En 1994, Eduardo Frei, le fils de l'ancien président démocrate-chrétien du même nom, succéda à Patricio Aylwin et se trouva, comme ce dernier, à la tête d'un gouvernement de coalition de centre-gauche. Cet ancien ingénieur des travaux publics laissa de côté les enjeux sociaux pour mettre en œuvre d'importants chantiers comme la rénovation des aéroports et du réseau routier, la privatisation des ports et des compagnies des eaux et une réforme de fond de l'éducation et de la justice. Toutes ces mesures avaient pour objectif d'améliorer l'infrastructure du pays et d'augmenter sa productivité de

manière à le rendre compétitif à l'exportation et à pérenniser sa croissance.

En remportant les élections de janvier 2000, Ricardo Lagos Escobar se trouvait à la tête du troisième gouvernement de centre-gauche de suite. Ce socialiste modéré cherche à combiner croissance économique et justice sociale et veut également accélérer le développement des zones rurales en développant la décentralisation.

Ainsi, un Fonds national de développement rural (FNDR) soutenu par quatre prêts de la Banque internationale de développement (BID) permet aux municipalités de monter des projets sur mesure. Ceux-ci peuvent concerner aussi bien l'éducation, la santé, l'assainissement, les routes, l'électricité. Ils sont évalués suivant des critères techniques, économiques, financiers et fonctionnels par le ministère de la Planification. Les projets qui satisfont à cette évaluation sont retenus et ils voient leur financement assuré. Cette politique a pour but d'équilibrer la répartition des ressources nationales et permet de générer des conditions de vie meilleures dans les campagnes afin que leurs habitants choisissent d'y vivre.

Mais le Chili connaît actuellement une crise découlant d'une forte chute des cours mondiaux du cuivre et des difficultés qui ont frappé ses associés commerciaux asiatiques et américains. La croissance du PIB chilien est passée de 5,38 % en 2000 à 2,41 en 2002. L'inflation était de 9,7 % en 2002, et le chômage croît pour atteindre des niveaux inquiétants.

Afin d'être mieux armé contre les soubresauts de l'économie, le pays s'est rapproché de ses voisins dans le cadre d'accords de libre-échange : il est membre associé du Marché commun du Sud (Mercosur), et il s'investit totalement dans la mise en place de la Zone de libre-échange des Amériques (Alca). Il a signé de nombreux accords bilatéraux avec les États-Unis, le Canada, le Québec, mais aussi avec l'Union européenne. Il a également adhéré à l'Organisation mondiale du commerce (OMC).

De nombreux Chiliens espéraient de meilleurs résultats économiques des gouvernements issus de la démocratie. Certes, la situation du pays s'est améliorée depuis la chute de la dictature. Mais la relance de l'économie par la baisse des taux d'intérêt qui devait profiter à toutes les couches sociales a fait long feu, et elle suscite un scepticisme et un mécontentement croissants.

À gauche, cueillette des papayes. L'exportation des fruits est l'une des composantes de la balance commerciale du Chili ; à droite, le Primo Naty, le grand magasin de Santiago.

LOS CHILENOS

« Un pays plein d'espoir
où personne ne croit en l'avenir
Un pays plein de souvenirs
où personne ne croit au passé
Un pays bâti sur des fantômes,
qui ne croit pas aux légendes
Un pays bâti sur des miracles,
qui ne croit pas aux promesses...
Un pays où tout le monde se connaît
mais où personne ne se salue...
Un pays où il se passe beaucoup de choses
dont on nie l'existence...
Un pays où les gens naissent,
vivent et tuent »

Payo Grondona, chanteur chilien

Dotés d'un système politique élaboré, profondément légalistes et très influencés par le catholicisme, les Chiliens ont longtemps vécu en marge du reste du monde, isolés de surcroît par une haute muraille montagneuse à l'est, un désert au nord, l'océan Pacifique à l'ouest, l'Antarctique et le détroit de Magellan au sud. Ils n'en ont pas moins apporté une contribution significative à l'évolution culturelle de la planète, mis en place l'une des économies les plus originales et les plus développées du continent et élu le premier gouvernement socialiste d'Amérique latine, même si ce fut pour une très courte durée en raison du coup d'État militaire de 1973.

LE CREUSET CHILIEN

Dans leur immense majorité, les Chiliens sont des *mestizos* (métis), issus d'un brassage entre les Indiens, essentiellement des Mapuches, et les conquistadors. Ces derniers trônent d'ailleurs à côté des grands guerriers mapuches parmi les grandes figures mythiques du passé. Il est vrai que le métissage hispano-araucan a été rapide et homogène, à la différence des autres pays américains. On ne rencontre de physionomies purement indiennes que dans le Nord et le Sud. La plupart des Chiliens ont la peau claire, et il n'est pas rare de rencontrer des blonds aux yeux sombres.

En réalité, et bien qu'ils aient totalement adopté la culture espagnole, les Chiliens portent un culte aussi grand aux conquérants espagnols dont ils descendent qu'aux indigènes qui résistè-

Pages précédentes : vie paisible à Concepción. À gauche, un cireur de chaussures ; à droite, un « huaso », ou gardien de bétail chilien.

rent farouchement aux envahisseurs. Dans les quartiers aisés de Santiago, comme dans les luxueuses stations estivales du sud du pays, les centres commerciaux et les résidences portent tous des noms indiens. Mais le mode de vie de ces lointains ancêtres ne transparaît plus que dans l'artisanat traditionnel.

En 1993, le gouvernement Aylwin Azócar a déclaré le Chili État multiracial. C'est la première fois dans l'histoire du pays que les différences étaient reconnues, grâce notamment aux actions menées par les Mapuches. Dans les faits cependant, même si les Chiliens revendiquent leur origine indienne, les populations autochtones, quand elles n'ont pas disparu, subissent

des conditions de vie difficiles, exception faite des Chilotes, qui sont toujours restés à part. Les Aymaras et les Quechuas sont encore assez nombreux dans le nord du pays, tandis que dans les environs de Temuco, dans la région des lacs, résident 300 000 Mapuches. Ces derniers, réduits à cultiver quelques arpents de terre généralement de qualité médiocre, souffrent des mêmes maux que les autres populations indigènes du continent américain. Ceux qui n'ont pas encore émigré vers les villes vivent le plus souvent pauvrement dans des réserves, se consacrant à la culture du blé, du maïs, de la pomme de terre et de diverses variétés de légumes… et continuent de se battre contre des projets qui menacent le peu de terres qui leur reste (barrages, etc.). D'autres combinent l'agriculture et l'artisanat traditionnel. Ponchos tissés, poteries, sculptures sur bois et paniers sont autant d'objets qui contribuent à améliorer le budget familial (*voir p. 210*).

L'APPORT DES IMMIGRANTS

Pendant longtemps, les immigrants du monde entier étaient chaudement invités à s'implanter au Chili. Car, dans ce pays longiligne, l'avenir reposait sur la protection des frontières. Aussi les gouvernements successifs n'ont-ils pas ménagé leurs efforts pour peupler les régions sauvages et inhospitalières du Nord comme de l'extrême Sud. Les premiers colons se canton-

de nombreux noms à consonance slave, italienne ou anglaise, surtout dans l'armée. Anglais, Français, Allemands, Yougoslaves et, plus récemment, Espagnols fuyant la guerre civile, Libanais et Italiens sont venus compléter le creuset chilien, auquel s'ajoute une communauté juive.

La colonie allemande a longtemps joué un rôle important dans la société chilienne. Au début du XVIIIe siècle, Ambrosio O'Higgins déclarait que seule la venue d'immigrants européens permettrait de peupler la région des lacs, aussi riche que difficile d'accès. Il fallut attendre le XIXe siècle pour que cette idée prenne forme : le conseiller présidentiel Vicente Pérez Rosales entreprit ainsi de recruter des Allemands qui fondèrent, en

nèrent dans la vallée centrale, qui bénéficiait d'un climat agréable et de terres fertiles. Ils ne purent s'installer dans la région de la Frontera, au sud du Bío-Bío, territoire des Mapuches, qui résistèrent plus de trois cents ans à l'envahisseur espagnol. Aujourd'hui, le gouvernement multiplie les subventions pour inciter les volontaires à s'établir dans la région australe, où les bateaux sont souvent le seul moyen de transport et de communication.

L'ensemble hétéroclite des patronymes, à commencer par celui du héros national Bernardo O'Higgins, donne une idée de la diversité des populations qui ont suivi les traces des Espagnols sur le territoire chilien pour y former de petites enclaves étrangères. On rencontre un peu partout

1853, la ville de Puerto Montt, dans le golfe de Reloncaví. En 1860, plus de 3 000 immigrants d'origine germanique avaient déjà bâti leurs maisons aux abords du lac Llanquihue, ainsi qu'à Osorno, La Unión et même Valdivia. En 1900, ils étaient 30 000 à avoir défriché la région, cultivé la terre et fondé de petites villes, pour la plupart dotées d'une école. Les patronymes allemands et la langue de Goethe restent très répandus dans le pays, même si cette communauté ne représente que 1 % de la population. Dans la région des lacs sont proposées des spécialités d'Europe centrale (saucisses et pâtisseries). Et à l'entrée des fermes, il n'est pas rare qu'un panneau Küchen (« gâteaux ») invite les voyageurs à venir déguster la cuisine locale.

UN MOUCHOIR DE POCHE

Si l'on vit quelque temps au Chili, on prend rapidement conscience de l'exiguïté de ce pays, malgré la distance qui sépare sa pointe nord de son extrémité sud. Sa situation géographique a également contribué à développer les caractéristiques habituelles de l'insularité.

Les mêmes noms de famille réapparaissent sans cesse tout au long de l'histoire chilienne et, aujourd'hui encore, une carrière peut se faire ou se défaire sur un simple nom. La politique chilienne est aux mains d'une oligarchie qui gouverne le pays aussi bien officiellement qu'officieusement, de génération en génération. Même

villes chiliennes, on vit beaucoup dans la rue. Le centre paraît toujours en effervescence, mais un déjeuner dans un bon restaurant peut durer trois heures, et les terrasses des cafés sont pleines à toute heure. Les Santiaguinos adorent se promener et lorsqu'ils ne flânent pas dans les nombreux parcs de la ville, ils arpentent les rues commerçantes. Tous les magasins déversent de la musique, et l'on est sans cesse sollicité par les innombrables marchands ambulants.

UNE ÉLITE INDIFFÉRENTE

La lecture des mondanités, une rubrique importante dans les journaux chiliens, permet de dres-

le Congrès de décembre 1989 (le premier élu démocratiquement après dix-sept ans de dictature) fourmillait encore de frères, de sœurs, de fils et de filles de l'ancienne élite dirigeante.

En fait le Chili, avec une densité moyenne de 17 habitants au kilomètre carré, est un pays relativement peu peuplé, mais 80 % de la population vit dans les villes et la capitale regroupe, à elle seule, un tiers des Chiliens. Bien que Santiago figure parmi les plus grandes villes du monde avec près de cinq millions d'habitants, dans certains *barrios*, son ambiance évoque plutôt celle d'une ville de province. Comme dans les autres

À gauche, deux amoureux sur la plaza de Armas, à Santiago ; à droite, un livreur de charbon à Lote.

ser le portrait-robot d'une aristocratie qui, au XXIe siècle, est encore convaincue que son sang et ses titres la placent bien au-dessus du commun des mortels. L'importance excessive accordée aux origines et aux études dans des écoles privées, de même que la prédilection pour certains quartiers résidentiels, trahissent l'extrême rigidité d'une caste qui emprunte, pour l'essentiel, ses dogmes et sa hiérarchie au catholicisme, mais qui peut en négliger les principes de miséricorde et de charité.

C'est cette classe de privilégiés qui s'est sentie la plus menacée par les projets de réformes du gouvernement Allende au début des années 1970. Sa réaction, d'une extrême violence, a abouti au coup d'État militaire de 1973. En réalité, la démocratie restait acceptable à ses yeux tant qu'elle ne bouleversait pas l'ordre social existant.

« LOS POBLADORES »

À l'autre extrémité de l'échelle sociale, on trouve les trois millions de Chiliens qui vivent au-dessous du seuil de pauvreté, entassés dans les *poblaciones* (« bidonvilles ») de Santiago. Les *pobladores* constituent une population à part. Chez eux, la tradition orale a largement survécu grâce à la musique, à la poésie et aux innombrables récits transmis de génération en génération (*voir p. 77*). Ils aiment à se remémo-

prêtre Pierre Dubois, fut expulsé du Chili pour avoir défendu sa congrégation avec acharnement. Il reviendra après les élections de mars 1990.

Le pays est majoritairement catholique, mais le protestantisme des sectes nord-américaines s'est rapidement répandu dans la population, comme dans d'autres pays d'Amérique latine. L'attachement des Chiliens à la religion se manifeste parfois d'une façon qui peut paraître superstitieuse. Ainsi, les *pobladores* et, à la campagne, les *campesinos* (« paysans ») érigent le long des routes et des rues des autels appelés *animitas* (« petits esprits »). Dès le crépuscule, des dizaines de bougies illuminent ces petits

rer la manière dont leurs parents et leurs grands-parents organisèrent l'occupation des terres dans l'espoir de s'en voir octroyer une petite parcelle. Chaque année, en novembre, La Victoria, à Santiago, l'une des plus anciennes *poblaciones* d'Amérique latine, fête ainsi l'anniversaire de sa création à grand renfort de musiciens, d'artistes et d'acteurs venus de tout le Chili.

Sous la dictature, La Victoria opposa une résistance opiniâtre à la police et aux militaires. Nombre de ses habitants furent arrêtés, torturés et assassinés ; d'autres prirent le chemin de l'exil. Ainsi, un prêtre très populaire, André Jarlan, fut massacré par la police tandis qu'il lisait la Bible dans sa chambre, un soir de septembre. Quelque temps plus tard, un de ses amis, le

sanctuaires parsemés de fleurs. Pour beaucoup de Chiliens, les esprits des personnes assassinées ou tuées dans un accident de la route continuent à errer sur le lieu de leur mort et ont le pouvoir d'intercéder en faveur des vivants. Les routes chiliennes sont jalonnées de croix formées de plaques d'immatriculation à la mémoire des conducteurs défunts.

On prétend également que ces esprits accomplissent des miracles et les *animitas* les plus connues (comme celle du parque O'Higgins, à Santiago) sont devenues de véritables lieux de culte. Elles sont couvertes de plaques remerciant l'esprit de la faveur accordée et constellées de béquilles, de poupées et d'ex-voto de toutes sortes.

UNE CLASSE MOYENNE SOUS INFLUENCE

Au Chili, la classe moyenne est beaucoup plus nombreuse que dans les autres pays d'Amérique latine. Elle représente à peu près 40 % de la population de Santiago, et se caractérise par sa propension à adopter les idées venues de l'extérieur (notamment d'Europe et des États-Unis) et à rejeter, pour certains, les éléments proprement chiliens qui n'auraient pas fait leurs preuves à l'étranger. Il est vrai que, longtemps coupés du reste du monde, les Chiliens se montrent généralement très accueillants envers les étrangers. Et ceux qui ont passé quelques années en exil (en France ou dans d'autres pays d'Europe) sont souvent ravis d'avoir des nouvelles de leur « deuxième patrie » et de pouvoir pratiquer le français ou l'allemand.

De même, on dit parfois des Chiliens qu'ils sont les « Anglo-Saxons de l'Amérique latine ». Il fut un temps où les mines de nitrate du nord du pays étaient en effet aux mains des sociétés britanniques, et la prédilection des Chiliens pour les *onces* (« five o'clock tea » ou petites collations prises plus tard à l'heure du dîner), de même que leur admiration, toute théorique, pour la ponctualité étrangère, datent certainement de cette époque. Enfin, dans la classe dominante, ceux qui ont de lointaines origines britanniques aiment le rappeler.

LES VALEURS FAMILIALES

Les Chiliennes des classes moyennes et aisées allient curieusement féminisme et conservatisme. Dans ce pays, les professions libérales comptent de nombreuses femmes (cette proportion atteignant par exemple 50 % chez les dentistes). Il est donc fréquent qu'elles confient leur ménage à des *empleadas* (« employées de maison ») et leurs enfants à des *nanas* (« nourrices »). Cela ne les empêche pas d'affirmer que la famille est la seule chose qui compte vraiment dans leur vie.

Car les Chiliens accordent une très grande importance à la structure familiale traditionnelle. Mais si les femmes des classes moyennes et aisées peuvent se faire aider à la maison, c'est au détriment de celles des milieux populaires qui doivent souvent sacrifier leur vie familiale pour devenir employées de maison. C'est le sort d'un quart d'entre elles.

À gauche, les Chiliens aiment pique-niquer en famille ; à droite, deux adolescentes à Santiago.

La plupart des Chiliens se marient jeunes et, comme le divorce n'est pas reconnu, on a tourné la difficulté grâce à un stratagème légal consistant à « annuler » les unions qui battent de l'aile. L'avortement est interdit, mais les femmes qui en ont les moyens financiers y ont quand même recours. Et, bien que la contraception reste condamnée par l'Église, la taille moyenne des familles chiliennes a diminué et, à l'heure actuelle, la plupart des couples comptent un ou deux enfants, comme dans les pays les plus développés. En dépit de ces chiffres, la population chilienne est extrêmement jeune. Plus de la moitié a moins de 25 ans alors que 8 % seulement des Chiliens ont plus de 60 ans.

UN MACHISME LATENT

À première vue, les Chiliens paraissent moins machistes que les autres Latino-Américains, mais qu'on ne s'y trompe pas ! Jusqu'à une période récente, il n'était pas rare de voir un homme mener une double vie. Aujourd'hui encore, nombre de jeunes Chiliens connaissent leur première expérience sexuelle dans une maison de passe, et la fidélité n'est pas forcément de rigueur. Des établissements d'apparence irréprochable louent des chambres à l'heure ou à la nuit à des couples en manque de récréation sexuelle. Les jeunes et tous ceux qui n'ont pas les moyens de s'offrir un motel se retrouvent dans les parcs, pour flirter au clair de lune.

La société chilienne est polarisée dès l'enfance : en effet, les écoles mixtes sont rares et on prépare ainsi hommes et femmes à mener des vies séparées. Sous la dictature, la participation des femmes à la vie publique se heurtait à de nombreuses restrictions, pas tout à fait dissuasives si l'on songe au rôle joué par l'épouse et par la fille de Pinochet, ou par d'autres femmes qui occupèrent des fonctions officielles. Le gouvernement de Patricio Aylwin, élu en grande partie grâce aux suffrages des femmes (et aux manifestations qu'elles organisèrent sous le régime du général Pinochet), ne comportait aucun ministre de sexe féminin, et la proportion de femmes était très faible au Congrès et aux

C'est au moment du 18 septembre, date anniversaire de l'indépendance, que les traditions populaires chiliennes sont le plus à l'honneur. À cette occasion, les militaires organisent un grand défilé, les enfants participent à des concours de cerfs-volants, la *chicha* (boisson fermentée à base de pommes ou de raisin) coule à flots et l'on peut acheter des *empanadas* à tous les coins de rue. Et tout le monde se presse vers les *fondas*, vastes dancings improvisés qui, du jour au lendemain, envahissent les terrains vagues.

Septembre est aussi le meilleur mois pour se faire une idée de ce qu'est la *cueca*, la danse nationale chilienne. Du cireur de chaussures au président de la République, chacun s'y adonne.

postes de hauts fonctionnaires. Les droits de la femme constituent l'un des thèmes de prédilection des Chiliennes, qui ont obtenu le droit de vote intégral en 1949 (elles pouvaient déjà voter aux municipales depuis 1934) et qui n'hésitent pas à descendre dans la rue pour manifester ; en effet, les femmes sont en proie à un mécontentement croissant, d'autant qu'elles se sentent bernées par les gouvernements de l'après-dictature, qui n'ont légalisé ni le divorce ni l'avortement.

UN PAYS DE TRADITIONS

Au-delà des apparences, on découvre chez tous les Chiliens (même chez les citadins) un attachement au folklore local et aux vieilles croyances.

Sous les encouragements du public, les couples miment la séduction, martèlent le sol de façon rythmée, font tournoyer leur mouchoir et s'efforcent de gagner les faveurs de leur partenaire. Il en existe des variantes régionales, et il ne faut pas confondre la *cueca patronal* et la *cueca campesina*. Dans la première, les femmes portent des robes élégantes et les hommes des ponchos courts et bigarrés, ainsi que des bottes noires ornées de grands éperons d'argent. Dans la *cueca* paysanne, en revanche, les danseurs sont vêtus de costumes beaucoup plus modestes et dansent pieds nus. Cette danse a évolué au fil des ans, et ses personnages stéréotypés (mâle agressif et orgueilleux, femme timide et émotive) se sont peu à peu mis au goût du jour.

Le folklore chilien, extrêmement vivant, englobe toute une palette de musiques traditionnelles, venues aussi bien du haut-plateau du nord que de Chiloé. À cela s'ajoutent une multitude de chants et de danses, notamment yougoslaves, dans la région de Punta Arenas. Les *payadores*, poètes et musiciens populaires, s'affrontent dans des joutes poétiques spirituelles et passionnées. On peut les rencontrer aussi bien au cours d'un *asado* au fin fond d'un village andin que dans n'importe quel bar enfumé de la capitale.

L'*asado* (barbecue) constitue un élément essentiel de la vie sociale chilienne. Il s'agit d'un énorme morceau de viande que l'on fait griller sur des charbons de bois, dans le patio ou dans un parc. Tandis que les hommes comparent leurs recettes et surveillent la viande, les femmes préparent de grandes salades de tomates, de pommes de terre et d'autres légumes. Le repas, copieusement arrosé de *vino tinto* (vin rouge), se termine par des pâtisseries ou par des fruits de saison.

Les légendes mettant en scène les habitants primitifs de chaque région (hommes ou dieux, êtres mythiques ou immortels) occupent une place importante dans les traditions populaires. Les superstitions sont encore très présentes dans la vie quotidienne ; combinées à la médecine populaire, elles font vivre bon nombre de « sorcières » ou de guérisseurs. On attribue encore souvent les maux d'estomac et autres problèmes de santé au *mal de ojo* (« mauvais œil »). Dans ce cas, on va trouver la personne la plus capable de les guérir : la *curandera* (« guérisseuse »).

US ET COUTUMES

Si la ponctualité est un peu mieux respectée au Chili que dans d'autres pays d'Amérique latine, cette notion reste toute relative. On part du principe qu'il est incorrect d'arriver de bonne heure à un rendez-vous, car on doit laisser à ses hôtes le temps de tout préparer. En cas de doute, on demandera à son interlocuteur s'il parle de l'heure des *gringos* ou de l'heure chilienne.

Les Chiliens n'aiment pas faire de la peine. C'est la raison pour laquelle ils donnent des raisons plus ou moins plausibles pour expliquer pourquoi il leur est impossible d'assister à une soirée pourtant prévue de longue date. Ce n'est pas qu'ils soient de mauvaise foi mais ils partent du principe qu'il est plus correct de mentir à quelqu'un que de lui dire franchement pourquoi on lui fait faux bond. Si l'on prévoit une sortie

À gauche, deux Chiliens heureux ; à droite, une femme mapuche.

ou un dîner plusieurs semaines à l'avance, il ne faut jamais oublier de demander confirmation à la dernière minute. Cependant, il existe un domaine où l'on ne plaisante pas avec la ponctualité. Les médecins, par exemple, sont généralement très à cheval sur les horaires, et le client en retard risque d'attendre fort longtemps.

LES TREMBLEMENTS DE TERRE

Un portrait de la société chilienne qui omettrait de mentionner l'importance des tremblements de terre dans l'inconscient collectif serait incomplet. On compte en effet 55 volcans en activité dans le pays et on recense en moyenne 500 secousses

légères et 7 séismes graves par an, certains ayant atteint le degré 9 de l'échelle de Richter, en 1960 par exemple. La catastrophe la plus importante du XXe siècle, en 1939, fit 30 000 morts. Mais alors qu'on pourrait croire les Chiliens habitués à sentir la terre trembler, les secousses telluriques provoquent de véritables réactions de panique. Ni les chutes d'arbres ou de câbles électriques, ni les volumineux projectiles ne suffisent à les dissuader de se précipiter dans la rue dès les premiers signes de secousse. Et lorsque le séisme se confirme, il n'est pas rare de les voir déménager leur mobilier dans la rue pour passer la nuit dehors. Après celui de 1985, les Chiliens des régions touchées ont même osé braver le couvre-feu pour s'installer pendant plusieurs jours dans la rue. Un tremblement de terre peut même avoir valeur d'avertissement politique. On raconte ainsi que l'arrivée au pouvoir d'un gouvernement démocratique est saluée par une séisme. Comme par hasard, rien de tel ne se produisit après le coup d'État de 1973 ! Ni d'ailleurs, il faut bien le reconnaître, lors du rétablissement de la démocratie en 1989.

UNE RICHE VIE INTELLECTUELLE

Dans ce pays qui compte moins de 4 % d'analphabètes, la culture joue un rôle essentiel. Le vrai centre intellectuel du pays est sans doute Valparaíso, très ouverte aux influences extérieures. Tourné depuis toujours vers l'Europe et particu-

lièrement la France et l'Allemagne, le Chili s'est passionné depuis le XVIIe siècle pour tous les courants littéraires. Ainsi il a produit des écrivains balzaciens comme Alberto Blest Gana, ou naturalistes, comme Mariano Latorre et Baldomero Lillo, et deux prix Nobel de littérature : Gabriela Mistral en 1945 et Pablo Neruda en 1971. L'œuvre de ces deux poètes s'attache à décrire les espoirs et les contradictions de leurs compatriotes. Tous deux revendiquent leur identité métisse, pourtant, leur œuvre a indéniablement un caractère universel (la mort, la solitude, l'enfance y occupent une place importante). Des historiens, tels Francisco Encina et José Toribio Medina (mort en 1930), sont considérés comme des auteurs de référence en Amérique latine. Les

romanciers contemporains ont joué aussi un rôle important dans l'essor de la littérature sud-américaine. José Donoso, un des auteurs connus du « boom » de la littérature latino-américaine, Jorge Edwards, Manuel Rojas, Ariel Dorfman, Isabel Allende, Poli Délano, Francisco Coloane, Luis Sepúlveda et Antonio Skármeta et, plus récemment, Roberto Bolaño, ont analysé l'histoire et la psychologie des Chiliens dans des ouvrages d'une extrême diversité.

Le théâtre chilien jouit d'une excellente réputation dans toute l'Amérique latine et désormais en Europe où Óscar Castro, La Troppa et Andrés Pérez ont remporté des succès tant auprès du public que de la critique. Depuis le XVIIe siècle, on jouait des comédies espagnoles en plein air et, dès la construction du premier théâtre, à Santiago en 1820, les représentations connurent un succès considérable et le Chili reçut des acteurs européens célèbres, comme Sarah Bernhardt. Le répertoire est resté longtemps essentiellement anglais, italien et français, et il fallut attendre les années 1940 pour que naisse un théâtre véritablement national, puissant, dont les grands noms sont actuellement Roberto Parra, David Benavente et Isadora Aguirre. Certaines troupes, comme le Teatro del Silencio d'Óscar Castro, parcourent l'Europe et le continent américain.

Le cinéma chilien, cinéma d'auteur et de recherche, a produit de remarquables œuvres, comme celles de Miguel Littín, d'Aldo Francia et de Raúl Ruiz (*Trois tristes tigres* et *Les Trois Couronnes du matelot*). Parmi les grands succès récents, citons *Un taxi pour trois*, d'Orlando Lubbert, et *El Chacotero Sentimental* (« Le blagueur sentimental », nom affectueux donné au sexe masculin) de Cristián Galaz, deux comédies croquant avec humour et tendresse la société chilienne.

La musique classique joue aussi un grand rôle, à côté de la musique populaire et de la Nueva Canción (*voir p. 87*). Le pianiste Claudio Arrau, mort en 1991, la soliste Rosita Renard et le ténor Ramon Vinay étaient mondialement connus.

La peinture chilienne s'écarta de l'imitation européenne dans les années 1920 avec le « groupe de Montparnasse » et donna naissance à quelques personnalités marquantes comme Nemesio Antúnez, Roser Bru et surtout Roberto Matta, très proche du groupe des surréalistes. La sculpture prit son essor à la même époque avec Nicanor Plaza et ses disciples, Marta Colvin et Virginio Arias. Les plus grands sculpteurs contemporains sont Hernán Puelma et Francisco Gazitua.

À gauche, jeune musicienne ; à droite, agriculteurs dans la région des lacs.

LES MAPUCHES

« Ce que nous avons gagné
avec la civilisation
qu'ils prétendent nous avoir apportée
est de vivre entassés
tels des grains de blé dans un sac »

Lorenzo Colimán

C'est à 600 km au sud de Santiago, entre les villes de Lautaro et de Carahue, au nord, et le lac Llanquihue, au sud, que sont situées les réserves mapuches. La plus grande s'étend de Temuco à la côte. Ces *reducciones* (littéralement « réductions » en espagnol) méritent bien leur nom, puisque qu'il s'agit des miettes de ce qui constituait autrefois la terre des Mapuches , soit à peu près 400 des 3,5 millions d'hectares que ce peuple occupait à l'arrivée des Espagnols. Le gouvernement chilien a donné le nom d'Araucanie aux derniers territoires mapuches annexés.

Lorsqu'on pénètre dans cette région, force est de constater que son intégration au Chili s'est faite au détriment de ses habitants d'origine. Dans les réserves mapuches, l'infériorité socio-économique apparaît clairement : les cultures sont rares, les villages misérables et bon nombre des habitants sont touchés par l'alcoolisme.

LES « HOMMES DE LA TERRE »

À l'arrivée des Espagnols, les Mapuches, comme ils s'appelaient eux-mêmes (ce nom signifie « peuple de la terre »), étaient établis depuis des millénaires dans cette région. Ils tiraient leur nourriture de la chasse, de la cueillette et de la pêche et vivaient en clans, entre l'actuelle Illapel et l'île de Chiloé, ainsi que dans une grande partie de la Patagonie argentine.

Le peuple mapuche formait une entité ethnique et linguistique. En raison de l'étendue du territoire, on dénotait toutefois des différences d'une région à l'autre. Ainsi, les Mapuches de l'île de Chiloé étaient des pêcheurs et des agriculteurs sédentaires et monogames, tandis que ceux du continent étaient pour la plupart des chasseurs et des éleveurs semi-nomades et polygames.

Les Mapuches continuent à résister à l'assimilation. À gauche, altière, une femme mapuche porte le costume traditionnel ; à droite, des festivals sont organisés pour faire vivre et connaître les traditions du « peuple de la terre ».

La structure sociale mapuche était fondée sur le clan familial, qui avait pour chef un *lonko* (que les Européens appelaient cacique). Les *lonkos* les plus puissants pouvaient avoir jusqu'à dix épouses, formant ainsi des familles élargies de plus de 500 membres. Chaque clan possédait un territoire assez étendu pour assurer sa subsistance. Il n'y avait pas de conflits territoriaux car la notion de propriété privée était inconnue. À la mort d'un homme, le bétail était réparti entre ses fils ; la terre, défrichée par brûlis, était abandonnée lorsqu'elle était épuisée.

Les femmes avaient un rôle dominant dans tous les aspects mystiques et religieux de la société. Elles détenaient, en effet, tout le savoir

du clan. Elles seules étaient habilitées à entrer en contact avec les dieux, et leurs fonctions étaient définies par les forces divines qu'elles représentaient. Ainsi, les dieux de la vie communiquaient avec des femmes appelées *machis* ; ceux de la mort, avec les *kalkus*.

Les rituels s'accompagnaient toujours de musique. Les principaux instruments étaient le *kultrun* (petit tambour) mais aussi des instruments à vent, comme les *trutrucas*, et des sifflets. Selon un jeune poète mapuche, « Quand la *machi* tient le *kultrun* comme l'univers soutient la terre, l'espoir renaît. » Les talents oratoires revêtaient une grande importance, et la langue mapuche, le *mapu-dungun*, était empreinte de symbolisme.

Un peuple jaloux de sa liberté

À la différence d'autres peuples américains, les Mapuches opposèrent une longue résistance aux conquistadors. Quand il prit possession du Chili, dans les années 1540, Pedro de Valdivia décréta que toutes les terres situées entre le sud du Pérou et le détroit de Magellan appartenaient désormais à la couronne d'Espagne. Encore fallait-il les conquérir et les peupler. Il réussit à atteindre le golfe de Reloncaví et bâtit en chemin un certain nombre de forts. Mais les peuples des alentours ne cédèrent jamais devant l'ennemi, et les Espagnols furent contraints de se replier vers le Nord.

Le 6 janvier 1641, l'accord de Quilín reconnut la frontière établie *de facto* le long du Bío-Bío. L'Espagne obtint, pour ses missionnaires seulement, la liberté de circulation dans les territoires araucans. Au cours des deux siècles qui suivirent, il arriva souvent que la frontière ne soit pas respectée par les deux peuples : les Espagnols en quête d'esclaves passaient en territoire indigène pour effectuer des razzias, et les Mapuches allaient voler du bétail aux colons ou leur dérober du matériel.

Des « conférences » entre les deux parties avaient régulièrement lieu ; elles se terminaient invariablement par de grandes libations, des démonstrations d'amitié et moult promesses, toutes oubliées au bout de quelques mois.

Toutefois, il convient de noter que les Mapuches constituèrent pendant près de trois cents ans le seul peuple indigène d'Amérique dont le territoire jouissait de la reconnaissance des autorités colonisatrices.

De nombreux historiens soutenant la cause espagnole ont décrit les Mapuches comme « un peuple fier, fait pour la guerre ». *A contrario*, les récits des religieux qui accompagnaient les conquérants dépeignent un peuple pacifique et amical. En fait, la longue lutte que ces Indiens ont mené contre les Espagnols, puis contre les Chiliens, n'a pas été dictée par des penchants guerriers, mais plutôt par leur aspiration à la liberté.

Mus par ce farouche esprit d'indépendance, les Mapuches se montrèrent très souvent héroïques. Ils apprirent vite à connaître leur ennemi, ses armes, ses faiblesses, et mirent au point une tactique de guerre adaptée.

Si les Espagnols n'ont jamais pu venir à bout de la résistance mapuche, c'est sans doute aussi parce que ces derniers, contrairement aux Incas et aux Aztèques, n'étaient pas rassemblés sous le pouvoir d'un roi unique, que l'on aurait pu capturer pour déstabiliser toute la nation.

Leur organisation politique et économique se limitait au clan. Dans certaines situations bien déterminées, en cas de guerre par exemple, les clans élisaient un chef commun, le *toqui*, choisi pour son talent oratoire, son courage et la sagesse de ses décisions. Les *lonkos* concluaient parfois des accords entre clans en matière d'élevage, de chasse ou de cueillette et partageaient ensuite les produits récoltés de façon équitable. De plus, les Mapuches n'avaient ni villes ni villages que les conquérants pussent raser : ils déplaçaient leurs *rucas* (huttes), en fonction de la saison et des possibilités de pêche et de chasse de la région.

Lautaro, héros mapuche

Les Mapuches, comme les autres Indiens, furent d'abord pris au dépourvu par la supériorité technique des Conquistadors. Notamment, ils crurent que le cavalier espagnol et sa monture ne faisaient qu'un.

La légende veut qu'un très jeune chef, Lautaro, ait été le premier Mapuche à prendre conscience de la dualité de ce fantastique ennemi. Lautaro s'était laissé capturer par les Espagnols et était devenu palefrenier. Après avoir assimilé leurs coutumes et leur langue, il s'évada et rejoignit les siens. Âgé de vingt ans à peine, il fut choisi comme *toqui* pour mener la croisade contre les envahisseurs. Il apprit à ses soldats à monter les chevaux pris aux Espagnols, et ils devinrent d'excellents cavaliers. Il mit également au point des techniques de combat qui sont encore considérées comme les bases de la guérilla en Amérique du Sud.

Outre l'art de l'embuscade, dans lequel il était passé maître, il instaura une forme de harcèlement beaucoup plus dévastatrice pour les Espagnols. Il rendait les batailles interminables grâce au remplacement continu des escadrons : chaque groupe se battait férocement pendant une vingtaine de minutes, après quoi il était relevé par un autre. Handicapés par leurs armures, les Espagnols se fatiguaient vite tandis que leurs enne-

déserteurs de l'armée espagnole, dans laquelle ils avaient été enrôlés de force. Mais l'un de ces transfuges, voulant demeurer fidèle aux nouveaux maîtres de son pays, assassina Lautaro sous sa tente, la veille de l'attaque de Santiago. Privés de leur chef, les Mapuches se replièrent au sud du Bío-Bío et ils continuèrent à défendre victorieusement cette frontière pendant plus de deux siècles.

UN CONQUÉRANT CONQUIS

C'est un jeune militaire espagnol contemporain de Lautaro, Alonso de Ercilla, qui donna aux Mapuches leurs lettres de noblesse. En 1557, à

mis, frais et dispos, ne leur laissaient aucun répit. Grâce à ces innovations, Lautaro remporta victoire sur victoire à partir de 1550, brûlant et détruisant tous les forts qui se trouvaient sur son chemin. Il assura à son peuple la possession des territoires au sud du Bío-Bío, puis, après quatre années de campagnes victorieuses, il parvint aux portes de Santiago.

Dans leur progression vers le Nord, les Mapuches furent rejoints par d'autres Indiens,

À gauche, après avoir cru que les Espagnols et leurs montures ne faisaient qu'un, les Mapuches devinrent rapidement meilleurs cavaliers que les envahisseurs ; à droite, le tissage compte parmi les grandes traditions artisanales mapuches.

l'âge de vingt-quatre ans, il arriva au Chili avec le nouveau gouverneur envoyé par Lima, García Hurtado de Mendoza. Il passa plus d'un an à visiter la nouvelle colonie et à se battre contre les Indiens. De retour en Espagne, en 1563, il composa un long poème épique intitulé *La Araucana*, dans lequel il relatait, en les magnifiant, les événements dont il avait été témoin et analysait avec finesse et discernement la psychologie de ces ennemis systématiquement dénigrés. Ercilla louait le courage et l'intelligence des chefs araucans, tels Lautaro, Caupolicán et Colo Colo, qui s'étaient distingués à un très jeune âge.

Cette œuvre a donné naissance à un véritable mythe national. Une équipe de football de Santiago, très populaire dans tout le Chili, a pris le nom de « Colo Colo » et l'un des mouvements les plus actifs de la guérilla chilienne s'est surnommé « Lautaro ». En 1985, Isadora Aguirre mit en scène une pièce intitulée *Lautaro*, dans laquelle ce personnage nourrissait pour son peuple des espoirs de liberté. Les conquistadors, en costume d'époque, étaient armés de mitraillettes et portaient des lunettes noires, référence évidente à la police sous le régime du général Pinochet.

L'ANNEXION

À partir de 1740, les autorités espagnoles encouragèrent vivement la colonisation de la région.

Les immigrants se virent accorder une proportion croissante des terres araucanes à des immigrants tandis que l'on fondait ou reconstruisait les missions et les villes.

Le Chili indépendant s'intéressa lui aussi à l'Araucanie, mais sans jamais s'interroger sur les droits des Araucans, considérés comme des « sauvages ». En 1845, une loi foncière déclara propriété de l'État toutes les terres « vacantes » et, en 1850, commença le programme de colonisation de la région située autour de Valdivia. On fit signer de nombreux actes de vente à des Indiens illettrés, en échange de sommes dérisoires. À partir de 1880, le gouvernement décida d'unifier définitivement le pays. L'armée avança jusqu'au río Cautín et fonda les villes de Temuco et Toltén. L'intégration de la zone mapuche s'effectua à par la force ; des milliers d'Indiens furent massacrés sans pitié. L'Araucanie découvrit la peur, la faim, la maladie. Les Mapuches, perdant peu à peu leur identité, firent très vite figure de minorité ethnique dans la société chilienne.

Au XXᵉ siècle, ce processus suscita diverses réactions. Les missionnaires voulaient inciter les Mapuches à s'intégrer totalement à la société. L'éducation et l'évangélisation devaient assurer leur assimilation culturelle. La seconde réaction vint des intéressés eux-mêmes à partir des années 1910.

LA CULTURE MAPUCHE RETROUVÉE

En 1914, un groupe de Mapuches fonda une école dans laquelle on enseignait l'espagnol mais aussi les traditions et la culture locales. De nombreux enfants de *lonkos* la fréquentèrent. Ce mouvement a perduré jusqu'à nos jours grâce à plusieurs organisations, citadines ou rurales, qui entendent préserver certains traits de la culture mapuche sans pour autant se couper de la société chilienne.

Mais d'autres Mapuches plus intransigeants voulaient récupérer leurs terres en même temps que leurs traditions. Manuel Aburto Manquilef, descendant d'un grand *lonko*, mobilisa un certain nombre de ses congénères, les exhortant à recouvrer leur identité. Il redonna vie à des rites ancestraux tels que les *malones* (réunions consacrées à l'étude des rêves et à la prédiction de l'avenir) et les *machitunes* (prières collectives pour obtenir de meilleures récoltes, faire venir la pluie, etc.).

Manquilef et ses partisans organisèrent, à partir de 1969, plusieurs congrès mapuches et réussirent à se faire entendre à Santiago. Ils reçurent le soutien de nombreux autres mouvements contestataires. Tous avaient, en effet, compris que le vrai problème ne tenait pas uniquement à l'opposition entre Mapuches et Chiliens, mais plutôt au fossé entre riches et pauvres. Leur lutte s'inscrivit ainsi dans la globalité des problèmes sociaux des années 1930. À Santiago, la Fédération des travailleurs chiliens prit fait et cause pour les Mapuches, les présentant comme « les frères des pauvres et des déshérités des villes et des campagnes ». Les Mapuches commencèrent à participer à la vie politique au sein du Parti démocratique, et certains de leurs représentants furent élus au Congrès.

Comme beaucoup de minorités, les organisations mapuches et leurs représentants devinrent les cibles de la répression policière sous le gouvernement Pinochet, de 1973 à 1989. En 1990, on exhuma, dans la forêt qui s'étend autour de Valdivia, les corps d'un grand nombre d'opposants indiens. Paradoxalement, l'Araucanie avait été la seule région à voter majoritairement pour le maintien au pouvoir du général Pinochet lors du plébiscite de 1988.

LES MAPUCHES AUJOURD'HUI

En 1912, la loi sur les *reducciones* avait attribué à chaque clan une parcelle de terre bien délimitée, en général de piètre rendement, enfermant ainsi les Mapuches dans des réserves. Toutes les

Aujourd'hui, seules les trois cent mille personnes résidant dans des réserves peuvent officiellement se prévaloir de la dénomination mapuche. Mais, lors du recensement de la population chilienne de 1992, c'est un million de personnes qui revendiquèrent cette identité.

Dans les réserves, certaines associations telles que l'Admapu tentent de préserver la culture mapuche, malgré des conditions de vie assez difficiles. Tandis que les hommes travaillent la terre, les femmes façonnent de la céramique, tissent des vêtements de laine et confectionnent des objets typiques en coiron (sorte de paille utilisée en vannerie) et des bijoux d'argent. Elles vendent leur production sur les marchés de Valdivia,

terres restantes furent vendues à des colons ou à de grands propriétaires fonciers. Sous la dictature de Pinochet, le décret-loi de mars 1979 fut fatal aux Mapuches : il interdisait, en effet, la communauté foncière et n'autorisait que les titres de propriété individuelle. Près de deux mille communautés rurales disparurent ainsi, entraînant avec elles ce qui constituait le fondement de la société mapuche. Devant l'impossibilité d'obtenir crédits et matériel, la plupart des petits paysans furent réduits à vendre leur lopin de terre.

À gauche, dans un village proche de Temuco, une femme en costume traditionnel ; ci-dessus, maison mapuche typique.

de Temuco, d'Osorno, de Villarrica et de Pucón. Elles parlent la langue mapuche et arborent le costume traditionnel, poncho et collier en argent (*sikel*), derniers symboles de la fierté du peuple araucan.

Et les Mapuches savent qu'il leur faut encore se battre pour conserver les quelques terres qui leur reste. Ainsi, la société Endesa projette actuellement de construire des centrales hydroélectriques sur le territoire des Mapuches. S'est engagé un véritable bras de fer qui s'apparente plus à la lutte du pot de fer contre le pot de terre, l'entreprise nationale faisant peu de cas des droits des populations locales et procédant par intimidations et menaces avec l'aide du gouvernement.

LA NOUVELLE CHANSON CHILIENNE

« Parce que les pauvres ne savent
où tourner leur regard,
ils le tournent vers les cieux
dans l'espoir infini
de trouver ce que leur frère
leur hôte en ce monde. Colombe !
ce que c'est que la vie, ay zambita ! »
Violeta Parra (traduit par Régine Mellac)

Violeta Parra (Violeta pour ses compatriotes) fut le chef de file de la « Nouvelle Chanson chilienne », puissant mouvement culturel qui secoua le pays à partir de la fin des années 1960. Tant dans le pays qu'à l'extérieur des frontières, ce mouvement était l'expression de la souffrance des Chiliens et traduisait l'humour et la force de caractère qui permirent plus tard à ce peuple de traverser la dictature, tout en œuvrant sans relâche pour le retour de la démocratie.

UN DESTIN TRAGIQUE

La musique et la poésie de Violeta Parra provenaient du tréfonds de l'âme chilienne. Pendant de nombreuses années, la chanteuse, forte de son héritage culturel maternel, parcourut le pays, compilant et sélectionnant les thèmes folkloriques de toutes les régions.

Puis elle entreprit de composer sa propre musique et, peu à peu, son œuvre évolua, se fit de plus en plus personnelle tout en continuant à relater la vie de ces « personnages extraordinaires que sont les gens ordinaires ».

Comme beaucoup d'autres artistes chiliens, elle n'obtint la reconnaissance de ses compatriotes qu'après sa mort. Son mode de vie (elle passait pour une excentrique) et sa musique n'étaient pas du goût des critiques chiliens qui faisaient autorité sur les ondes et dans l'industrie du disque entre les années 1950 et 1960. Et pourtant, de son vivant, elle se produisait dans les salles de spectacle du monde entier. Elle était célèbre pour sa musique, mais aussi pour ses tapisseries (*arpilleras*), ses céramiques et ses peintures. Certains de ses travaux furent même exposés au Louvre en 1964. Sa chanson la plus connue, *Gracias a la vida,* devint célèbre aux

Pages précédentes, un mural politique témoin de la résistance des artistes chiliens aux vicissitudes de la politique ; à gauche, des musiciens ambulants ; à droite, le portrait de Violeta Parra.

États-Unis lorsque Joan Baez la reprit dans son album *Thanks to life*, en hommage à ses origines hispano-américaines. Dix ans plus tard, une autre chanteuse nord-américaine, Holly Near, enregistra sa propre version, qui exprimait plus fortement la douleur contenue dans le titre original.

Violeta Parra avait écrit *Gracias a la vida* peu de temps avant de se suicider (en 1967), un acte que l'on attribua à ses problèmes financiers mais qui semble surtout dû à une succession d'échecs sentimentaux.

L'artiste était bien plus qu'un troubadour chantant les affres de l'amour. Avec un talent infini, elle racontait la vie de ses semblables,

VIOLETA PARRA (CHILE)

dont elle partageait sincèrement la souffrance. Cette combinaison d'amour et de compassion produisit l'inspiration qui, des décennies durant, allait illuminer la musique latino-américaine.

Après sa mort, de nombreux artistes, groupes de rock, héritiers de la Nueva Canción Chilena, chanteurs pop, orchestres et pianistes classiques reprirent nombre de ses chansons, à commencer par la magnifique *Gracias a la vida* :

« Merci à la vie qui m'a tant donné.
Elle m'a donné deux yeux, et quand je les ouvre,
je distingue parfaitement le noir du blanc,
et là-haut dans le ciel, un fond étoilé,
et parmi les multitudes, l'homme que j'aime. »

MUSIQUE ET RÉVOLUTION

Lorsque Violeta rentra au Chili en 1965 (après avoir vécu plus de trois ans en France et beaucoup voyagé), elle trouva un pays en pleine mutation. Patricio Manns, autre grand nom de la chanson chilienne, rend compte de ces bouleversements dans l'ouvrage qu'il lui a consacré :

« Le climat de discussion politique s'amplifie. La lutte des classes s'exprime chaque jour de façon aiguë et dramatique, la fameuse révolution en liberté d'Eduardo Frei sème du vent ; les massacres de travailleurs ébranlent le pays ; les syndicats divergent et s'affrontent, les partis de la gauche traditionnelle hésitent, le couteau sous la

(flûte andine aux accents plaintifs), la *zampoña* (flûte de Pan en roseau), le *charango* (petit instrument à cordes formé d'une carapace de tatou, que l'on gratte à un rythme endiablé), le *bombo* (immense tambour andin produisant un son majestueux). De plus, ils intégrèrent la *caja* péruvienne (sorte de caisse en bois sur laquelle on s'assoit à califourchon et que l'on martèle de ses mains), le *tiple* colombien (guitare à douze cordes), le *cuatro* (un instrument à quatre cordes comparable à la guitare hawaïenne), ainsi que de très nombreuses percussions.

Cette nouvelle musique parvenait à combiner des éléments et des thèmes folkloriques (souvent contestataires) avec des formes classiques, voire

gorge, les succès de la révolution cubaine mettent de la dynamite dans les consciences. Les dernières tours d'ivoire disparaissent : les obstinés sont ensevelis à jamais. Ou on descend dans l'arène ou on meurt sur les gradins : il n'y a pas d'autre choix. »

Les musiciens chiliens, lassés de la musique étrangère déversée sur les ondes, entreprirent de chercher, dans leur propre héritage, des sonorités plus nationales, ou plus latino-américaines. En puisant dans le répertoire populaire constitué par Violeta et d'autres artistes, ils se mirent à écrire des textes plus modernes pour accompagner les rythmes, les formes musicales et les instruments qui incarnaient le mieux l'originalité de leur continent. Ils remirent au goût du jour la *quena*

religieuses, telles que les cantates, les oratorios et les messes. Il en résulta un mouvement culturel qui, au-delà des clivages politiques, donna naissance à des chansons immortelles comme le *Canto a la semilla* (« chanson pour une graine ») écrit en 1973 par Luis Advis à partir de textes de Violeta, l'*Oratorio para el pueblo* (« oratorio pour le peuple ») d'Ángel Parra, *El sueño americano* (« le rêve américain ») de Patricio Manns et la *Cantata popular Santa María de Iquique*, de Luis Advis, interprétée par Quilapayún.

LE CENTRE DE LA NUEVA CANCIÓN

En 1965, deux des enfants de Violeta – Isabel et Ángel – ouvrirent une *peña* (un cabaret), appelée la Peña de los Parra, dans le centre de Santiago. Ils connaissaient par cœur le répertoire traditionnel vénézuélien, les chansons engagées de l'Uruguayen Daniel Viglietti et la musique du compositeur argentin Atahualpa Yupanqui. L'endroit devint le point de ralliement des musiciens et des jeunes passionnés par le nouveau mouvement musical ; ainsi naquit la Nueva Canción Chilena.

C'est dans ce bar que Víctor Jara, alors comédien et metteur en scène de théâtre, prit une guitare et chanta quelques-unes de ses propres compositions, entrecoupées d'extraits du répertoire populaire. Ses chansons, étroitement liées à ses origines sociales (il était issu d'une famille de paysans pauvres), étaient le plus souvent des

et ces yeux patients ?
Personne n'a dit "Ça suffit !
assez travaillé maintenant !" »

Après avoir chanté et enseigné dans la *peña* de ses enfants, Violeta ouvrit La Carpa de la Reina (*carpa* signifie « tente » et la Reina est le nom d'un quartier de Santiago). Dans ce cabaret sous chapiteau, elle jouait ses compositions, préparait des repas et servait les clients. D'autres *peñas* firent leur apparition sur les campus universitaires. René Largo Farías créa alors la sienne, Chile Ríe y Canta (« le Chili rit et chante »).

En 1966, dans une *peña* de Valparaíso, Eduardo et Julio Carrasco, ainsi que leur ami

portraits intimistes de vieillards, de déshérités et de travailleurs usés par le labeur, comme dans la chanson *Le Lasso* :

« Bien que marquées par les ans,
ses mains étaient fortes et habiles,
elles étaient rudes et tendres
quand elles maniaient les lanières de cuir.
Le lasso tressé, tel un serpent,
lové autour d'un noyer,
est dans chaque bateau l'empreinte
de sa vie, de son gagne-pain.
Quelle éternité renferment ces mains

À gauche, des danseurs de « cueca » ; ci-dessus, dans la rue, vente d'instruments de musique.

Julio Numhauser rencontrèrent Víctor Jara. Ils lui proposèrent de devenir le chanteur de leur groupe, Quilapayún. D'après l'épouse de Jara, Joan Turner, l'artiste dut commencer par leur apprendre à travailler sérieusement. Dans une salle de répétition glaciale équipée d'un minuscule poêle à mazout, Víctor Jara leur fit partager ses connaissances musicales et ses talents d'homme de théâtre, et leur apprit à créer l'ambiance la mieux adaptée à telle ou telle chanson. En faisant la tournée des cabarets, Jara fit également la connaissance du groupe Inti Illimani. Ces cinq musiciens, qui avaient commencé à jouer dans la *peña* de l'université technique, faisaient des études qui n'avaient rien à voir avec la musique, mais ils passaient leurs étés à la campagne, à la recherche de musiques et d'instruments folkloriques. Ce groupe contribua à populariser les instruments andins cités plus haut.

En 1969, l'université catholique parraina le premier festival de la Nueva Canción Chilena, où Víctor Jara obtint le premier prix avec sa *Prière pour un laboureur*.

À TRAVERS LE MONDE

La « révolution musicale » passa rapidement les frontières du pays, et les artistes chiliens furent invités à l'étranger pour chanter et raconter leur expérience. Jara séjournait en Angleterre, où il travaillait avec la Royal Shakespeare Company,

lorsqu'il écrivit son morceau le plus célèbre : *Te Recuerdo Amanda* (« Je me souviens de toi, Amanda »).

Amanda est le nom de sa mère et de sa dernière fille, mais en réalité, la chanson rend hommage aux espoirs de changement qui agitèrent l'Amérique latine au cours des années 1960 ; la musique de Jara contribua à entretenir cette flamme, même après sa mort tragique, sous la dictature. Au Chili, on aura souvent l'occasion d'entendre des chanteurs de rue comme des groupes professionnels interpréter cette chanson. Ainsi, pour célébrer l'entrée en fonction de son gouvernement, en mars 1990, le président Patricio Aylwin organisa une grande cérémonie au Stade national. L'événement s'ouvrit sur une version de *Te recuerdo Amanda* interprétée par le pianiste classique Roberto Bravo :

« Je me souviens de toi, Amanda,
le long des rues mouillées,
tu courais vers l'usine
où travaillait Manuel.
Un large sourire aux lèvres,
la pluie sur ta chevelure,
plus rien n'avait d'importance :
tu allais te retrouver avec lui, avec lui.
La sirène sonne,
c'est l'heure de reprendre le travail.
Et tandis que tu marches
tout s'illumine sur ton passage,
ces cinq minutes
t'épanouissent comme une fleur.
Et il partit se battre à la guerre.
Lui qui n'avait jamais fait de mal,
en cinq minutes,
ils l'ont massacré.
La sirène sonne,
c'est l'heure de reprendre le travail.
Mais beaucoup ne sont pas revenus,
Manuel non plus. »

Les groupes tels qu'Inti Illimani et Quilapayún, les chanteurs du mouvement et nombre de leurs compatriotes mobilisèrent leur énergie en faveur du changement social et apportèrent leur soutien au gouvernement socialiste de Salvador Allende. Leur musique devint un puissant outil politique et éducatif, destiné à informer le peuple chilien et à le rallier au programme de l'Unité populaire.

Mis en quarantaine et calomniés par les ennemis du gouvernement Allende, ils ne lâchèrent pas prise. Lorsqu'on leur interdit l'accès aux espaces publics traditionnels, ils mirent sur pied leurs propres festivals et dénichèrent des lieux de réunion bien à eux.

Plus on tentait de lui mettre des bâtons dans les roues, plus le mouvement prenait de l'importance, et la Nouvelle Chanson chilienne fit des émules dans toute l'Amérique latine, en Uruguay ou encore en Argentine, où Mercedes Sosa reprit la chanson *Gracias a la vida* de Violeta Parra.

LE COUPERET DE LA DICTATURE

Au moment du putsch de 1973, les principaux représentants de la Nueva Canción étaient pour la plupart en tournée à l'étranger ; certains d'entre eux participaient à une série de festivals en Europe. Pour son malheur, Víctor Jara n'était pas en voyage. Comme des milliers d'autres étudiants et professeurs, il fut arrêté dans l'enceinte de l'université technique, puis conduit à l'Estadio Chile. Reconnu, il fut emmené, torturé et privé de nourriture. Sa mort atroce reste ancrée dans les mémoires. Les témoignages recueillis par Joan Turner, sa femme, racontent qu'après l'avoir roué de coups et torturé, un garde lui ordonna cyniquement de chanter s'il en était capable : Jara entonna alors *Venceremos* (« Nous vaincrons »), l'hymne du gouvernement d'Allende. Les militaires lui brisèrent les mains et son corps fut criblé de balles.

Un employé de la morgue de Santiago identifia le cadavre du poète et, grâce à un réseau dis-

vestimentaires, etc.) avaient pour cadre le théâtre municipal de Santiago. Il n'y avait pas de place pour la Nueva Canción, qui ne respectait pas les conventions langagières imposées par la dictature de Pinochet. Peu de temps après le coup d'État, les autorités informèrent les musiciens que des instruments folkloriques tels que la *quena* et le *charango* étaient désormais interdits (car considérés comme « révolutionnaires »). La censure commença à s'abattre sur la télévision chilienne ainsi que sur la majorité des théâtres et des festivals.

Ainsi, la plupart des artistes qui n'avaient pas été exilés d'emblée se virent peu à peu contraints de partir vivre à l'étranger pour pouvoir gagner

cret, il put faire prévenir Joan Turner qui récupéra le corps et lui donna une sépulture digne au cimetière général de Santiago. C'est là, dans une petite niche, que repose Víctor Jara. Sa pierre tombale est recouverte en permanence d'œillets rouges, car des mains anonymes n'ont jamais cessé de la fleurir tout au long des années de dictature.

Sous le règne des militaires, la culture se réduisit au folklore, soigneusement dépouillé de toute critique ou de tout commentaire social ; la musique savante, la danse et le théâtre (réservés à une élite en raison de leur prix, des conventions

À gauche, Víctor Jara ; ci-dessus, le groupe Inti Illimani en concert.

leur vie. Le groupe Illapu, parti en tournée en Europe en 1981, apprit brutalement, à la fin d'une représentation, qu'il lui était interdit de rentrer au Chili.

CONTESTATION PAS MORTE

Mais les Chiliens, qui chérissaient leur musique, trouvèrent le moyen de la maintenir en vie à l'intérieur et à l'extérieur du pays. Des musiciens du conservatoire formèrent le groupe Barroco Andino, qui entreprit de revisiter Bach et d'autres compositeurs classiques en utilisant des instruments traditionnels, dont beaucoup avaient été interdits par les militaires. Ils se produisaient surtout dans les églises.

Bien qu'elle ait été purement instrumentale, leur musique proclamait leur foi en la vie, par-delà la mort sécrétée par le régime. C'est dans le même état d'esprit que le groupe Ortiga (issu de la Nueva Canción) composa sa célèbre *Cantata de Caín y Abel*, plus connue sous le nom de « *Cantate des droits de l'homme* ». Métaphore à peine voilée, l'histoire de Caïn et Abel dénonçait l'indifférence des Chiliens à l'égard de leurs « frères » victimes de nombreuses atteintes aux droits de l'homme.

Les étudiants, les enseignants et le personnel administratif de l'université du Chili fondèrent tout d'abord l'AFU (Association folklorique universitaire), puis l'ACU (Association culturelle

Carrera leur offrait la possibilité de se produire devant un public évidemment clairsemé et quelque peu tendu...

UN PUBLIC CLANDESTIN

Des enregistrements d'artistes exilés et de représentants de la Nueva Canción réalisés à l'étranger circulaient sous le manteau ; on pouvait se les procurer auprès de vendeurs à la sauvette.

Malgré des contacts limités, la nouvelle génération de musiciens chiliens n'était pas complètement coupée de ses aînés frappés par l'exil et par la répression. L'industrie du disque imagina le terme de « Canto Nuevo » pour désigner le

universitaire). Ces groupements organisèrent de nombreux concours littéraires et artistiques, ainsi que d'importants festivals de théâtre et de musique qui drainaient parfois jusqu'à plus de sept mille personnes.

En 1976, Ricardo García, un célèbre disc-jockey qui, avant le coup d'État, avait fait connaître les principales figures de la Nueva Canción, fonda la maison de disques Alerce. Cette initiative permit à de nouveaux groupes d'enregistrer des albums, avant de succomber aux difficultés économiques de l'après-dictature.

De rares émissions de radio, comme *Nuestro Canto* sur Radio Chilena (station de l'archevêché de Santiago), donnèrent une chance à de jeunes artistes, tandis que la peña Doña Javiera

mouvement qui naissait sur les cendres de l'ancien. Le duo Schwenke y Nilo, les groupes Illapu, Aquelarre, Santiago del Nuevo Extremo et Ortiga et, plus tard, d'autres formations comme Amauta, Napalé et Huara, ou les chanteurs Eduardo Peralta, Osvaldo Torres, Capri, Isabel Aldunate et Cristina González revendiquèrent ouvertement leur influence en s'inspirant de morceaux de la Nueva Canción. Leurs textes étaient généralement à double sens, ce qui permettait de communiquer avec le public sans heurter de front les autorités.

Très souvent, les organisateurs de concerts devaient soumettre des listes de titres et de musiciens et, dans certains cas, le texte intégral des chansons pour obtenir les autorisations nécessaires. Leur activité était loin d'être dépourvue de risques, et ils essuyaient de nombreux refus qui les contraignaient parfois à annuler un spectacle à la dernière minute.

Privés des moyens de gagner leur vie, beaucoup d'artistes furent acculés à l'exil. Les musiciens étaient en permanence sur le fil du rasoir, et on vit la police embarquer des salles entières, public compris ! Mais il en fallait davantage pour arrêter la musique.

Tandis que la résistance au régime militaire s'affichait au grand jour, les musiciens du Canto Nuevo se produisaient devant un public toujours plus nombreux. Parallèlement, ils entamèrent des tournées en Europe et sur tout le continent américain.

Ces voyages resserrèrent leurs liens avec les artistes exilés et leur ouvrirent de nouveaux horizons. Ils découvrirent la musique qui se jouait à l'étranger et ses points communs avec le Canto Nuevo. Ils apprirent à apprécier le jazz, le blues et les joies de l'improvisation ; à leur retour, ils se lancèrent dans la « fusion » et intégrèrent un nombre croissant d'instruments électroniques. À l'instar du groupe exilé Los Jaivas, les musiciens restés au pays commencèrent à électrifier les instruments traditionnels, à utiliser des synthétiseurs et à explorer de nouvelles formes musicales.

LE RETOUR DE LA LIBERTÉ

Bon nombre de groupes et de chanteurs qui ont fait leurs premières armes sous la dictature se produisent encore aujourd'hui : Isabel Aldunate, Congreso, Huara et, de temps en temps, Napalé, Amauta ou Cristina González (lorsqu'elle séjourne au Chili). Les exilés, Illapu, Inti Illimani, Quilapayún, Ángel et Isabel Parra, sont retournés vivre ou donner des concerts dans leur pays natal. Les Inti Illimani, interdits de séjour au pays pendant dix-sept ans, surnommèrent avec humour leur exil « la plus longue tournée de l'histoire de la musique » ! Leur influence est plus que jamais prépondérante au Chili.

La liberté retrouvée et le retour à la démocratie ont permis aux groupes déjà connus durant les dernières années de la dictature de s'épanouir pleinement : Congreso, sans doute le groupe qui a le mieux su combiner les instruments folkloriques traditionnels à la puissance des guitares électriques et aux infinies possibilités des synthétiseurs ; Fulano et la voix époustouflante de sa

À gauche, des musiciens lors d'une manifestation politique ; à droite, affiche du groupe Quilapayún.

chanteuse, Arlette Jequier ; Dekiruza, très sarcastique envers les anciennes autorités et raisonnablement sceptique à l'égard des nouvelles, le tout sur un rythme « hard rock » scandé par des percussions typiquement « latino » ; Isabel Aldunate, qui jouit d'une image plus moderne, moins romantique : cette *pasionaria* irréductible est toujours aussi impitoyable lorsqu'il est question des droits de l'homme.

René Largo Farías a repris son émission de radio et rouvert sa *peña, Chile ríe y canta* ; c'est une bonne adresse pour écouter des artistes traditionnels, par exemple des chanteurs populaires que l'on a rarement l'occasion d'entendre sur les ondes, mais aussi de la musique contestataire.

La Casona de San Isidro est un autre café de ce type. À leur retour d'exil, Charo Cofré et Hugo Arévalo ont ouvert La Candela, un endroit idéal pour écouter des histoires et de la musique en dégustant des plats chiliens.

Les musiciens de passage à Santiago et désireux de rencontrer leurs homologues chiliens peuvent se rendre à la Casa de los Músicos. Ce centre, dirigé par Ismael Durán, Patricio Lanfranco et Juan Valladares, tous trois auteurs-compositeurs-interprètes, est un lieu de rencontre et de discussions où l'on peut « faire un bœuf » ; il renferme un petit studio, une cafétéria, une sono et divers autres services destinés aux musiciens. On peut se procurer les albums de la plupart des groupes et chanteurs mentionnés précédemment auprès de la maison Alerce Produc-ciones Fonográficas, mais d'autres artistes ont aussi réalisé des enregistrements indépendants d'excellente qualité. Les principaux magasins de disques chiliens proposent de bonnes sélections de groupes actuels. Pour les enregistrements plus anciens, il est préférable de s'adresser aux pro-fessionnels d'Alerce, très compétents. Si l'al-bum recherché est épuisé, ils sauront peut-être où le trouver à Santiago.

En 1990, la tournée « Human Rights Now », organisée sous l'égide d'Amnesty International, fit étape au stade de Santiago. Le concert, qui réunit Sting, Peter Gabriel et Sinead O'Connor, mais aussi le chanteur panaméen Rubén Blades

LE DÉBUT D'UNE ÈRE NOUVELLE

De nouveaux courants musicaux d'une grande diversité sont en train d'émerger. La naissance d'un jazz chilien original, mêlé de thèmes latino-américains, est un des phénomènes notables de l'après-dictature. Au début des années 1990, des musiciens de rock imprégnés des idéaux de la Nueva Canción ont créé des « écoles de rock » pour les jeunes dans les maisons de la culture, les écoles ou les bidonvilles de Santiago. Ces écoles sont maintenant soutenues par le gouvernement. Les ateliers Balmaceda 1215 ont contribué à la naissance d'une *batucada* chilienne, inspirée des groupes de percussions brésiliens, laquelle rem-

et Inti Illimani, marqua le début d'une nouvelle époque.

Bien qu'ayant perdu de son influence sociale et politique, la Nueva Canción reste un creuset de jeunes talents. En 1998, un concert à la mémoire de Salvador Allende fut organisé au stade de Santiago. Inti Illimani, la famille Parra, Patricio Manns, Congreso et Tiro de Gracia jouèrent alors devant plus de soixante mille per-sonnes.

En septembre 2001, au même endroit, Inti Illimani se joignit à Illapu, à la star de rock fusion Joe Vasconcellos et au groupe de reggae Gond-wana en un concert mémorable célébrant ce qui aurait été le soixante-dixième anniversaire de Víctor Jara.

porte un énorme succès auprès des jeunes. La musique populaire est enseignée dans de nom-breuses universités ainsi qu'à l'Escuela Moderna de Musica.

La *cueca*, danse nationale si chère au cœur des Chiliens, avait perdu de son aura sous la dicta-ture car elle avait été exploitée sans vergogne par les militaires à des fins de propagande. Elle est aujourd'hui en pleine cure de jouvence, en parti-culier sous l'impulsion de la *cueca chora* urbaine, dansée par les jeunes générations sur une base de rock fusion.

Ci-dessus, Inti Illimani lors d'un concert en plein air pendant la campagne pour les élections parlemen-taires de 1973.

UN ART DE LA RÉSISTANCE

Au début des années 1970, le Chili connut une véritable révolution culturelle dans la lignée de l'esprit de mai 1968 en Europe. L'activité artistique s'intensifia et la création prit de nouvelles formes. Avec leur langage pictural original et pétri d'optimisme, des fresques murales se mirent à peupler les espaces publics de personnages hauts en couleur. Elles étaient l'œuvre de plusieurs groupes d'artistes qui signaient d'un nom collectif : les Brigadas Ramona Parra. Puis le théâtre descendit dans la rue. Dans l'effervescence générale, metteurs en scène, artistes et étudiants exportèrent leur art dans les usines, dans les fermes et dans les quartiers pauvres (les *poblaciones*).

Tout ce mouvement fut brutalement gelé lors du coup d'État de 1973. Le régime militaire refusait de laisser s'épanouir des activités culturelles susceptibles d'exalter la créativité du peuple. Il bannit purement et simplement la musique de la Nueva Canción, proche de l'Unité populaire, ainsi que les instruments andins qu'elle utilisait, et leur préféra un folklore plus traditionnel.

Pour contrer la censure et le mépris des autorités, la culture populaire résista autour d'un art inventif, subtil et profond. Les mères et les épouses des disparus initièrent un mouvement artistique fondé sur la fabrication et la vente collectives d'*arpilleras* (tapisseries en patchwork). Dépeignant la réalité quotidienne à l'aide d'images simples et de couleurs vives, ces tapisseries mêlent avec vitalité espoir et émotion.

Bien que particulièrement visé par la répression, le théâtre ne renonça jamais à faire entendre sa voix. Ouvertement critique, la pièce du Teatro El Aleph *Au commencement était la vie* (1974) fut interdite, et le metteur en scène, Óscar Castro, et toute sa troupe furent contraints à l'exil (ils s'installèrent à Paris, où Óscar Castro fonda le Nouveau Théâtre Aleph en 1976, avant d'ouvrir en 1995 l'espace Aleph à Ivry-sur-Seine, en banlieue parisienne).

L'activité théâtrale de la période de l'Unité populaire se poursuivit dans des lieux parfois inattendus, comme les prisons. Dans les *poblaciones*, une nouvelle forme de théâtre vit le jour, le *teatro poblacional*. Fondé sur l'improvisation, ce qui permettait d'éviter les foudres de la censure, il perpétua la tradition du théâtre populaire et contribua à l'apparition de nouveaux mouve-

À droite, élaboration d'une « arpillera », sorte de tapisserie en patchwork.

ments de résistance durant la crise économique de 1982-1983. Les pièces de Marco Antonio de la Parra, comme *Lo crudo, lo cocido y lo podrido* (*Le Cru, le Cuit et le Pourri*, 1978), montraient des personnages dont le désespoir et le délabrement intérieurs étaient le reflet d'un univers extérieur hostile. Chez Juan Radrigán, les héros marginaux incarnaient la dignité et l'espoir face à une société répressive.

Des compagnies comme Ictus (avec laquelle avait débuté le grand dramaturge chilien Jorge Díaz) voyaient dans le théâtre la possibilité de donner à entendre des voix auparavant réduites au silence. La compagnie NO+ adopta un langage symbolique qui pouvait à la fois contourner

et défier la censure. Dans les pièces de Ramón Griffero, le dialogue laissait la place au mime et à l'improvisation. Dans les années 1980, le Gran Circo Teatro d'Andrés Pérez se tourna vers la tradition populaire incarnée par Violeta Parra en montant *La negra Ester*, une pièce du frère de Violeta, Roberto Parra. Certaines compagnies utilisèrent le mime et le cirque pour transmettre des émotions sans passer par les mots. D'autres superposèrent à la parole la dimension ironique de la gestuelle à une époque où la moindre critique verbale était souvent punie de mort.

Depuis la fin de la dictature, avec le retour au pays de nombreux artistes importants et une nouvelle génération prometteuse, le monde artistique chilien a retrouvé sa vitalité.

SALMON
FRESCO
$1.800
KILO

COLITAS
FRESCAS $9.500

SAVEURS CHILIENNES

« Pour découvrir la variété de la cuisine chilienne, il faut visiter toutes les régions du pays. Dans les villes, vous trouverez d'excellents plats, chaque fois différents. Au bord de la mer, on pourra vous servir des spécialités aux algues ; en montagne, on mange souvent du lapin. Avec un peu de chance, vous pourrez savoir, dans chaque village, qui est la meilleure cuisinière, et ce ne sera pas forcément la plus riche ou la plus originale. Elle vous servira, entre autres, de délicieuses *empanadas*, ou encore un plat dont elle a le secret, confectionné à partir de produits locaux. »

C'est par ces mots que Luis Bernard, président de la Société gastronomique chilienne, présente la cuisine de son pays. Or, s'il est clair que le Chili n'est pas vraiment connu pour sa gastronomie, un mouvement se développe pour une nouvelle cuisine chilienne. Au point qu'en 1999 trois plats locaux ont été classés parmi les 50 meilleures recettes de l'année par la revue américaine *Food and Wine* : le *caldillo de congrio* (soupe de congre), le bar au gingembre et tomates *a la plancha* (au gril) et la meringue à la mousse de vin rouge. Ces distinctions, discutées par les chefs du pays, relancèrent le débat sur l'existence d'une vraie tradition culinaire chilienne.

Car on mange bien au Chili, et surtout frais, grâce au large éventail de produits incluant d'excellents poissons et fruits de mer, de la viande de bœuf très tendre et quantité de fruits et de légumes frais.

Toutefois, chaque pays développe des goûts spécifiques, et le Chili ne fait pas exception. Les Européens trouveront probablement que les Chiliens utilisent trop de sel et de sucre. Les restaurants bio eux-mêmes n'hésitent pas à ajouter une bonne dose de sucre en poudre aux jus de fruits qu'ils proposent. Il est donc préférable de connaître les expressions *sin azúcar* (« sans sucre ») et *sin sal* (« sans sel »).

Ensuite, certaines plantes – c'est en particulier le cas de la salade et des fraises de la région de Santiago – sont arrosées avec de l'eau non potable, par conséquent susceptible de causer des désordres intestinaux. Il est donc fortement recommandé de laver tous les légumes à l'eau minérale ou purifiée (on trouve aussi au rayon fruits des supermarchés de petites bouteilles d'un désinfectant spécial) et d'éviter, dans les restaurants, les fruits non pelés et les crudités.

LES PRODUITS DU TERROIR

La grande variété des plats proposés sur le territoire a deux origines : la particularité géographique du pays qui fait que, tous les 200 km, on change de climat, et de ce fait de produits, et la diversité des immigrants, qui, en s'installant au Chili, ont adapté aux produits locaux les plats venus de leurs pays d'origine.

Toutefois, certaines recettes, parfois inspirées des traditions mapuches et élaborées à partir de produits régionaux, sont typiquement chiliennes.

C'est le cas du *pastel de choclo*, un gratin de maïs, et des *porotos granados*, une soupe épaisse de maïs doux et de flageolets dans laquelle on a ajouté du potiron, du paprika et de l'oignon.

Toutefois, pour certains gastronomes chiliens, le seul plat local authentique est le *charquicán*, un ragoût de viande de lama ou d'alpaga séchée, de pommes de terre et d'autres légumes. Il ne se prépare plus aujourd'hui qu'avec du bœuf haché, le lama ayant disparu de la consommation courante.

Parmi les plats les plus connus, les fameuses *empanadas* – chaussons farcis soit au fromage soit à la viande hachée, aux œufs et aux olives – sont d'origine espagnole. Elles existent dans d'autres pays d'Amérique latine, mais l'*empanada* fourrée aux oignons, appelée *pequén*, est

Pages précédentes et à gauche, toutes sortes de poissons et de fruits de mer, omniprésents dans un pays longé par l'océan ; à droite, un buffet de salades.

typiquement chilienne. À l'origine, ce plat du pauvre ne contenait pas de viande. Les *empanadas* sont la plupart du temps accompagnées de *chancho en piedra* (tomates et oignons émincés, piment vert, coriandre et ail, assaisonnés à l'huile et au citron, et servis froids).

Les Chiliens aiment les produits frais, à commencer par les pains dont on propose plusieurs fournées par jour. Même dans les villages les plus reculés, il est possible de se procurer du pain frais. Les variétés en sont nombreuses : blanc, bis, aux céréales, sous forme de boules de différentes tailles ou de beignets, telle la *sopaipilla*, ou *sopaipa* (prononcer sopaïpa), ce beignet à base de farine mélangée à une purée de poti-

plus recherché ; mûrie sur pied, elle conserve tout son arôme. Elle se mange surtout en salade, la *ensalada chilena*, mélangée à des oignons émincés. On l'assaisonne avec une vinaigrette et on ajoute parfois de la coriandre (*cilantro*).

Presque aussi apprécié que la tomate, l'avocat (*palta*) entre dans la composition de la plupart des salades, de nombreux sandwichs ainsi que de hot-dogs très nourrissants, les *completos italianos* (ils contiennent tomate, avocat et mayonnaise).

DES PLATS ROBORATIFS

Les pommes de terre, les flageolets (*porotos*), les lentilles et le maïs accompagnent généreusement

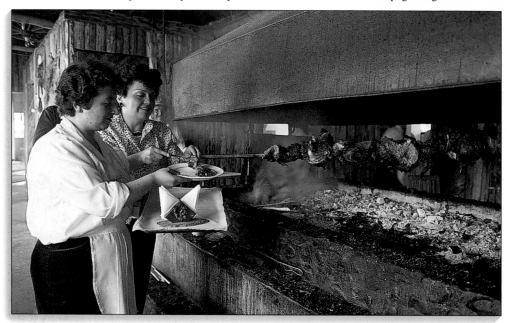

ron ; le *chapalele* (mélange bouilli de farine et de pomme de terre) et le *milcao*, lui aussi à base de pomme de terre sont des pains typiques de Chiloé. Le *pan de Pascua*, que l'on consomme à Noël et à Pâques, est une miche ronde aux œufs et aux fruits confits, qui ressemble à un cake.

Grâce à ses divers climats, le pays produit tous les fruits, en toute saison. Les étals des marchés en proposent toujours un assortiment : prunes, pêches, abricots, pommes, oranges, fraises, kiwis et plusieurs sortes de melons. Pays vinicole, le Chili est aussi grand consommateur de raisin de table, tendre et sucré. Il est d'ailleurs le premier exportateur de raisin de l'hémisphère Sud.

L'éventail des légumes frais (*verduras*) est également très varié. La tomate est peut-être le

tous les plats de la cuisine chilienne. Et si les gens du Nord plébiscitent la fameuse soupe de *porotos granados*, pour se réchauffer les méridionaux concoctent la *cazuela*. La base en est un bouillon de viande de bœuf ou de poulet dans lequel on fait cuire des pommes de terre, du potiron, du maïs et des haricots verts. Ce plat est servi brûlant et parfois accompagné de salade verte ou de tomates ; c'est l'un des moins chers et des plus revigorants.

Le maïs est très présent dans la cuisine chilienne. L'étendue du pays et, partant, ses différentes zones climatiques, font que l'on y cultive cette céréale tout au long de l'année. Pendant longtemps, le maïs a été une denrée de base pour les Mapuches, puis pour les Espagnols.

Les mets les plus réputés sont les *humitas* (petits paquets de purée de maïs cuits à l'étuvée et servis dans l'enveloppe d'un épi) et le *pastel de choclo* (littéralement « gâteau de maïs »), qui se compose de viande de bœuf ou de poulet hachée et revenue avec des oignons, des raisins secs et des olives, à laquelle on ajoute des œufs durs et que l'on recouvre d'une couche de purée de maïs gratinée. Ce plat est saupoudré de sucre.

La mer fournit également des ingrédients, en particulier les *cochayuyos*, de longues algues brunes cuites et servies en salade ou en soupe.

Ceux qui préfèrent éviter la viande trouveront quelques restaurants végétariens à Santiago mais, dans la plupart des restaurants traditionnels, on

température idéale est atteinte, on retire les cendres, que l'on remplace par un épais lit d'épis de maïs ou d'algues, ou plus prosaïquement une feuille d'aluminium. On y dispose alors des fruits de mer, du poisson, de la viande de bœuf ou de porc et des légumes, séparés par des algues ou des feuilles de chou. Le tout, recouvert d'une épaisse couche de feuilles de vigne et de toiles de sac humides, mijote à l'étouffée. Aujourd'hui difficile à réaliser dans les règles de l'art, surtout si l'on vit en ville, ce plat se prépare tout simplement dans une grande cocotte (il s'appelle alors *curanto en olla*). De même que l'*asado* dans d'autres parties du Chili, le *curanto* est une occasion de se retrouver entre amis.

peut aussi se faire servir des plats non carnés (tomates, avocats, haricots verts et riz, ou encore des soupes de lentilles ou de haricots).

L'un des plats les plus complets est certainement le *curanto en hoyo*, une spécialité de l'île de Chiloé. Plus que d'un plat, il s'agit d'une méthode de cuisson probablement importée par les Polynésiens mais répandue dans le monde entier. Les insulaires creusent de larges trous dans la terre, dans lesquels ils empilent des pierres. À l'intérieur de ce four improvisé, un feu de bois chauffe les pierres à blanc. Lorsque la

À gauche, volailles cuites à la broche ; ci-dessus, une spécialité, les « humitas », purée de maïs cuite à la vapeur dans une feuille de l'épi.

LES PRODUITS DE L'OCÉAN

Les eaux refroidies par le courant de Humboldt abritent une extraordinaire variété de poissons d'une exceptionnelle saveur. Les Chiliens en font une grande consommation et apprécient aussi les fruits de mer (*mariscos*). Les *machas* (mollusques roses semblables à des couteaux) sont une spécialité locale et se dégustent soit crues, soit saupoudrées de parmesan et passées au four. Parfois les *empanadas* sont farcies de *machas*. Parmi les fruits de mer, on trouve encore les bouquets (*camarones grandes*), les crevettes (*camarones*), les oursins (*erizos*), les coquilles Saint-Jacques (*ostiones*), les moules (*choritos*), les palourdes (*almejas*), les calmars (*calamares*), les langoustes (*langostas*), les poulpes (*pulpos*), les crabes (*jaivas*) ainsi que les araignées de mer (*centollas*).

Avec plus de quatre mille kilomètres de littoral, le Chili compte parmi les premiers producteurs de poisson du monde : plus de cinq millions de tonnes y sont pêchées chaque année. La plus grande partie de cette production est exportée, pour être consommée sous forme de chair ou d'huile. Face à la menace que représente l'utilisation de très grands filets pour le renouvellement du poisson, péril dont ils sont conscients, les pêcheurs chiliens pratiquent de plus en plus une pêche sélective des poissons comestibles.

sont en voie de disparition sur les côtes chiliennes et il est par conséquent interdit de les pêcher et de les vendre.

La truite (*trucha*) et le saumon (*salmón*) représentent un excellent choix pour leur rapport qualité-prix, en particulier dans le sud du Chili, où leur production est en constante augmentation. Le Sud est la région de prédilection des pêcheurs à la ligne, grâce à son réseau hydrographique très dense, à ses torrents et à ses lacs aux eaux froides, claires et propres. Les truites que l'on y pêche ont une taille appréciable et un goût très fin.

Toutes les villes chiliennes offrent l'occasion de déguster d'excellents poissons et fruits de mer. Dans les marchés de Santiago, qui se tien-

Le congre (*congrio*), le colin espagnol (*cojinova*), le thon (*atún*), le bar (*corvina*) et la sole (*lenguado*) sont sur tous les étals. Le congre, poisson de couleur rouge ou noire, à chair tendre, sert de base à un plat typiquement chilien, le *caldillo de congrio* ; cette soupe contient aussi des pommes de terre et des oignons. Ce plat traditionnel des marins a d'ailleurs inspiré à Pablo Neruda un poème recette intitulé « Ode à la soupe au congre » (*Odes élémentaires*).

La meilleure façon de goûter à la diversité des produits de la mer est de commander une *parrillada de mariscos*, assortiment de fruits de mer et de poissons servi sur un petit gril portatif. Les ormeaux, ou *abalones* (que les Chiliens appellent *locos*), sont délicieux ; malheureusement, ils

nent à proximité de l'Estación Mapocho, des restaurants s'ouvrent çà et là au milieu des étals de fruits et légumes. Toutefois, même si les fruits de mer sont généralement frais, il convient de rester vigilant avant de commander un assortiment : dans certains établissements, en particulier à Santiago, il peut coûter fort cher et la fraîcheur n'y est pas toujours garantie.

Sur la côte, on trouve dans presque tous les villages de pêcheurs au moins un petit restaurant familial, entre deux hangars à bateaux. Poissons et crustacés sont déchargés et directement emportés à la cuisine, voire sur la table du client. On peut aussi se contenter d'acheter quelques huîtres et un citron et les déguster sur la plage, en regardant les pêcheurs réparer leurs filets.

LA VIANDE

Moins connue que la viande argentine, la viande chilienne n'en est pas moins d'excellente qualité. La plupart des restaurants servent notamment de belles pièces de bœuf. Les *parrilladas* sont des établissements où l'on sert un mélange de morceaux de viande et d'abats cuits sur un petit gril (*carne a la parrilla*), ainsi que des saucisses, des côtelettes et des steaks.

À la campagne, les *parrilladas* servent souvent une nourriture savoureuse et bon marché. Entre les lourdes tables de bois, un *huaso* (vacher chilien) joue de la guitare, tandis qu'au milieu de la salle crépite un grand feu de chemi-

L'*asado*, qui est à la fois une façon de préparer la viande et une réunion amicale, est l'équivalent chilien du barbecue. Quand il a lieu le soir, il commence en fin d'après-midi et se poursuit jusque tard dans la nuit, arrosé de bons vins du pays.

Le poulet, comme beaucoup d'autres animaux, a été introduit au Chili par les colons et parfaitement intégré à la cuisine chilienne, sous forme de variantes de la poule au riz (*pollo con arroz*). L'une des recettes les plus intéressantes, proposée par la plupart des *parrilladas* de province, s'appelle *pollo al coñac*; les morceaux les plus tendres du poulet y sont accompagnés de champignons, liés par une sauce à base de *coñac*, une version chilienne du cognac.

née. C'est l'endroit idéal pour goûter à la *prieta*, une sorte de boudin noir très prisé des Chiliens.

Les *churrascos* sont des sandwichs formés de plusieurs tranches fines de viande de bœuf grillée. Le *lomito*, quant à lui, contient de la viande de porc bouillie. La restauration rapide chilienne propose aussi des *completos*, évoqués plus haut, et du poulet grillé (*pollo a las brasas*). Le centre de Santiago regorge de boutiques de vente à emporter mais on a plutôt intérêt à déambuler dans les petites rues pour trouver des restaurants servant des *cazuelas* et des *empanadas*.

À gauche, le barbecue fait partie de l'art de vivre chilien ; ci-dessus, impressionnants préparatifs pour un « curanto », dans l'île de Chiloé.

DESSERTS ET PÂTISSERIES

Les amateurs de sucreries trouveront de multiples occasions de satisfaire leur penchant. Les Chiliens font grande consommation de sucre et fabriquent toute une gamme de desserts provenant, pour la plupart, des pays d'origine des immigrants. On peut ainsi se délecter de toutes sortes de mousses, tartes, gâteaux et autres pâtisseries. Le *küchen* allemand se prépare avec les fruits locaux, d'une grande variété, qui procurent également un riche éventail de parfums pour les glaces en cornet.

En revanche, le *manjar* est une spécialité sud-américaine. Cette sucrerie, faite de lait concentré cuit jusqu'à obtention d'une pâte épaisse et très sucrée, existe dans d'autres pays d'Amérique latine sous le nom de *dulce de leche* (« confiture de lait »), mais c'est sans doute au Chili qu'elle s'utilise sous les formes les plus variées. On la trouve en pots ou en sachets dans les supermarchés, où elle occupe presque plus de place que des produits de base comme le lait et le beurre. *Le manjar* se consomme seul, à la petite cuillère, ou étalé sur du pain, et il entre dans la composition de nombreuses pâtisseries, ainsi que dans celle du dessert national, le *panqueque celestino*. La préparation la plus riche est toutefois le *churro relleno*, un beignet cylindrique rempli de *manjar* chaud. Même les plus gourmands ont parfois du mal à en avaler deux à la suite !

Le rythme des repas

Dans les hôtels et les pensions, le petit déjeuner, ou *desayuno*, se compose le plus souvent de petits pains ou de brioches avec du beurre et de la confiture (*mantequilla* et *mermelada*), accompagnés de thé ou de café.

Le café est la boisson chaude la plus consommée au Chili. Mais attention, si l'on ne précise pas *café express*, on devra se contenter d'un café instantané. Quant au *café con leche* (café au lait), il s'agit de lait chaud dans lequel on ajoute une ou deux cuillerées de café instantané. Si l'on préfère son café « avec un nuage de lait », il vaut mieux demander un café express, puis *un poco de leche* (« un peu de lait »). Il existe l'équiva-

lent de notre café noisette, le *café cortado*, café additionné d'un petit peu de lait chaud. Le *café cortado* est parfois servi déjà sucré ; si l'on souhaite le boire sans sucre, mieux vaut préciser *sin azúcar* à la commande.

Les restaurants qui affichent « desayunos » servent des petits déjeuners complets. Dans ce cas, on peut obtenir des œufs et du pain grillé (*huevos con tostadas*). On précisera le mode de cuisson des œufs que l'on choisit : *huevos fritos* (œufs au plat), *huevos revueltos* (œufs brouillés), *huevos a la copa* (œufs à la coque ou mollets) ou *huevos duros* (durs).

Le déjeuner (*almuerzo*) dure assez longtemps puisqu'il constitue le repas principal des Chiliens. On le prend entre midi et 15 heures. Les menus (*menús del día* ou *colaciones*) et plats du jour (*platos del día*) sont d'un excellent rapport qualité-prix et permettent de savourer une nourriture typique même si l'on ne sait pas trop ce que l'on commande. L'entrée sera par exemple une salade de tomates ou des haricots cuits avec du fromage, le plat principal des *porotos granados* ou de la poule au riz, et le dessert, de la glace ou des fruits. Thé, café ou boisson non alcoolisée sont habituellement compris dans le prix du repas.

Les Chiliens ont érigé la collation, qu'ils prennent entre 17 heures et 19 heures et qu'ils ont curieusement appelée *once* (« onze »), en véritable institution. Cette appellation est peut-être copiée sur la pause anglo-saxonne de 11 heures, mais on l'explique aussi par le fait que les hommes avaient autrefois l'habitude de sortir vers 17 heures pour aller prendre un *aguardiente* (« eau-de-vie », dont le nom se compose en espagnol de onze lettres). Quoi qu'il en soit, en dépit de l'heure à laquelle il se déroule, le *once* n'est pas un cocktail mais plutôt un goûter, où l'on sert du thé, du café, des sandwichs et des gâteaux.

Il ne faut pas hésiter à manger à sa faim en cette occasion puisque le dîner, comme dans tant de pays latins, n'est jamais servi avant 21 heures (il se prolonge souvent assez tard dans la soirée). Après le dîner, on peut choisir, au lieu du traditionnel café, une *agüita* ou une *yerba*, tisanes aux herbes fraîches.

En conclusion, pour bien manger au Chili, il faut s'arrêter dans les petites villes et les villages du littoral ou de la cordillère, et ne pas hésiter à élire de petits restaurants modestes, car ils servent une cuisine savoureuse.

À gauche, présenté par un chef, un échantillon de la nouvelle cuisine chilienne ; à droite, séchage de champignons et d'algues.

UN PAYS DE VIGNOBLES

Depuis un siècle et demi, les Chiliens produisent d'excellents vins dont ils sont très fiers. Rien d'étonnant, expliquent-ils courtoisement, le vignoble actuel s'est développé à partir de cépages français introduits au milieu du XIXᵉ siècle par une poignée de viticulteurs éclairés.

Cependant, la légende veut que les conquistadors aient fait pousser de la vigne pour fabriquer le vin de messe en plantant des pépins de raisins importés d'Espagne. C'est de là que viennent les vins dits « de pays », qui représentent aujourd'hui les trois quarts de la production chilienne.

DES RACINES FRANÇAISES

En 1851, don Silvestre Ochagavía, riche propriétaire terrien désireux d'améliorer la qualité de ses vins, importa des ceps du Bordelais et de la vallée de la Loire. Juste à temps car, quelques années plus tard, le phylloxéra faillit sonner le glas de l'industrie viticole française, italienne et allemande et interdit toute exportation.

Les vignerons européens purent reconstituer leurs vignobles en pratiquant des greffes sur des plants américains résistants au parasite. Durant cette période, plusieurs œnologues français, au chômage forcé, se rendirent au Chili pour conseiller les producteurs locaux en matière de viticulture et de vinification.

Grâce à son isolement géographique, le Chili est toujours resté à l'abri du mildiou et du phylloxéra. Les viticulteurs chiliens répètent à l'envi que leurs vignes se sont développées naturellement – sans greffe aucune – à partir des plants d'origine. Et les passionnés d'œnologie continuent à se chamailler pour savoir si cette spécificité a une incidence sur le goût du vin. Quoi qu'il en soit, la différence est sensible sur le plan économique, car les ceps non greffés bénéficient d'une longévité de trois à quatre fois supérieure à celle du vignoble greffé, devenu prépondérant en Europe.

Le cépage le plus utilisé actuellement pour le vin rouge (*vino tinto*) est le cabernet sauvignon. Certains producteurs le mélangent à du merlot ou à du malbec, mais la plupart n'utilisent qu'une seule variété de raisin. Le vin blanc (*vino blanco*) est produit à partir de cépages chardonnay ou cabernet sauvignon blanc, le premier étant plus répandu. Aux dires des experts, les cépages bordelais donnent des vins plus doux, moins âpres que les cépages de la vallée de la Loire. Le Chili produit également du riesling, mais les mauvaises langues prétendent qu'il manque de distinction. Les vins chiliens ont plusieurs fois été primés aux expositions universelles (en 1873 et 1889) et ont obtenu un Palmarès d'or à Bordeaux.

LE BOOM DES EXPORTATIONS

Depuis le XIXᵉ siècle, les viticulteurs chiliens qui possèdent les meilleures vignes disposent d'un excellent terroir : la vallée centrale, dont le sol et le climat tempéré (nuits fraîches, journées chaudes et ensoleillées) sont favorables à toutes sortes de fruits. Mais la production de vin ne se résume pas à la culture de la vigne et, depuis quelques années, les grands domaines ont compris la nécessité d'élaborer des vins de qualité.

C'est à ces produits de haut de gamme qu'ils doivent aujourd'hui leur succès sur les marchés européen et américain. Au début de 2003, la coopération patronale Vignobles du Chili a annoncé que l'industrie chilienne du vin a exporté 438,5 millions de litres en bouteilles et en vrac, pour une valeur de 601 millions de dollars en 2002, des chiffres en augmentation par rapport à l'année précédente. Mais nul n'étant prophète en son pays, la consommation locale de vin n'a cessé, en l'espace d'une vingtaine d'années, de diminuer. Elle est ainsi passée de 50 l par personne en 1970, à 15 l à la fin des années 1990. Cette baisse importante s'explique par le changement des habitudes de consommation : les Chiliens semblent préférer aujourd'hui la bière et les boissons gazeuses.

La plupart des entreprises viticoles sont des exploitations familiales de taille relativement modeste. Il y a quelques années, l'avenir s'annonçait très sombre pour la plupart des producteurs, grands et petits. Mais quelques gros domaines décidèrent de franchir le pas et de se lancer à l'assaut des marchés extérieurs. Pour cela, il fallait abandonner les vins lourds et riches en tanin qu'ils produisaient au profit de vins « de cépage », plus légers et plus fruités, correspondant davantage aux goûts des consommateurs occidentaux. Or ce changement de cap impliquait aussi d'importants investissements. Par exemple, le vieillissement du vin rouge s'effectuait traditionnellement dans d'immenses fûts en *raulí* (le vin blanc est encore plus délicate et nécessite plus de soins encore : le raisin doit être cueilli aux heures les plus fraîches, tôt le matin, et avant d'arriver à maturité. Si toutes ces conditions ne sont pas respectées, le vin n'aura pas l'acidité voulue (celle qu'apprécient les consommateurs étrangers).

Les grandes entreprises de vinification ont investi dans des pressoirs pneumatiques (qui n'écrasent pas les pépins), dans des systèmes informatiques et dans des cuves en inox qui permettent de régler avec précision les températures de fermentation. La qualité des vins blancs chiliens s'est considérablement améliorée si l'on en croit la presse internationale spécialisée. Leur

nothofagus, arbre de la famille du hêtre), bois qui masquait la saveur du fruit et donnait au vin un goût de terre. Il fallut donc importer de France de petits fûts de chêne (qui coûtent très cher et doivent être remplacés tous les trois ou quatre ans) et installer de nouveaux équipements de mise en bouteilles. Jusque-là, les producteurs effectuaient cette opération au coup par coup, en cas de commande importante. Par conséquent, rien ne garantissait que deux bouteilles provenant d'un même vignoble mais achetées à quelques mois d'intervalle auraient le même goût. La fabrication du

À gauche, les vignes sont taillées régulièrement pour assurer une meilleure production ; ci-dessus, les vignes de Cousiño Macul, près de Santiago.

principal atout est d'offrir une qualité suivie et des prix raisonnables.

Outre les équipements déjà mentionnés, les grands centres de vinification ont fait l'acquisition de machines pour conditionner le vin en briques – de 50 cl ou 1 l – très pratiques pour les pique-niques. C'est d'ailleurs ce que servent la plupart des restaurants lorsque l'on commande du vin en pichet.

LA VISITE DES VIGNOBLES

La région de Santiago compte de nombreux domaines viticoles. La *vendimia* (les vendanges) s'étale de début mars à mi-avril : plus on va vers le sud, plus elle commence tard. Vers la mi-mars, l'entreprise espagnole Miguel Torres, qui possède des vignes et un centre de vinification près de Curicó (à environ 200 km au sud de la capitale), organise une fête couronnée par l'élection d'une reine de beauté et animée par de nombreux groupes musicaux.

Les visites proposées, qui durent environ une heure, peuvent faire partie d'une excursion dans les environs de Santiago.

La **viña Concha y Toro** (premier producteur et exportateur de vin de pays) est à une heure de route de la capitale, en direction du Cajón del Maipo. Il est donc facile de s'y arrêter au retour d'un week-end à la montagne. La **viña Undurraga**, non loin de Melipilla, au sud-ouest de San-

droit est un havre de paix planté d'arbres magnifiques, à un quart d'heure à peine du centre-ville.

Hors saison, les visites de domaines (*viñas*) se limitent généralement aux installations de mise en bouteilles, aux anciennes caves et au parc qui entoure la maison d'habitation. Mais on sera déçu si on s'attend à visiter un centre de vinification expliquant la fabrication du vin. En réalité, les guides sont loin d'être des experts en œnologie, et il ne faut pas compter participer à de vraies dégustations. Les domaines Concha y Toro et Undurraga accueillent les visiteurs tous les jours de la semaine, de préférence vers midi. Après avoir fait le tour du propriétaire, on se voit gratifier d'un verre de vin à avaler en toute hâte.

tiago, est une étape intéressante sur la route des stations balnéaires d'Algarrobo, de Las Cruces ou encore du port de San Antonio. Sans aller si loin, les faubourgs de la métropole abritent le petit domaine de **Cousiño Macul**, qui est aussi l'un des plus anciens et des plus prestigieux. Les premiers pieds de vigne y furent plantés par Juan Jufré, l'un des conquistadors qui accompagnaient Pedro de Valdivia. Le domaine appartient à la famille Cousiño Macul depuis 1856.

Le personnage qui a le plus contribué à son développement est la belle-fille du premier Cousiño, Isidora Goyenechea : c'est elle qui fit construire les caves et engagea un œnologue de Bordeaux pour améliorer la qualité de son vin. Déployé sur les contreforts de la Cordillère, l'en-

Les véritables amateurs seront plus avisés de se rendre directement au restaurant Enoteca, sur le cerro San Cristóbal, à Santiago. Pour un prix modeste, l'« œnothèque » propose tout un éventail de vins chiliens. Il abrite aussi le **Museo de Vinos Chilenos** qui renferme une vaste collection de bouteilles et d'étiquettes d'hier et d'aujourd'hui, ainsi que d'anciennes machines vinicoles. En temps normal, il n'y a personne pour commenter la visite ou conseiller les acheteurs. Pour organiser une séance de dégustation et bénéficier des services d'un œnologue, il suffit de prendre rendez-vous auprès de l'administrateur quelques jours à l'avance.

Si on souhaite rapporter quelques bouteilles, on les trouvera dans les supermarchés (Jumbo,

Líder) qui jalonnent les quartiers commerçants de Providencia, Las Condes ou l'avenida Kennedy. Ces grandes surfaces vendent une sélection de vins chiliens à des prix très raisonnables, et l'on peut choisir sans se presser, en prenant le temps d'étudier les étiquettes.

Concha y Toro (et sa filiale Santa Emiliana), Santa Rita (qui possède également Viña Carmen), San Pedro et Santa Carolina sont les principaux producteurs exportateurs de vins. Parmi les entreprises de taille plus modeste figurent Cánepa, Cousiño Macul, Miguel Torres, Errazuriz Panquehue et Los Vascos (racheté par Rothschild et qui exporte toute sa production sous cette étiquette).

mais, à La Serena comme dans la vallée, on découvrira d'excellentes petites marques locales qui ont l'odeur et la saveur du raisin bien mûr.

Et partout, on dégustera le *pisco sour*, cocktail célèbre composé de trois mesures de pisco, d'une mesure de jus de citron, de deux cuillerées à café de sucre glace et d'un doigt de blanc d'œuf battu en neige, le tout sur un lit de glace pilée.

Enfin, le sud du Chili produit plusieurs variantes de l'*aguardiente* (eau-de-vie), à base de céleri (*apiado*) ou de griotte (*guindado*).

Le pisco est également à l'honneur dans un autre cocktail typique, la *cola de mono* (queue de singe). La boisson aurait été inventée au cours

L'OMNIPRÉSENT PISCO

La plupart des vignobles sont localisés au sud de Santiago, dans la vallée centrale. Les domaines situés au nord de la métropole produisent soit du raisin de table, soit du *pisco*, eau-de-vie obtenue par la distillation de vin de muscat, un peu moins alcoolique que celui du Pérou. Tout près de La Serena, le Valle del Elqui, où la poétesse chilienne Gabriela Mistral vit le jour en 1889, est par excellence la région du pisco. Trois ou quatre grandes marques se partagent le marché national

À gauche, les vignobles de la vallée de l'Elqui ; ci-dessus, les différents vins du producteur Concha y Toro.

d'une soirée à laquelle participait le président Pedro Montt. Celui-ci, désireux de partir, demanda qu'on lui rende son colt, auquel il était très attaché. Pour qu'il reste, ses hôtes prétendirent ne pas avoir retrouvé l'arme. Lorsque les vins et les liqueurs furent épuisés, on mélangea de l'eau-de-vie avec du café au lait et du sucre. Cette détonante boisson fut baptisée colt de Montt, ce qui deviendra après plusieurs déformations *cola de mono*. D'autres prétendent que ce nom proviendrait du surnom du président au faciès très mobile. Quoi qu'il en soit, le breuvage, composé de pisco et de café au lait assaisonnés de cannelle, de noix de muscade et de clou de girofle, se boit surtout à l'occasion des fêtes du Nouvel An.

LA FAUNE

Grâce à sa diversité géographique et climatique le Chili abrite une faune particulièrement diversifiée allant du flamant au manchot, du lama au phoque. Du nord au sud, on passe en effet d'un désert que l'on dit le plus aride de la planète aux glaces de l'Antarctique, au long d'un territoire étroit, enserré entre l'océan et une haute chaîne de montagnes. Les îles de Pâques ou Juan Fernández recèlent en outre des espèces qui, en raison de leur isolement, présentent des caractéristiques génétiques uniques. C'est toutefois dans l'extrême Sud, dans la province de Magallanes et en Terre de Feu, que les animaux sauvages sont le mieux représentés.

UNE IGNORANCE RÉCIPROQUE...

La faune chilienne réserve peu de mauvaises surprises aux campeurs ou aux randonneurs. Au Chili, on ne doit craindre ni ours ni dangereux serpents. On n'y trouve que deux espèces d'araignées venimeuses, notamment la veuve noire (*araña del trigo*), au corps marqué d'une tache rouge caractéristique jouant en somme le rôle de signal d'alarme... En altitude, il arrive qu'on aperçoive des pumas et des chats sauvages mais ils ont tendance à éviter l'homme. Tout en étant fiers de la diversité de leur faune, les Chiliens ont cependant laissé massacrer certaines espèces aujourd'hui en voie de disparition ; c'est le cas du poudou (*pudú*), tout petit cervidé de 5 à 10 kg au pelage roux, qui ne subsiste au Chili que dans le Sud et à Chiloé, et du *huemul* ou guémal, petit cerf aux andouillers modestes représenté sur les armoiries chiliennes où il voisine avec le condor des Andes.

LE DÉSERT SEPTENTRIONAL

L'extrême Nord du Chili n'est pas très accueillant pour les animaux en raison de la pauvreté des sols et de la rigueur du climat. Ils se concentrent donc essentiellement en dehors du désert, que ce soit sur la côte ou dans les zones montagneuses. Phoques, goélands, pélicans, pétrels, manchots et vautours urubus ou jotes se tiennent sur le littoral. Quelques trou-

peaux de *huemules* se rencontrent dans les Andes où ils se dissimulent parmi les buissons et les rochers. C'est surtout dans les parcs et les réserves que l'on a l'occasion de les observer. Les flamants dépendent des lacs de l'altiplano, dont ils filtrent la vase, riche en invertébrés. Des efforts sont faits pour en assurer la protection car les ramasseurs d'œufs ont localement fait chuter de plus de 90 % la population de ces oiseaux spectaculaires.

À plus de 3 000 m d'altitude, les hautes terres sont aussi le domaine des chats sauvages, des canards, des hiboux, des aigles et des condors. Ils voisinent avec les nandous de Darwin, espèce propre aux Andes et à la Patagonie, proche des

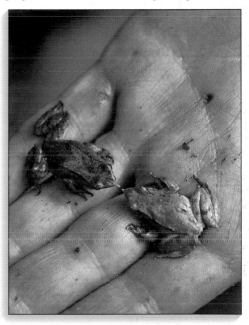

autruches mais de plus petite taille. Ces oiseaux coureurs vivent en groupes et se déplacent parfois en compagnie de guanacos.

En haute altitude vivent des espèces adaptées aux conditions extrêmes de l'altiplano, en particulier des camélidés : lamas, vigognes, guanacos et alpagas. Si les lamas et les guanacos sont relativement nombreux, les deux autres espèces se sont en revanche raréfiées au fil des siècles, décimées par des chasseurs dénués de scrupules.

Le lama est un animal domestique précieux car il fournit de la laine et de la viande, et ses excréments servent d'engrais et de combustible. Capable de porter des charges pesant jusqu'à 40 kg, il peut aussi à l'occasion tirer une petite charrette.

Pages précédentes : troupeau de lamas dans les environs de San Pedro de Acatama. À gauche, devant un nid de nandous dans la province de Magallanes ; à droite, grenouilles de Darwin.

Son cousin sauvage, le guanaco, au pelage fauve, est timide mais curieux et peut observer pendant de longs moments tout ce qui retient son attention. Très sociable, il vit avec ses congénères en troupeaux où l'on compte plusieurs femelles pour un mâle. Les guanacos ont longtemps été chassés pour leur chair et la peau de leur cou, avec laquelle on fabriquait d'excellents lassos. Leur seule forme de défense consiste à cracher sur quiconque cherche à les approcher. Les jets de salive qu'ils envoient ne sont pas nocifs.

Les carcasses des divers camélidés sont nettoyées par les condors des Andes. En général montagnards, ces grands rapaces d'une enver-

l'heure actuelle, la plupart des chinchillas sont nés en captivité et ont été élevés, de sorte que leur capital génétique s'est modifié. Les spécimens purs représentent donc pour les chercheurs la dernière chance de maintenir l'espèce en l'état. À l'heure actuelle les chinchillas sont protégés, mais, au début du XXᵉ siècle, environ trois cent cinquante mille peaux étaient exportées chaque année.

La création de plus de soixante parcs et réserves a permis également de protéger les vigognes, longtemps chassées pour leur laine très douce : leur population s'élève maintenant à près de trente mille sujets, alors qu'en 1970 il en restait dix fois moins.

gure moyenne de 3 m fréquentent également les côtes du sud du Chili, où ils exploitent les cadavres de mammifères marins échoués.

Les viscaches ou « lièvres des pampas » sont de petits mammifères faciles à observer qui trahissent leur présence par un sifflement aigu. Malgré leur ressemblance avec le lapin, elles sont proches du chinchilla, autre animal andin.

Ce dernier est un adorable petit rongeur, facile à apprivoiser. Il vit dans des terriers dont il ne sort que la nuit, aussi ses yeux sont-ils très sensibles à la lumière. Les Andes chiliennes sont l'un des derniers bastions des chinchillas sauvages. Selon le Comité chilien de défense de la faune et de la flore (Codeff), ces animaux sont d'une importance primordiale. En effet, à

Les larges plaines s'étendant entre la côte et la cordillère des Andes constituent un troisième milieu naturel. Là, des herbes éparses parviennent tout juste à se maintenir dans les dépressions où elles sont l'unique végétation à pouvoir tolérer l'extrême salinité du sol. Un peu plus haut, vers 2 000 m, les cactus font leur apparition, ainsi que quelques oiseaux, lézards et insectes, seuls animaux capables de survivre dans ce milieu très sec.

LE « PETIT NORD »

Quand on atteint la région de Copiapó, le climat et le paysage s'adoucissent considérablement. À partir de Chañaral, l'humidité est suffisante pour permettre à de nombreuses variétés de cactus de pousser dans de bonnes conditions. La chasse a sévèrement affecté les effectifs des guanacos, viscaches et chinchillas qui abondaient autrefois. La région est en revanche réputée pour la variété de ses coléoptères multicolores.

Dans les provinces de Coquimbo et de Valparaíso, le climat, bien que sec, est plus propice à l'établissement de végétaux et d'animaux. Des épineux, des arbustes à baies, des fleurs comme la violette de la Cordillère et les camomilles font peu à peu place aux forêts de Fray Jorge et de Talinay, dans lesquelles poussent des arbres mieux représentés plus au sud, comme l'olivier nain et le cannelier.

Sur la côte, les sternes et les cormorans s'ajoutent aux espèces d'oiseaux présentes plus au nord. Dans les terres, on rencontre grives, tourterelles et perdrix. Les guêpes, les scorpions (leur piqûre est douloureuse mais sans danger), les taons (*tábanos*) et de grosses araignées, noires et velues mais inoffensives, font partie de la longue théorie des invertébrés. Grenouilles et crapauds, enfin, viennent compléter la communauté des reptiles – lézards ou serpents.

OMNIPRÉSENTS LÉZARDS...

Il existe au Chili soixante-seize espèces de lézards et six de serpents, dont plusieurs sont

Toute cette végétation abrite une belle variété d'insectes, en particulier des libellules, des papillons et des coléoptères, autant de proies pour des lézards et des serpents non venimeux. Ici, la température moyenne est de 14 °C et subit peu de variations. L'humidité venue de l'océan se concentre au-dessus de la chaîne côtière, favorisant la croissance de la végétation. Néanmoins, certaines années sont si sèches que le désert progresse constamment. D'énormes dunes se sont formées au cours des dernières décennies, grignotant irrémédiablement des zones autrefois fertiles.

À gauche, condors des Andes ; ci-dessus, manchots de la province de Magallanes.

endémiques (c'est-à-dire ne vivent que dans cette partie du monde). Leur évolution reste très difficile à retracer, mais les quelques fossiles de reptiles retrouvés en Amérique du Sud indiquent que les lézards y sont présents depuis environ soixante-dix millions d'années.

Ces reptiles munis de pattes se sont adaptés à la plupart des milieux. Selon les espèces, ils vivent dans le désert, sur la côte, dans les forêts tropicales, sur les sommets andins, dans les steppes de Patagonie et de la Terre de Feu, et fréquentent les rochers, les arbres, les buissons ou courent au sol. Leur taille varie de 10 cm à 50 cm (longueur moyenne de l'iguane chilien). Ils se livrent à une besogne utile en se nourrissant d'insectes dont ils empêchent ainsi la prolifération. À leur tour, ils se font dévorer par certains oiseaux et serpents. Les lézards du Chili ne sont pas dangereux et prennent la fuite à la vue des hommes.

Le centre

La vallée centrale est la principale région urbaine et agricole depuis la conquête espagnole. On trouve donc les animaux sauvages essentiellement… au zoo de Santiago, qui offre un échantillon représentatif de la faune chilienne, parfois difficile à observer dans son milieu naturel.

C'est le cas du ragondin, ou *coipo*, rongeur à l'allure de castor mais aux dents orange et à la

queue non aplatie, qui sort surtout la nuit. On peut aussi y voir des *colocolos* et des kodkods, chats sauvages de petite taille, des vigognes, des guanacos, des lamas, des alpagas et des poudous. Les amateurs d'oiseaux pourront admirer de près et sans effort des espèces remarquables comme les cygnes à cou noir, les flamants roses, les condors des Andes, des aigles et autres rapaces.

Au sud de Santiago, on découvre un paysage de plus en plus boisé et la faune change. Dans les forêts denses du Chili méridional vivent quantité de petits mammifères : lapins, lièvres, ragondins, rongeurs et chats sauvages. En revanche, la chasse a décimé les espèces qui peuplaient autrefois la côte, et tout particulièrement les phoques.

Aux omniprésents lézards s'ajoutent le crapaud-à-quatre-yeux, le crapaud cow-boy et différentes espèces de grenouilles. L'une des plus étranges est la petite grenouille de Darwin : elle pond des œufs qui sont ensuite avalés par le mâle, et c'est ce dernier qui en prend soin. Lorsque arrive le moment de l'éclosion, l'heureux papa rejette par la bouche les petits têtards fraîchement nés.

Parmi les nombreux insectes, le plus extraordinaire est la *madre de la culebra* (« mère du serpent »), un coléoptère qui mesure 2 cm ou plus et possède de longues griffes.

Des mantes religieuses, des punaises d'un bleu métallique éclatant, des papillons de toutes sortes prospèrent dans les arbres. Eux aussi ont pâti de la destruction de la forêt vierge et se sont mal adaptés aux nouvelles essences que l'on a introduites dans certaines régions en vue d'en assurer le reboisement.

Un solitaire racé

Le puma est l'un des rares animaux présents sur tout le continent américain, du Canada au détroit de Magellan. Au Chili, on ne le rencontre qu'en haute montagne. Les pumas sont de grands félidés à robe fauve unie. Ils se nourrissent de proies de petite taille telles que lapins, viscaches et souris, et s'en prennent rarement aux animaux domestiques. À moins d'être blessés ou piégés, ils n'attaquent pas l'homme. Ces splendides prédateurs ayant pendant longtemps été la cible favorite des chasseurs, leur nombre a fortement diminué. Animal solitaire, le puma n'atteint sa maturité qu'à l'âge de deux ou trois ans et n'a guère qu'un ou deux petits par portée, ce qui ne favorise malheureusement pas la stabilité démographique de l'espèce.

La région des lacs

Dans la province de Maule, le lac de Vichuquén et le village côtier de Llico sont situés de part et d'autre de la réserve naturelle de la Laguna Torca, lac où évoluent les élégants cygnes à cou noir. Ils se nourrissent de plantes aquatiques et pondent leurs œufs dans des nids flottants. À peine sortis de leur coquille, les petits, encore tout blancs, grimpent sur le dos de leurs parents et se laissent porter par eux.

Sur le littoral se sont installées des colonies de manchots et de cormorans. Plus on se dirige vers le sud, plus le climat devient humide. Cependant, un déboisement à grande échelle a considérablement affecté les populations d'animaux sauvages associées à ces régions pluvieuses. Quelques renards, des poudous, des chats sauvages et des pumas parviennent à se maintenir, mais ils vivent le plus loin possible des zones habitées et sont peu faciles à observer. En particulier, il est presque impossible de débusquer le poudou, qui s'est retiré dans les fourrés des zones de forêt dense situées entre Chillán et Chiloé.

Tout aussi difficile à repérer est la *llaca*, une souris-opossum, l'un des très rares marsupiaux vivant dans les Andes méridionales. Il se déplace dans les frondaisons, où il s'accroche aux rameaux à l'aide de sa queue préhensile, se nourrissant de fruits et d'insectes. L'hiver venu, il entre dans un état de semi-hibernation et se

Les forêts abritent aussi beaucoup de pics et de colibris, ces derniers appréciant le voisinage des fuchsias géants dont ils consomment le nectar à l'aide de leur bec fin et de leur langue protractile. Le long de la côte, on peut commencer à apercevoir çà et là des dauphins. Victimes d'une chasse intensive, les baleines ont en revanche presque complètement disparu à ces latitudes.

MAGALLANES ET LA TERRE DE FEU

Sur le littoral de la province de Magallanes, ainsi que sur les îles, il est possible de voir des lions de mer ainsi que quelques phoques et des dau-

contente de paresser dans les arbres. Le renard de Darwin, le plus petit des renards chiliens, est aussi le plus rare en raison de la destruction de son habitat naturel. On en rencontre encore parfois sur l'île de Chiloé et dans les forêts situées au nord d'Osorno, mais il est menacé de disparition.

C'est dans les forêts de chênes et de nothofagus (*raulíes*, de la famille des hêtres) de la région des lacs que l'on trouve l'un des plus gros coléoptères du monde, un lucane qui peut atteindre 9 cm de long et dont le mâle se différencie de la femelle par ses longues mandibules ramifiées.

À gauche, flamants roses ; ci-dessus, le renard du Chili, ou renard culpeo.

phins. Les castors (introduits au Chili par les colons), les rats musqués et les ragondins sont assez répandus ainsi que, parmi les oiseaux de mer, les pétrels, les albatros et les cormorans. Dans les « pampas » de la Terre de Feu vivent des renards, des guanacos, des pumas et des mouffettes.

Les animaux les plus emblématiques de la région du cap Horn sont sans doute les manchots, qui, il le faut savoir, ne vivent pas tous sur la glace. Le Chili n'en compte pas moins de neuf espèces réparties entre le sud du pays et l'Antarctique. Tandis que le manchot royal, reconnaissable à sa tache orange placée en arrière de l'œil, a presque complètement disparu de ces parages, on trouve encore, dans la région du détroit d'Otway, des manchots de Magellan, plus petits et qui nichent dans des terriers. La collection est complétée par les manchots à bec rouge : gorfou sauteur, gorfou doré et manchot papou.

Sur les plages se prélassent des colonies de lions de mer, otaries géantes qui pèsent jusqu'à 350 kg et se nourrissent de manchots, après les avoir dépouillés en secouant leur carcasse. Ils doivent leur nom tant à leurs rugissements qu'à leur épaisse crinière. Quant aux éléphants de mer, énormes pinnipèdes à trompe courte, ils viennent souvent se reposer sur ces côtes.

Les lions de mer sont parfois capturés par l'orque épaulard, cétacé chasseur qui les projette en l'air d'un coup de sa large queue afin

sternes ou des faucons pèlerins, ainsi que des cormorans.

Les cormorans de Magellan, aux yeux cernés de rouge, affectionnent les zones escarpées, tandis que les cormorans impériaux, aux yeux cerclés de bleu, nichent en terrain plat. Parmi les oies et canards, l'ouette (ou oie) de Magellan affectionne les étendues dégagées de l'intérieur des terres tandis que sa cousine, l'ouette marine, ne fréquente que les rivages rocheux où elle côtoie l'étonnant brassemer cendré, canard incapable de voler et qui progresse en battant vivement l'eau de se courtes ailes.

D'autres oiseaux vivent à l'extrémité de la Cordillère, dans les îles situées au-delà du canal

de les assommer avant de leur porter le coup de grâce à l'aide de ses puissantes mâchoires.

La violence des vents du cap Horn ne gêne en rien les oiseaux pélagiques, qui les utilisent au contraire pour se laisser porter avec aisance. Qu'il s'agisse des pétrels ou des puffins de taille modeste ou encore de l'albatros hurleur, dont les ailes ont une envergure de 3,20 m, tous se meuvent avec une aisance extraordinaire, souvent sans même battre des ailes. Les pétrels géants apprécient moins la tempête et préfèrent rester sur les plages ou aller pêcher en mer sans s'éloigner des côtes.

L'albatros à sourcils noirs, l'albatros royal et le condor des Andes sont les autres grands oiseaux de ces rivages, mais on y voit aussi des

de Beagle : le cygne à cou noir, la conure magellanique, perruche verte à queue rouge, le pic de Magellan et la pluvianelle sociable, petit échassier gris pâle aux yeux rouges et aux pattes roses, original en ce qu'il est le seul de sa famille à nourrir ses petits par régurgitation.

Les mammifères terrestres caractéristiques de cette région sont amphibies, comme le ragondin, la loutre de mer et le castor. On y trouve aussi des moutons mérinos importés, des guanacos, des lapins et des lièvres.

LE KRILL, PREMIER MAILLON...

Au sein des eaux froides qui entourent l'océan Antarctique, la fragile chaîne alimentaire dépend entièrement du plancton animal ; celui-ci se compose de minuscules vers et de crustacés microscopiques, en particulier le krill, nom donné à de toutes petites crevettes qui représentent à elles seules une masse nutritive de plusieurs centaines de millions de tonnes.

La vie du krill commence entre janvier et juillet ; il se produit une fertilisation externe des œufs pondus par les femelles, qui commencent ensuite une lente descente vers les fonds marins. Entre le cinquième et le sixième jour, ils arrivent à une profondeur de 500 à 1 500 m. Là, de petites larves sortent des œufs et entament leur ascension, qui durera jusqu'au mois de janvier de l'année suivante. Leur taille est de 2 cm environ lors-

d'autres espèces qui se sont adaptées à ces conditions extrêmes. Une trentaine d'espèces de pieuvres et de calmars peuplent les eaux subantarctiques et antarctiques, où évoluent aussi des poissons appartenant à cinq familles. Signalons que cette région du globe compte de nombreuses espèces endémiques : 80 % des mollusques de l'Antarctique ne se rencontrent nulle part ailleurs.

Entre eau et glace, la banquise accueille le plus grand des manchots, le manchot empereur, caractérisé par deux taches orangées aux côtés de la poitrine. Il mesure 1,20 m et pèse près de 40 kg. Ces oiseaux vivent en colonies rassemblant jusqu'à cinq mille individus. La tribu des manchots

qu'elles atteignent enfin la surface. Elles y vivront pendant un maximum de trois ans. De nombreuses espèces des eaux antarctiques, parmi lesquelles figurent des cétacés, se nourrissent de krill. C'est le cas du petit rorqual et surtout du mégaptère ou « baleine » à bosse.

... D'UNE LONGUE CHAÎNE ALIMENTAIRE

Dans ces eaux glaciales vivent des oursins, des étoiles de mer, des éponges, des méduses et

Page de gauche : martin-pêcheur ; pic géant à tête rouge. Ci-dessus, la viscache, ici au repos, est également nommée « lièvre des pampas ».

compte aussi dans ses rangs le manchot à jugulaire, proche de celui de Magellan, ainsi que le manchot d'Adélie, au capuchon noir et aux yeux à iris blanc. La population de gros cétacés des mers antarctiques a diminué de manière spectaculaire en raison de la chasse sauvage qui se pratiquait aux XVIIIe et XIXe siècles.

On trouve encore des mégaptères et des rorquals communs mais les rorquals bleus, imposants cétacés qui mesurent entre 20 et 30 m de long et pèsent jusqu'à 150 t, ne sont plus que dix mille environ, alors qu'ils étaient encore trois cent mille en 1930. Il resterait à l'heure actuelle dans l'océan Antarctique une trentaine d'espèces de baleines, pour un effectif total de trois cent quatre-vingt mille animaux.

L'AVENTURE

Au Chili, il y a autant de formes d'aventure que de zones géographiques : dans les plaines désertiques du Nord, un véhicule tout-terrain est indispensable ; les hauts plateaux andins ne sont accessibles qu'à pied ou à cheval ; les rivières se prêtent très bien au rafting, et les volcans à l'alpinisme et au ski ; dans l'extrême Sud, il faut louer un bateau pour visiter la région des glaciers.

Quelle que soit la partie du Chili que l'on choisit d'explorer, la meilleure saison est l'été austral, entre novembre et mars : le temps est à peu près stable partout. Seule exception, la Cordillère, entre Arica et Copiapó, subit un phénomène climatique particulier appelé « hiver bolivien ». La chaleur provoque une évaporation importante au-dessus du Paraguay et de l'Argentine, créant des masses humides qui sont poussées vers l'ouest. Au-dessus des Andes, à la frontière bolivienne, elles se transforment en précipitations très violentes que les terres desséchées ne peuvent absorber et qui se déversent en coulées torrentielles dans les vallées. Dans le désert, au contraire, y compris au pied des Andes, il ne pleut quasiment jamais et certaines zones ne sont arrosées que tous les trente ou cinquante ans. Entre le désert d'Atacama et Santiago, les pluies sont très rares pendant l'été. De Santiago à Puerto Montt, le climat, assez tempéré, produit des précipitations fréquentes.

À partir de Puerto Montt et jusque dans le Sud, le climat devient de plus en plus humide. Pour visiter cette région, la plus arrosée du pays, la période idéale est janvier ou février. En hiver, les transports sont réduits, voire supprimés, en raison de l'état des routes et de la rareté des voyageurs. Enfin, l'extrême Sud est froid en toute saison, glacial en hiver (en juillet et août surtout).

EXCURSIONS DANS LE DÉSERT

Le Norte Grande offre d'innombrables curiosités, tant géologiques que culturelles, ces dernières laissées par les anciennes tribus indiennes, les conquérants incas et l'industrie minière du début du XXᵉ siècle. Mais les distances sont grandes d'un site à l'autre et la route se réduit parfois à une piste à peine tracée. Il est conseillé de participer à

Pages précédentes : le jaillissement, au petit matin, des geysers d'El Tatio, près de San Pedro de Atacama. À gauche, l'imposante silhouette des Torres del Paine ; à droite, un spectacle aussi grandiose qu'exaltant.

une excursion organisée ou de louer un véhicule tout-terrain avec chauffeur, d'autant plus que certains des sites sont difficiles à trouver et que les routes présentent des multitudes d'embranchements où la signalisation brille par son absence.

La principale règle à respecter dans le désert est de ne jamais prendre une route sans savoir exactement où l'on va. À en croire les gens de la région, il faut même ne pas quitter la route goudronnée, sous peine de se retrouver ensablé et de passer des heures à tenter de dégager son véhicule sous un soleil de plomb. Quoi qu'il en soit, il est absolument indispensable d'emporter une importante réserve d'eau potable, même en montagne, où l'eau des torrents, bien que claire et

fraîche, est bien souvent imbuvable en raison de son goût salé et de sa forte teneur en minéraux.

Le désert est brûlant entre le lever et le coucher du soleil, mais il peut y faire très froid la nuit, surtout s'il y a du vent. Si l'on se rend tôt le matin à El Tatio pour voir jaillir les geysers, ou au lac Chungara pour observer les animaux, il vaut mieux s'habiller chaudement. Dans la journée, les lunettes de soleil, le chapeau et la crème protectrice sont des accessoires indispensables. En raison de la forte luminosité et de la poussière, on sera soulagé d'avoir emporté du collyre si l'on a les yeux sensibles.

Sur la côte, à Arica, Iquique, Antofagasta, ainsi que dans les terres, à Calama ou à San Pedro, on a la possibilité de louer les services d'un chauffeur pour des excursions d'une journée, qui sont en général prévues pour six à dix personnes selon la capacité du véhicule (jeep ou petit camion). Une randonnée en groupe plus restreint coûte, bien sûr, plus cher (se renseigner auprès des agences de voyages).

À Antofagasta, l'agence Tatio Travel Service organise toutes sortes d'excursions dans la région. À Santiago, Explorandes propose une expédition de dix jours qui englobe les principaux centres d'intérêt du nord du Chili, entre Arica et Antofagasta. Cette agence prévoit les tentes et les provisions auxquelles on a recours dans les endroits les plus reculés ; le reste du temps, on se restaure et on dort dans les villages.

un chapeau à large bord et des lunettes de soleil. Il est recommandé de se munir aussi d'une crème protectrice, de baume pour les lèvres et d'une chemise légère à manches longues, pour se protéger du soleil implacable et de l'extrême sécheresse de l'air en haute altitude.

Se rendre à cheval dans les endroits les plus reculés des Andes n'est pas aussi difficile qu'on pourrait le croire. Ce moyen de locomotion est plus efficace, plus confortable et moins fatigant que la marche, surtout à des altitudes élevées, où le sac à dos se fait de plus en plus lourd... Et puis, le terrain étant accidenté, la monture marche au pas et il n'est pas nécessaire d'être un cavalier confirmé pour rester en selle.

LES ANDES À CHEVAL

Il y a à Santiago deux organisateurs de randonnées à cheval dans les Andes : Astorga, qui propose des départs depuis différents endroits du Cajón del Maipo, et Santiago García, dont les excursions partent de Villa Paulina, de Juncal, du Cajón del Maipo et du río Colorado.

On organise aussi ce type de promenade au départ de Valparaíso. Les guides, les chevaux, les mules et les provisions sont toujours fournis. Les expéditions durent de quatre à dix jours et regroupent de cinq à quinze personnes. Si l'on réunit un groupe assez important, on a le loisir d'élaborer un voyage « à la carte ». Il faut emporter un sac de couchage, une veste chaude pour les soirées,

Ceux qui accompagnent ces excursions sont le plus souvent des *arrieros*, bergers qui guident les troupeaux de l'autre côté des Andes ou les mènent paître en altitude après la fonte des neiges. Nombre d'entre eux connaissent depuis l'enfance les pistes et sentiers. Leur talent de conteur permet de passer d'excellentes soirées autour du feu... à condition de comprendre l'espagnol. Certains d'entre eux sont aussi musiciens et agrémentent la veillée avec leur guitare.

Les Andes atteignent leur point le plus élevé en Argentine, au mont Aconcagua (6 959 m), au nord de Santiago. Dans cette partie de la cordillère, les sentiers grimpent en diagonale sur des versants très escarpés dont la couleur révèle souvent le contenu minéralogique : vert pour le cuivre, blanc pour le gypse ou le calcaire, rouge pour l'argile. La végétation est clairsemée, les arbres se raréfient à mesure que l'on s'élève et font place à de vertes prairies parsemées de fleurs sauvages, parcourues par une multitude de torrents à l'eau délicieusement claire et fraîche.

Certains circuits prévoient des étapes au bord de petits lacs de montagne (*lagunas*) qui ne figurent pas sur les cartes, telles les lagunas del Yesillo, sur lesquelles flottent des blocs de glace qui miroitent au soleil, ou la laguna Piuquenes, lieu de nidification des oies sauvages. L'une des excursions a pour destination le magnifique lac El Diamante, un des plus grands de la chaîne andine, paradis des pêcheurs.

RAFTING EN EAUX BLANCHES

Le Chili possède plusieurs fleuves propices au rafting et au kayak, parmi lesquels le Mapocho, l'Aconcagua, le Cachapoal, le Maipo et le Bío-Bío. Ce dernier serpente autour du volcan Lonquimay, traverse une forêt vierge et plusieurs *cañones*, alternant rapides et plats. Le Bío-Bío atteint le niveau 5 sur l'échelle internationale des rapides, qui va de 1 à 6. Seuls des kayakistes chevronnés et accompagnés de guides peuvent en effectuer la descente en prenant des risques limités. La descente du río Maipo semblera aussi une aventure inoubliable à ceux qui auront les capacités de l'entreprendre. Ce fleuve au débit très élevé recèle des obstacles inattendus et des rapides tumultueux. Sa descente nécessite un équipement professionnel. Celle de la section la plus intéressante du Maipo sur un radeau pneumatique est, en revanche, accessible à tous : pour s'inscrire, il suffit d'avoir plus de douze ans et de savoir nager. Toutes les règles à respecter sont indiquées par le guide du raft avant le départ ; lui seul sait comment répartir les charges entre les passagers pour éviter le « dessalage ».

Deux agences de Santiago organisent des descentes de fleuves en dix jours au plus : Expediciones Altué et Expediciones Grado 10. En principe, le prix de l'excursion comprend tout l'équipement nécessaire pour le rafting (radeau, tentes, gilets de sauvetage et casques), ainsi que le transport du matériel de couchage, des provisions et des bagages (dans les zones accessibles en voiture). On aura cependant intérêt à se munir, en plus, d'une combinaison étanche ou thermique semblable à celles des véliplanchistes.

À gauche, randonneurs à cheval dans le Cajón del Maipo ; à droite, le domaine skiable de Valle Nevado a de quoi satisfaire tous les « fondus » de neige.

Pour la nuit, il faut prévoir des vêtements chauds et un sac de couchage. Lorsque l'excursion comprend des randonnées en forêt, leur prix est inclus dans le forfait. Ces promenades sont particulièrement appréciées après les descentes de rapides les plus ardues.

D'autres équipées, moins longues et moins risquées, sur des cours d'eau plus calmes, offrent des découvertes tout aussi passionnantes. Par exemple, on peut descendre certaines parties du Maipo ou du Trancura en une journée, à partir de Pucón, station estivale au bord du lac Villarrica.

En février, le lac Llanquihue accueille une compétition de planche à voile, et le río Petrohué des épreuves de rafting et de canoë-kayak.

À L'ASSAUT DES VOLCANS

Deux volcans chiliens sont particulièrement actifs : le Llaima et le Villarrica. En un siècle, chacun d'eux s'est réveillé une dizaine de fois. L'éruption de l'un d'eux ou du Quetrupillán, du Lanin ou du Choshuenco (tous trois à proximité) peut provoquer une réaction en chaîne.

Selon une légende, ce genre de séisme s'est produit au milieu du XVIIe siècle, forçant la population mapuche de toute la région à émigrer. L'âge des arbres – moins de deux cent cinquante ans – confirme cet épisode. En 1908, une coulée de lave atteignit la rive du lac Villarrica. Plus récemment, en 1971, la ville de Coñaripe s'est retrouvée ensevelie sous une immense coulée de boue, de lave, de cendres et de troncs d'arbres.

De Pucón, on peut atteindre à pied le cratère du Villarrica. Cette montagne conique de 2 840 m, entourée d'autres pics volcaniques, est l'un des centres de la ceinture de feu du Pacifique. Çà et là s'étendent des lacs aux teintes d'émeraude et de saphir. D'impressionnantes fumerolles se dégagent du cratère et on entend souvent la terre gronder. Il arrive que l'on ressente des secousses, mais l'activité du volcan est auscultée en permanence et, en cas d'éruption, l'évacuation prévue ne demande qu'une quinzaine de minutes. Du sommet, on a une saisissante vision : la vue plonge dans l'énorme cratère au fond duquel

D'autres volcans constituent des objectifs de randonnée, tel l'Osorno (2 652 m), près du lac Llanquihue. Attention cependant : l'ascension, assez difficile, requiert de réelles compétences et du matériel professionnel. Les grimpeurs émérites trouveront de nombreux renseignements et des guides à Santiago auprès de la Federación de Andinismo, dont les membres organisent des expéditions pour professionnels ou amateurs.

VOYAGE AU PAYS DES GLACES

De nombreux bateaux effectuent la liaison entre le continent et les archipels du Chili méridional. Le plus luxueux, le *Terra Australis*, appartient à

bouillonne la lave en fusion. Les pentes de ce volcan forment aussi un excellent domaine skiable.

Différentes agences organisent des randonnées comprenant l'ascension jusqu'au cratère. Les marcheurs sont accompagnés jusqu'au pied de la piste, non loin de Pucón. On leur fournit piolets et crampons, une partie de l'ascension se faisant dans la glace. Les organisateurs prêtent également des chaussures de marche et une veste chaude. D'autre part, un télésiège permet de ramener la durée totale de l'ascension de la face ouest à environ quatre heures, et la descente à deux heures. La montée est éprouvante mais toute personne en bonne condition physique est capable de l'effectuer. Pourtant, on ne saurait trop recommander d'utiliser les services d'un guide.

la compagnie Comapa, de Punta Arenas. D'autres cargos, offrant des conditions de voyage plus spartiates, relient régulièrement plusieurs ports : Quellón, au sud de Chiloé, et Puerto Chacabuco, près de Coihaique, ou encore Puerto Montt et Puerto Natales par le golfe de Penas.

Les bateaux qui naviguent sur de courtes distances laissent souvent à désirer en matière de sécurité et ont tendance, pendant la haute saison, à être surchargés, ce qui entraîne parfois des conséquences tragiques. Les moments les plus calmes pour faire une traversée sont le matin très tôt et au coucher du soleil. Lors d'un voyage de ce type, on sera bien avisé d'emporter de l'eau potable, éventuellement un gilet de sauvetage et un sac de couchage, pour pouvoir dormir sur les matelas ou les chaises longues du bateau, ainsi que des vêtements de laine. Les chaussures de toile présentent l'avantage de ne pas peser trop lourd si l'on doit marcher dans l'eau, tandis que pour se déplacer une fois à terre, mieux vaut porter des bottes en caoutchouc. En effet, les arrêts se font souvent dans des rades inhabitées, à la végétation dense, au sol gorgé d'eau.

Pour les marches en forêt, le port d'habits imperméables se révèle utile, même s'il ne pleut pas, car l'humidité trempe vite les vêtements de tissu. Les animaux de la région ne sont pas farouches : les oiseaux se posent parfois sur les chaussures du promeneur et tirent sur les lacets avec leur bec...

Lorsqu'on campe en forêt, il est prudent de disposer d'une machette pour dégager un endroit où planter la tente car la végétation est très dense. Les grandes fougères et les immenses feuilles de *naclas* emplissent l'espace entre les troncs d'arbres géants et les bambous arborescents. Des vignes en fleur s'enroulent autour de troncs énormes recouverts de lichens colorés. Quand les frondaisons laissent filtrer assez de lumière, on aperçoit des arbustes aux baies bleues, les *calafates* : celui qui en goûte reste, dit-on, lié pour toujours à la terre chilienne.

Pour l'organisation d'excursions dans la région de Chiloé, on peut s'adresser à Pehuén Expediciones. À Santiago, Agentur propose des voyages

CAMPING DANS LE SUD

Les rives des fjords qui festonnent le sud du Chili attirent de nombreux campeurs. Mais planter sa tente près du rivage présente des inconvénients, voire des dangers. Les îles couvertes de hautes herbes qui émaillent les fjords, dans l'embouchure des fleuves, sont souvent immergées à marée haute, surtout à la pleine lune. Ainsi, dans le fjord de Cahuelmo, des randonneurs sont souvent contraints de finir la nuit dans l'une des grottes de la falaise, une fois que la marée montante, vers 2 heures du matin, a inondé leur tente.

À gauche, randonneurs au sommet du Villarica ; ci-dessus, le cratère du même volcan.

au départ de Puerto Montt à travers les villages de Chiloé, l'archipel des Guaitecas, les fjords de la côte, Puyuhuapi et Puerto Cisnes et le glacier de San Rafael. Ce dernier se présente comme un gigantesque mur gelé de 200 m de haut et plusieurs kilomètres de long, dont les blocs de glace tombent dans la laguna San Rafael. Au contact de l'eau, la partie inférieure des icebergs fond et, la partie supérieure étant plus lourde, les blocs se cassent et se renversent, laissant apparaître d'incroyables teintes qui vont du bleu au vert.

Sur l'un des bateaux utilisés par les agences citées plus haut, le *Río Cisnes*, les voyageurs embarquent leur voiture et empruntent ainsi des tronçons de la carretera Austral. Les passagers sont logés soit sur le bateau, soit dans des gîtes situés à intervalles réguliers sur la terre ferme. Les repas, inclus, se prennent à bord ou à terre.

Ceux qui veulent combiner aventure et découverte de paysages majestueux peuvent s'adresser à l'agence Odisea, à Santiago, qui organise des expéditions de rafting, de canoë et de pêche dans la province d'Aisén. Selon les pêcheurs, la truite y est si abondante que les petits poissons se jettent d'eux-mêmes dans le bateau et qu'il faut les repousser à l'aide d'un bâton…

LE PARC TORRES DEL PAINE

L'agence Explorandes propose des randonnées dans le plus beau des parcs nationaux chiliens,

celui des Torres del Paine, créé en 1959 et déclaré réserve de la biosphère par l'Unesco en 1978. L'agence assure le transport entre Puerto Natales et les sentiers de randonnée, et fournit les guides, les provisions et les chevaux pour les porter, ainsi que le matériel de camping. Le circuit dure deux jours et passe par les sites les plus intéressants du parc. Le principal centre d'intérêt de ce domaine de près de 200 000 ha est le chef-d'œuvre naturel qui lui a donné son nom : un ensemble de tours (*torres*) de granit sculptées par les glaciers. Ce phénomène compte parmi les formations géologiques les plus récentes d'Amérique du Sud. Dans cette réserve, on aura l'occasion de découvrir certains des paysages les plus étonnants du Chili. Il est nécessaire de s'équiper de vêtements chauds, d'un imperméable, de chaussures de marche et de prévoir des lunettes de soleil, de la crème solaire et une boussole. Le long des sentiers, des cabanes en rondins font office de refuges rudimentaires. Elles sont parfois situées à une journée de marche les unes des autres. À moins qu'ils ne choisissent de loger dans l'un des trois hôtels, les randonneurs qui préfèrent parcourir le parc par leurs propres moyens ont intérêt à emporter une tente. Ils devront se munir également d'un réchaud et de provisions.

LE KAYAK DE MER

Les fjords majestueux de Patagonie du Nord constituent le cadre rêvé pour découvrir le kayak de mer. Le canal de Dalcahue est idéal pour les débutants, qui pourront ensuite s'aventurer vers d'autres îles, au large de Chiloé. Altué Sea Kayaking organise des excursions qui durent d'une journée à une semaine. Peuplé de dauphins, d'otaries et de pingouins, le golfe d'Ancud, en particulier vers Hornopirén et dans les fjords de Comau, de Quintupeu ou de Cahuelmo, recèle de magnifiques vallées glaciaires, des forêts tropicales et des source chaudes.

LA PÊCHE

Le Chili méridional est un véritable paradis pour les pêcheurs, qui y taquineront la truite (brune ou arc-en-ciel) et six espèces de saumons du Pacifique. Les truites sont de taille imposante et dépassent couramment les deux kilos. Les hôtels locaux ou les agences de voyages organisent des excursions à la demande.

LE SKI

Le Chili possède des domaines skiables comptant parmi les plus beaux du monde. La plupart se situent autour de 3 000 m d'altitude et bénéficient d'une poudreuse exceptionnelle, déposée par les tempêtes de neige venues de l'Antarctique. On peut skier du nord de Santiago jusqu'en Patagonie. Un des meilleurs domaines est celui qui jouxte la laguna del Inca, à environ 140 km au nord-est de Santiago. Portillo (2 880 m d'altitude) est une des stations de sports d'hiver les plus renommées d'Amérique du Sud. C'est là que se déroula le Championnat du monde de ski en 1966. Valle Nevado, plus proche de la capitale, a été construite en 1988 par des Français. On y pratique aussi l'héliski, le parapente et le parachute ascensionnel. La saison de ski s'étend de juin à octobre.

LE SNOW-BOARD

Termas de Chillán, à 80 km à l'est de Chillán sur les pentes du volcan Chillán (3 122m), célèbre pour ses sources chaudes, est en train de devenir un haut lieu du snow-board. La station possède de nombreuses pistes damées, mais les amateurs de hors-piste n'auront aucun mal à trouver des champs de poudreuse encore vierge. Pour effectuer des descentes « extrêmes », il faut escalader la montagne à pied ou prendre un hélicoptère. Un *snow park* permet aux intrépides de montrer l'étendue de leur talent. Il est également possible de louer des motoneiges ou de faire des excursions en hélicoptère. Après une longue journée

apporter son propre vélo. De nombreux cyclistes parcourent la chaussée non goudronnée de la carretera Austral, qui relie Chaitén à Coihaique. Pared Sur, à Santiago, organise des circuits.

LE SURF

De nombreux « spots » de la côte chilienne sont en train d'acquérir une réputation planétaire grâce aux conditions idéales qui y règnent toute l'année. Les énormes vagues de la région d'Iquique et d'Arica, dans le nord du pays, sont les plus courues. Plus au sud, la température de l'eau baisse et une combinaison est nécessaire. Près de Santiago, le relief côtier est plus

sur les pistes, on peut même s'offrir le luxe de se détendre dans un bain thermal, un bain de boue ou un Jacuzzi, ou de se faire masser ! Attention, la saison ne dure que de juin à septembre.

LE VÉLO TOUT-TERRAIN

Tout le pays, et en particulier le Sud, se prête à la pratique du VTT. Il est important d'emporter de l'eau en quantité suffisante pour les randonnées dans le Nord désertique et peu peuplé. Si l'on souhaite couvrir de grandes distances, mieux vaut

À gauche, les circuits de randonnée du Parque Nacional Torres del Paine sont bien balisés ; ci-dessus, parapente dans l'immensité azurée.

escarpé, et la hauteur des vagues, très régulière. Pichilemu, une station balnéaire populaire située au sud de la capitale, est renommée dans le monde entier pour ses rouleaux exceptionnels. Tous les ans en octobre, les championnats nationaux de surf se déroulent à quelques kilomètres au sud de Pichilemu.

LE PARAPENTE

Comme dans le reste du monde, le parapente est en pleine expansion au Chili. Un groupe de mordus s'élèvent dans l'azur non loin de Santiago ou se lancent dans le vide du haut des pistes de ski d'Antillanca ou d'El Nevado. Une école de parapente s'est ouverte à Iquique.

L'ART DU RODÉO

Le *huaso* et son cheval, entourés des troupeaux dont ils ont la charge, font partie du paysage chilien. Comme dans le reste de l'Amérique, le cheval – la race créole s'appelle ici *corrale-ro* – était la monture des gardiens de bétail, que l'on nomme au Chili *huasos*. Le nom de *huaso* serait d'origine mapuche et signifie-

rait « croupe » ou « dos », peut-être parce que les Indiens crurent d'abord que le buste de l'homme était attaché au dos de sa monture. Le rodéo répond à l'origine à une nécessité des éleveurs, celle de rassembler (*rodear*) le bétail pour le marquer.

Au XIXᵉ siècle, les bêtes qui descendaient de la Cordillère étaient regroupées dans des enclos, où les propriétaires venaient repérer les leurs, qu'ils faisaient sortir du troupeau et marquaient au fer rouge. Cette opération se faisait à cheval et requérait deux cavaliers : l'un pour bloquer l'animal au niveau du poitrail, l'autre pour le coincer de flanc contre la barrière. Vers 1860, ce travail de vacher fut codifié et élevé au rang de sport. Le *corral* fut transformé en une véritable arène en forme de demi-lune.

Aujourd'hui, le rodéo est un sport prisé des Chiliens… en tant que spectateurs, en tout cas. Car tout le monde ne saurait devenir *huaso*. Il faut pour cela posséder des terres ou du moins être contremaître dans un domaine. Peu de *huasos* vivent de leurs talents ; les seuls qui y réussissent le font en revendant leurs meilleurs chevaux. La finale du championnat du Chili a lieu à la fin du mois de mars à Rancagua.

▶ *À la différence des rodéos australiens ou américains, l'objet de la poursuite n'est pas une bête indomptée mais une simple vache.*

▲ *Une « talabartería » (sellerie) propose un grand choix d'articles de cuir faits main et d'étriers de bois ciselé.*

▼ *La remise des prix : l'équipe gagnante célèbre sa victoire durant une longue nuit de fête et de danses.*

▶ *Couple de danseurs de « cueca » lors d'un rodéo dans la vallée centrale.*

DES CAVALIERS EXCEPTIONNELS

L'habileté des *huasos* est mise à l'épreuve avant même le début de la compétition lors d'une démonstration (devant un jury) de dressage et de vitesse. Le *huaso* fait marcher son cheval au pas en gardant les rênes longues, pour montrer la docilité de sa monture. Si elle passe au trot, il perd trois points. Le cheval s'immobilise et son maître lui ordonne de rejoindre au galop l'autre extrémité de l'enclos, de s'arrêter net sur moins de 2 m en freinant des membres postérieurs avant de se cabrer, de pivoter sur lui-même puis de retourner au galop vers son point de départ, où il effectue de nouveau une volte. L'exercice se répète jusqu'à ce que le *huaso*, sûr de la vitesse et de la docilité de sa monture, lui intime l'ordre de s'arrêter.

▲ *De grands éperons qui cliquètent à chaque pas ornent le talon large et oblique des bottes des « huasos ».*

▶ *Le poncho de « huaso », ou « chamanto », s'il n'a pas été trop malmené durant les combats, se transmet de père en fils.*

À LA DÉCOUVERTE DU CHILI

En dépit de sa topographie particulière, le Chili est l'un des pays d'Amérique du Sud les plus faciles à explorer. Toutes les grandes villes sont reliées par des vols intérieurs. La plupart des régions sont desservies par le train, mais le meilleur moyen de transport collectif entre les agglomérations de moindre importance reste l'autobus. Les véhicules sont confortables et les horaires en général respectés. Dans l'extrême Sud, les transports routiers sont relayés par un réseau de bateaux et de ferries.

La plupart des vols vers le Chili arrivent à Santiago. Dominée par la Cordillère et parsemée d'espaces verts, la ville s'enorgueillit de nombreux musées et d'une vie culturelle intense. À mi-distance entre le nord et le sud du pays, c'est un excellent point de départ pour tout type d'excursions.

À deux heures de route, Valparaíso est la ville mythique de tous les bourlingueurs des mers : elle a longtemps été la dernière escale avant le cap Horn. Ses funiculaires d'un autre âge offrent de splendides points de vue sur la baie. Tout près, on accède aux magnifiques plages qui entourent Viña del Mar, la Côte d'Azur chilienne. De là, on peut, en trois heures d'avion, gagner l'archipel Juan Fernández, qui doit sa renommée au roman *Robinson Crusoé*, et qui possède une flore et une faune très particulières.

Au nord de Santiago, le paysage devient plus sec à mesure que l'on approche du désert d'Atacama, l'un des plus arides du globe, à la frontière de la Bolivie et du Pérou. Des vols vers Calama permettent d'arriver directement au cœur du désert et de visiter l'extraordinaire mine de cuivre à ciel ouvert de Chuquicamata ou le musée-oasis de San Pedro de Atacama. Sources chaudes, salines, vallées lunaires, géoglyphes et geysers composent dans cette région un décor des plus spectaculaires. Le nord du désert est parsemé de villages fantômes, vestiges du boom du salpêtre qui fit aussi la fortune de la ville d'Iquique.

La route qui quitte Santiago au sud traverse la fertile vallée centrale, où l'on produit les célèbres vins chiliens, avant de pénétrer dans la région des lacs, qui est aussi celle des volcans enneigés et des forêts impénétrables.

Après Puerto Montt, on pénètre dans une contrée de plus en plus sauvage dont les côtes déchiquetées, qui s'émiettent en une multitude d'îlots, enserrent de vastes forêts et des glaciers prodigieux : la province d'Aisén est une belle introduction à la Patagonie chilienne. Celle de Magallanes est le domaine des *estancias* et de leurs immenses troupeaux de moutons gardés par des bergers à cheval. On peut y visiter l'un des plus beaux parcs naturels d'Amérique, le Torres del Paine. Dans l'extrême Sud du pays, de l'autre côté du détroit de Magellan, l'île de la Terre de Feu, balayée par les vents, annonce déjà les glaces de l'Antarctique.

Enfin, des vols réguliers relient le Chili à sa terre la plus excentrée, l'île de Pâques, qui a passionné des générations de voyageurs, d'ethnologues et d'archéologues…

Pages précédentes : le mont Aconcagua, point culminant des Andes ; le volcan Payachata, dans le Parque Nacional Lauca ; signalisation du désert, près de Llanqui. À gauche, cactus du piémont andin.

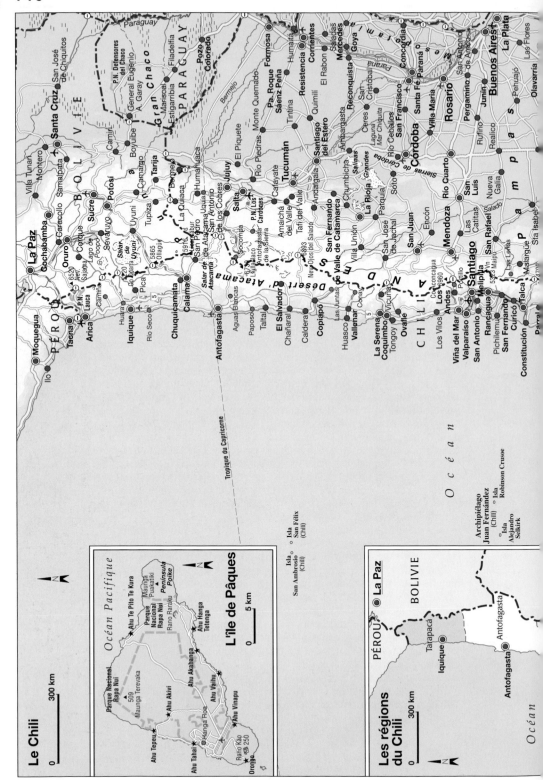

Le Chili

0   300 km

L'île de Pâques

Océan Pacifique

Ahu Te Pito Te Kura
Maunga Puakatiki
Péninsula Poike
Parque National Rapa Nui
Rano Raraku
Ahu Hanga Tetenga
Ahu Akahanga
Ahu Vaihu
Ahu Vinapu
Ahu Akivi
Maunga Terevaka
509
Ahu Tepeu
Ahu Tahai
Ahu Roa
Hanga Roa
Rano Kao
250
Orongo

0   5 km

Les régions du Chili

0   300 km

PÉROU
● La Paz
BOLIVIE
Tarapacá
Iquique
Antofagasta
Océan

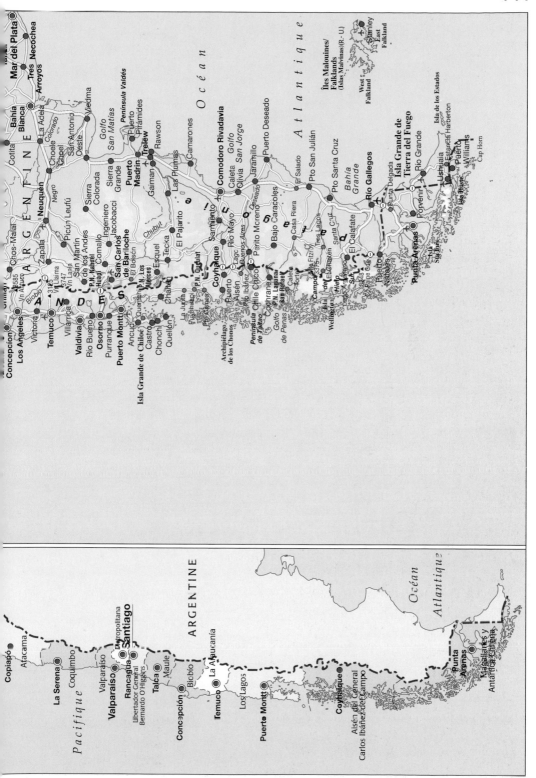

SANTIAGO

Les dessins des petits Chiliens ont presque toujours pour toile de fond la Cordillère couronnée de neige. Et pour cause : lorsque l'on déambule dans la capitale, on ne voit qu'elle, toute proche. L'omniprésente chaîne andine est aussi un formidable point de repère. Il est très difficile de perdre le nord dans la plus grande ville chilienne... sauf bien sûr lorsque la pollution s'en mêle. Car *el smog* est de plus en plus préoccupant, et l'absence presque totale de vent, dans cette vallée encaissée, aggrave le phénomène.

UNE MÉTROPOLE PARADOXALE

De toutes les capitales latino-américaines, Santiago est l'une des plus faciles à vivre. Malgré ses dimensions de grande métropole, son ambiance évoque plus celle de certaines villes de province et le visiteur oublie facilement qu'il se trouve au cœur d'une agglomération de près de cinq millions d'habitants. Santiago est, en effet, une cité « horizontale » tant par son étendue qu'en raison de la faible proportion de hautes tours. Et malgré la présence des montagnes, on a rarement la sensation d'être écrasé. Enfin, les espaces verts y sont nombreux. Seul le centre, relativement dense, avec sa grisaille et sa forte teneur en oxyde de carbone, correspond à l'image caractéristique des grandes villes. Le reste s'étire en vastes zones résidentielles. À l'est, les avenues ombragées et les luxueux centres commerciaux des *barrios altos* ; au centre et à l'ouest, les vastes étendues de maisons proprettes des quartiers de la classe moyenne ; au sud, les plus démunis vivent dans les *poblaciones* (c'est-à-dire dans des labyrinthes de petites bicoques construites avec des matériaux de récupération).

Ce qui frappe la plupart des voyageurs, c'est l'atmosphère européenne qui règne à Santiago. En effet, les vieux bâtiments du centre-ville ont été construits par des architectes européens, inspirés par Paris et Rome. Mais après deux décennies d'économie de libre-échange, Santiago porte aussi la marque de l'influence nord-américaine ; les vitres fumées, le marbre qui ornent les bureaux du *barrio alto* transportent le visiteur à Chicago ou à Houston, plus que dans aucune capitale européenne. Les récents progrès économiques et technologiques de leur pays renforcent le sentiment des Chiliens d'avoir un rôle à jouer sur la scène internationale. Il va sans dire que d'autres peuples latino-américains se plaignent de cet eurocentrisme. De fait, beaucoup de descendants d'immigrants européens affichent une supériorité sur le reste du continent et sont prompts à oublier leur appartenance à une nation largement métissée.

LE LONG DE L'ALAMEDA

Il est très facile de se déplacer dans Santiago. Un rapide coup d'œil sur le

Plan
p. 146

Pages précédentes : vue sur Santiago du cerro San Cristóbal. À gauche, la statue de la Vierge, haute de 14 m, au sommet du « cerro ».

Des promeneurs déambulent sur les « paseos », ici le paseo de Huérfanos. Santiago est une ville accueillante et pleine de charme. La ville jouit d'un climat agréable de type méditerranéen et, quoique moins exubérants que d'autres Latino-Américains, les Santiaguinos font preuve d'une grande amabilité envers les étrangers.

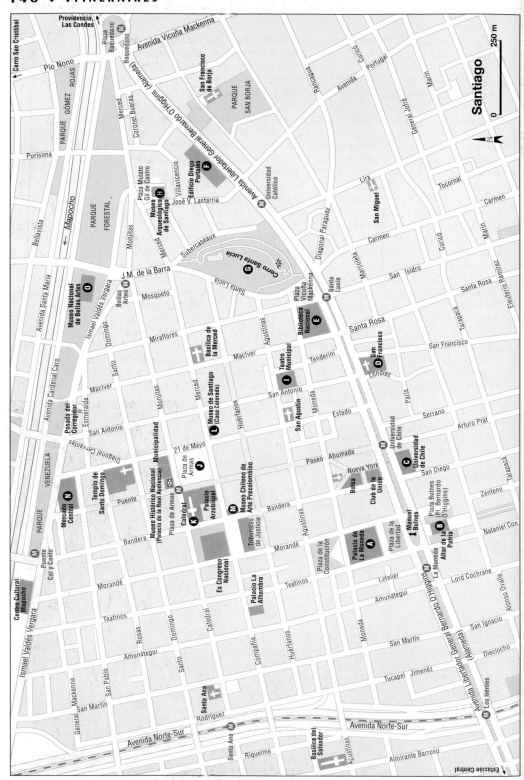

Santiago

plan (celui de l'annuaire du téléphone est très bien fait, sinon on peut s'en procurer dans les kiosques et dans les librairies) montre la simplicité de sa topographie. De plus, le métro dessert les principaux centres d'attraction de la ville.

Il est presque impossible de visiter Santiago sans passer par l'**avenida del Libertador Bernardo O'Higgins**. Cette large avenue de 18 km de long, principale artère de la ville, qu'elle traverse d'ouest en est, porte le nom du héros fondateur de la République. Elle a été tracée à la fin du XVIIIᵉ siècle suivant le lit d'un ancien bras du río Mapocho. Pour tout le monde, c'est simplement « l'Alameda » (ce nom arabe désignant une promenade plantée d'arbres et par extension une avenue).

L'avenue est jalonnée de points de repère, à commencer, si on part de l'ouest de la ville, par l'imposante structure en fer forgé de l'**Estación Central**, seule gare de chemin de fer encore en service dans la ville. Édifiée en 1817 d'après les plans des ateliers français Schneider-Creusot, la gare a été classée monument historique. Plongée dans le brouhaha d'un des quartiers populaires les plus animés de Santiago, elle est le point de départ des trains à destination du Sud. Tout près de là, le **Planetarium** propose des salles de projection et des expositions.

Un peu plus loin sur la gauche apparaît le palais présidentiel de **La Moneda** . Conçu par l'architecte italien Joaquín Toesca pour accueillir l'hôtel des Monnaies, ce bâtiment fut achevé en 1799 et inauguré en 1805. Entre 1846 et 1958, il servit de résidence aux présidents chiliens, qui cohabitèrent avec les services de la Monnaie jusqu'en 1929. De forme massive, car conçu pour mieux résister aux tremblements de terre, cet édifice austère, à la façade gris-beige, passe pour l'un des fleurons de l'architecture civile coloniale en Amérique du Sud.

Mais la silhouette du palais reste surtout gravée dans les mémoires en raison des événements du 11 sep-

Plan p. 146

Le très curieux monument élevé aux premiers occupants du Chili, plaza de Armas.

En architecture, l'ancien cohabite souvent avec le moderne dans le centre de la ville.

tembre 1973. Ce jour-là, le bâtiment fut bombardé par l'aviation, et l'on n'est pas près d'oublier les images de La Moneda incendiée qui envahirent les écrans de télévision du monde entier. C'est dans ce palais, où il était demeuré avec une poignée de fidèles, que mourut le président Salvador Allende. Son cadavre fut évacué du bâtiment en flammes. Depuis la fin des travaux de restauration, l'édifice abrite de nouveau le siège du gouvernement. La **plaza de la Libertad**, qui s'étend devant le palais, s'orne d'une statue d'Arturo Alessandri, homme politique charismatique qui fut trois fois président durant la première moitié du XXᵉ siècle. Renversé lui aussi par un coup d'État militaire, le 11 septembre 1924, il reprit ses fonctions quelques mois plus tard (*voir p. 46*).

De l'autre côté de l'avenue se déploie la **plaza del Libertador General Bernardo O'Higgins**, plus connue sous le nom de plaza Bulnes (en hommage au général-président Manuel Bulnes, dont la statue trône au centre de l'Alameda). Sur cette place, l'**Altar de la Patria** ❸, érigé par le général Pinochet, est dédié au héros national Bernardo O'Higgins qui y repose. Une statue équestre du Libérateur domine ce monument, auquel Pinochet ajouta une « Flamme de la Liberté » pour célébrer les valeurs nationales et sa propre prise de pouvoir. Hélas, l'« Autel de la Patrie » obstrue la vue sur l'avenida Bulnes, transformée en agréable rue piétonne. Un peu à l'ouest de cet axe, au milieu de l'Alameda, s'élève la statue du général San Martín, partenaire de Bernardo O'Higgins dans la campagne pour l'indépendance du Chili et plus tard libérateur du Pérou.

La plaza O'Higgins est flanquée à l'est d'un bâtiment abritant le ministère de la Défense et le siège des Carabineros (la police). Tous les jours, à dix heures, une unité spéciale de carabiniers, choisis pour leur grande taille, quitte l'endroit au pas de l'oie pour relever la garde devant La Moneda.

UN PAYS DE TRADITIONS

En continuant sur la gauche de l'Alameda, on arrive au **Banco Estado** (banque nationale), qui était sans doute le plus grand immeuble du sous-continent lors de son achèvement en 1945, et au **Club de la Unión.** Ce club masculin, le plus ancien et le plus sélect d'Amérique latine, est très prisé par la partie conservatrice de l'élite chilienne. Inauguré en 1925, l'édifice est luxueusement décoré. Le mobilier est cossu, la vaisselle a été spécialement importée de France, d'Espagne et d'Angleterre, et on y trouve l'une des plus belles collections d'art chilien du pays. Sur sa façade extérieure, des impacts de balles rappellent les manifestations de 1931, qui mirent fin au régime autoritaire du général Ibáñez.

Dans la calle Bandera, qui fait le coin du Club de la Unión, la **Bolsa del Comercio** (Bourse), fut édifiée en 1917 par le Français Émile Jéquier. En revenant sur l'Alameda, on voit se dresser, au n° 1058, le bâtiment principal de l'**université du Chili** ❻ reconnaissable à son crépi jaune.

« Pour elle, pour lui, amitiés »…

Du vendeur ambulant de « phrases immortelles » aux cireurs de chaussures, en passant par les prédicateurs de toutes obédiences pour le salut de votre âme et les marchands de bonbons, de chewing-gums, de boissons, de gadgets, pour les biens matériels, à toute heure du jour, tout un petit monde occupe la chaussée à Santiago.

Commencé en 1863, l'édifice est l'œuvre de Lucien Henault. Cet architecte français fut à l'origine du style néoclassique qui domina l'architecture publique chilienne de l'époque et modifia l'aspect du centre de Santiago. Sur le trottoir, une statue du fondateur de l'université, Andrés Bello, exilé vénézuélien, rend hommage à celui qui fut l'un des plus brillants intellectuels du continent au XIXᵉ siècle.

L'ÉGLISE SAN FRANCISCO

De l'autre côté de l'Alameda se trouve le **paseo Ahumada**, rue piétonnière animée qui traverse le centre-ville du nord au sud. En revenant à nouveau sur l'Alameda, on arrive à l'un des monuments les plus emblématiques de Santiago, de couleur rouge brique, l'**iglesia San Francisco ❿**. C'est sur ce site que Pedro de Valdivia édifia la première chapelle, à l'extrémité la plus méridionale du village, pour remercier la Vierge Marie de sa protection durant l'expédition au Chili. L'église qui succéda à la chapelle fut détruite par le tremblement de terre de 1593. La construction de l'édifice actuel date de 1618 (à l'exception de la tour, ajoutée en 1860). Sur l'autel repose la petite statue de la Virgen del Socorro, que Valdivia garda fixée sur sa selle jusqu'à son arrivée à Santiago et qui fut choisie par les conquistadors comme sainte patronne de la ville. La légende veut qu'elle les ait sauvés de la première grande offensive indienne dans la vallée du Mapocho en apparaissant aux ennemis, qu'elle aveugla en leur jetant de la boue.

Un remarquable plafond en bois, d'inspiration mudéjare, orne l'intérieur de l'église. Le musée aménagé dans le patio du monastère franciscain adjacent renferme une belle collection de peintures coloniales chiliennes et péruviennes (de l'école de Cuzco). Il contient également une reproduction de la médaille du prix Nobel remise à Gabriela Mistral. En effet, la grande

Plan
p. 146

À gauche,
la Fuente Alemana,
dans le Parque
Forestal ;
ci-dessous,
le centre
des affaires.

poétesse chilienne était membre laïque de l'ordre des Franciscains.

Derrière l'église, à l'emplacement des anciens jardins du monastère, s'étend le barrio París-Londres, un ensemble de maisons disposées de part et d'autre de deux rues pavées au charme désuet. Elles furent construites dans les années 1920 par un groupe d'architectes chiliens qui laissèrent libre cours à leur fantaisie, dans une mosaïque de styles néoclassique, gothique et mudéjar.

Au coin de la calle MacIver, la **Biblioteca Nacional ❺** occupe presque toute la largeur d'un pâté de maisons sur l'Alameda. L'imposant édifice, construit dans le style français de la fin du XIXᵉ siècle, a été ouvert en 1924. Son fonds et ses archives comptent parmi les plus riches d'Amérique latine (six millions de volumes). On y donne de nombreux concerts gratuits et on y organise des expositions.

De l'autre côté de l'Alameda, juste après l'Université catholique, les amateurs d'artisanat pourront faire un tour sur l'avenida Portugal. Au niveau du 351 s'élève le magnifique **cloître** entièrement restauré du **Sagrado Corazón de Jesús**, construit dans le style colonial des années 1850. Il abrite le siège de Cema-Chile, une association caritative créée sous la dictature, qui commercialise des objets artisanaux.

De retour sur l'Alameda, en face, se dresse la silhouette dénuée de grâce de l'édifice **Diego Portales ❻**, construit en un temps record en 1972 dans le plus pur style constructiviste. La junte militaire en fit son quartier général de 1973 à 1981, avant de réintégrer La Moneda. Le bâtiment appartient au ministère de la Défense.

Plus loin sur l'avenue, le **Centro Cultural Alameda** projette des films d'art et d'essai. À quelques dizaines de mètres, la plaza Baquedano (ou Italia) est dominée par la statue équestre du général Manuel Baquedano à la tête de l'armée chilienne pendant la guerre du Pacifique (1879-1883). C'est là que prend fin l'Alameda et que commencent le quartier de Providencia et les *barrios altos*.

QUARTIER DE SANTA LUCÍA

En revenant vers la Biblioteca Nacional, on voit apparaître, à droite, le **cerro Santa Lucía ❼**, l'un des sites les plus étonnants de la capitale. C'est sur cet éperon rocheux de 80 m de haut, appelé Huelén (« douleur ») par les Indiens, que Pedro de Valdivia établit son premier campement, le 14 décembre 1540, et décida de fonder la ville. Il rebaptisa la colline du nom de la sainte que l'on fêtait ce jour-là.

En 1872, le grand historien et intendant de Santiago Benjamín Vicuña Mackenna le transforma en un dédale d'allées, d'escaliers, de jardins et de fontaines. Tous les jours, à midi, un coup de canon tiré du haut d'une terrasse du *cerro* résonne dans tout le centre-ville. À l'instar du **Parque Forestal**, qui longe le Mapocho, l'endroit est un des lieux de prédilection des promeneurs et des amoureux. Pour le gravir, deux possibilités : la marche ou, pour les moins courageux,

Un restaurant de la capitale.

Loin d'être aussi fâchés avec les horaires que les autres Latino-Américains, les Chiliens arrivent néanmoins souvent avec un peu de retard aux rendez-vous, et programmer une sortie ou un repas avec eux n'est pas toujours une mince affaire.

l'ascenseur installé récemment calle Santa Lucía.

Au pied du *cerro*, sur l'Alameda, une peinture murale représente la poétesse Gabriela Mistral et les principaux thèmes de son œuvre. À quelques pas, un extrait de la lettre adressée par Pedro de Valdivia à l'empereur Charles Quint en 1545 est gravé dans un rocher de neuf tonnes aux formes arrondies. Le conquistador y vante les mérites du climat chilien.

Au sud-ouest du *cerro*, la **plaza Vicuña Mackenna** s'orne d'une statue à la mémoire du grand homme. Les mimosas y poussent à foison.

Derrière la colline en direction du fleuve, la calle José Victorino Lastarria conduit à la **plaza Mulato Gil de Castro**, au milieu d'un quartier très agréable d'antiquaires, de bouquinistes et de galeries d'art. Quelques maisons coloniales y ont été restaurées. On y trouve aussi le *Biógrafo*, cinéma d'art et d'essai et café-restaurant fréquenté par des artistes et des hommes politiques de gauche.

On peut faire un détour à gauche dans la calle Merced pour visiter la basilique du même nom, un bel édifice reconstruit pour la quatrième fois au XVIIIᵉ siècle. Il abrite un petit musée des missionnaires, doté de collections archéologiques intéressantes, et un certain nombre d'objets provenant de l'île de Pâques. Au coin de la plaza Merced, le magasin Edwards présente une belle structure métallique importée de France au début du XXᵉ siècle.

Au coin des rues Merced et Lastarria s'élève l'Instituto Chileno-Francés de Cultura (centre culturel français) et, plus loin, dans Lastarria, le **Museo Arqueológico de Santiago ❽**, qui recèle trois mille pièces des époques précolombiennes et organise des expositions.

LE CŒUR DE LA VILLE

À l'ouest du cerro Santa Lucía, les paseos Ahumada et Huérfanos sont le royaume des piétons. Dans les cafés *Caribe* et *Haití*, les hommes d'affaires

Plan p. 146

La poste centrale (Correo Central) occupe l'élégant édifice du premier théâtre du Chili.

Plaza del Mulato Gil de Castro ; les terrasses accueillent les flâneurs fatigués.

parlent de travail devant un expreso ou un *cortado* (café crème) accompagné d'un verre d'eau minérale. La foule se presse le long des boutiques et des grands magasins, entre les fontaines, les kiosques à journaux et les éventaires des vendeurs ambulants.

À l'ouest du paseo Ahumada s'élèvent les quelques pâtés de maisons du **barrio Cívico**. Ce quartier est très pollué par l'intense circulation du centre-ville (la calle Bandera est engorgée en permanence). Il englobe la Bourse, les banques et la plupart des ministères.

Derrière La Moneda s'étend la **plaza de la Constitución**, remodelée par le général Pinochet qui y fit construire un ensemble souterrain de bureaux et de salles de réunion, ainsi qu'un studio de télévision. Les Chiliens l'avaient surnommé *el Búnker*. Les images de La Moneda filmées durant le coup d'État le furent du luxueux hôtel Carrera (côté ouest de la place).

En remontant la calle Agustinas vers la droite à partir du paseo Ahumada, on découvre le **Templo San Agustín**, qui date du milieu du XVIIe siècle. À quelques pas de là se dresse le **Teatro Municipal ❶**, conçu et restauré par des architectes français (les plans d'origine reçurent l'approbation de Charles Garnier, l'architecte du premier Opéra de Paris). Le théâtre, qui ouvrit ses portes en 1857, propose l'une des meilleures programmations du continent en matière de concerts, d'opéras et de spectacles de danse classique. Des artistes de renommée mondiale tels que Sarah Bernhardt ou Plácido Domingo s'y sont produits. Pavarotti y donna notamment en 1992 un de ses fameux concerts en plein air pour tous ceux qui n'avaient pu entrer.

Juste en face, le **palacio Subercaseaux** témoigne de l'influence des styles français de la fin du XIXe siècle sur les architectes chiliens. Construit par une famille de riches propriétaires viticoles d'origine française, il abrite aujourd'hui une banque et le club très fermé des officiers de l'armée de l'air.

Face à la Municipalidad, la statue du fondateur de Santiago, Pedro de Valdivia.

LA PLAZA DE ARMAS

Le paseo Ahumada conduit à la **plaza de Armas ❶**, centre historique de la cité. Dessinée par Pedro de Valdivia en 1541, cette place a été, pendant des décennies, le théâtre de tous les événements publics. Vers 1830, on aménagea les jardins actuels en plantant des espèces locales.

La plaza de Armas fut pendant longtemps, et jusqu'à une époque récente, un lieu extrêmement animé. Les cireurs de chaussures et les portraitistes y côtoyaient les chanteurs aveugles et les prédicateurs pentecôtistes. Les marchands de bonbons et de cacahuètes s'y installaient avec leur *barquito* (sorte de triporteur), tandis que les photographes attendaient le client, armés de leurs trépieds décorés de couleurs vives. C'était un lieu où les Santiaguinos se donnaient volontiers rendez-vous. Mais la place a été récemment remodelée, ce qui a notamment eu pour effet de mettre en valeur les monuments, le niveau du sol ayant été abaissé. Mais ce qu'elle a gagné en élégance, elle l'a perdu en convivialité et en pittoresque. Le dimanche matin et le jeudi après-midi, des fanfares sonnent toujours dans le kiosque à musique situé dans la partie sud du jardin.

La **Catedral ❿**, sur le côté ouest de la place, a connu une histoire mouvementée. En effet, l'édifice original érigé par Pedro de Valdivia fut incendié par les Indiens, puis les trois constructions suivantes ne résistèrent pas aux tremblements de terre de 1552, de 1647 et de 1730. Le bâtiment actuel, édifié entre 1748 et 1789, est l'œuvre de l'architecte italien Joaquín Toesca. Venu spécialement d'Italie pour ce projet, il dessina ensuite les plans de La Moneda. C'est à un autre Italien, Ignacio Cremonesi, que l'on doit les deux tours ajoutées en 1899. La décoration intérieure, un peu surchargée, porte la marque des Jésuites bavarois, mais elle fut mise à mal par les travaux de restauration de Cremonesi. La cathédrale renferme les sépultures de personnages célèbres, tels que les quatre frères Carrera et Diego Portales, considéré par beaucoup comme le fondateur du Chili conservateur. Il est aussi intéressant de visiter le **Museo de Arte Sagrado** de la cathédrale, sur le côté gauche de l'entrée.

Le premier propriétaire du terrain situé sur la face nord de la place fut le fondateur de la ville, Pedro de Valdivia. Sa demeure, qui occupait le site sur lequel se dresse aujourd'hui le **Correo Central** (poste centrale), reconnaissable à son crépi rose, fut réduite en cendres en 1541 lors d'une attaque indienne. Par la suite, Valdivia vendit le terrain au Trésor royal pour financer de nouvelles expéditions dans le Sud. Près de trois siècles plus tard, on construisit à cet endroit le premier théâtre du pays, célèbre pour sa magnificence. Le bâtiment actuel fut achevé en 1902. C'est en 1853 qu'y furent vendus les premiers timbres imprimés en Angleterre. Une plaque dotée d'un fac-similé est visible sur la façade du bâtiment, dans la calle Puente.

Plan p. 146

Le Museo de Bellas Artes, dans le Parque Forestal.

Les bâtiments publics de la fin du XIXᵉ siècle (palais, musées, théâtres, gares, marchés) présentent, pour la plupart, une architecture qui rappelle la vieille Europe. Et pour cause : la plupart d'entre eux ont été conçus par des Français, des Italiens ou des Chiliens formés à ce style.

LES MUSÉES

Jouxtant la poste centrale, le Palacio de la Real Audiencia, de style néoclassique, inauguré en 1808, abrite le **Museo Histórico Nacional**. Les représentants de la couronne espagnole rendaient la justice dans ce bâtiment. Ensuite, le premier Congrès s'y réunit et le palais demeura le siège du gouvernement jusqu'à ce que le président Bulnes lui préfère La Moneda, en 1846. Le musée historique national s'y est installé en 1980. Il est consacré à l'histoire du Chili. Douze mille œuvres y sont exposées, dont quelques beaux tableaux de l'époque coloniale.

Le dernier bâtiment de ce côté-ci de la place est la **Municipalidad** (mairie). Conçu par Toesca, il abritait initialement le Palacio Consistorial, où se tenait le *cabildo* (conseil municipal, ou *ayuntamiento*), en 1790. La façade néoclassique a été restaurée après le tremblement de terre de 1985. Sur les ferronneries qui coiffent la porte d'entrée, on distingue les armes de la ville (un lion rouge), remises par l'Espagne après la réunion du premier *cabildo*. Devant la mairie, une statue équestre offerte au Chili par la communauté espagnole en 1866 représente Pedro de Valdivia brandissant l'acte de fondation de Santiago.

Non loin de la plaza de Armas, deux autres musées méritent une visite. Au coin des rues Merced et Estado, la **Casa Colorada ❶**, dont la couleur rouge tranche avec celle des autres bâtiments, est l'édifice colonial le mieux conservé de la ville. Bâtie en 1769, elle servit de résidence au président de la première junte révolutionnaire, Mateo de Toro y Zambrano, puis à lord Thomas Cochrane, l'amiral écossais engagé par Bernardo O'Higgins pour diriger les opérations militaires contre les Espagnols. Elle est aujourd'hui occupée par le **Museo de Santiago**, où des maquettes et des diaporamas retracent l'histoire de la capitale.

En reprenant la calle Merced vers l'ouest, on trouve le **Museo Chileno**

Ci-dessous, le gigantesque Mercado Central ; à droite, le métro de Santiago.

de **Arte Precolombino** , installé dans l'ancienne maison des douanes (*calle Bandera, 361*). Le musée expose une excellente collection permanente de céramiques, de peintures, de textiles et de sculptures des cultures voisines de celles du Chili : Paracas, Chavín, Nazca, mochica, Chimú, inca, diaguita, San Pedro, ainsi que des civilisations aztèque, maya et toltèque. Il organise également d'intéressantes expositions.

Le musée fait face à la Cour suprême (appelée sous la dictature « Cour de la suprême injustice »). De l'autre côté de la calle Compañía se détache l'imposante silhouette néoclassique de la Cancillería (ministère des Affaires étrangères), qui abritait le Congreso Nacional avant 1973. Il a été le siège de la Compagnie de Jésus (d'où le nom de la rue adjacente) jusqu'en 1766, année où les Jésuites ont été expulsés du pays. En 1863, l'église qui occupait le site a été ravagée par un incendie. Ce désastre, qui causa la mort de plus de deux mille victimes, donna naissance au premier corps de pompiers de la ville.

Un peu plus à l'ouest (*calle Compañía,1340*), le **palacio de la Alhambra**, dont la construction a commencé un peu après 1860, se veut une copie miniature du palais andalou. Il est décoré de meubles arabes fabriqués par des artisans parisiens.

VERS LE MAPOCHO

La calle Puente, qui prolonge le paseo Ahumada, conduit vers le **Mercado Central** . Cette élégante structure métallique, œuvre de l'architecte chilien Fermín Vivaceta, a été fabriquée en Angleterre puis montée à Santiago. Inaugurée en 1872 par Vicuña Mackenna, elle était destinée à des expositions marquant le dynamisme économique de l'époque.

Aujourd'hui, l'endroit regorge de *picadas* (bons petits restaurants) et de *marisquerías* où, pour quelques centaines de pesos, on peut déguster des poissons et des fruits de mer chiliens,

Plan
p. 146

Une statuette du Museo de Arte Precolombino.

Les soldats font la parade devant le palacio de la Moneda.

qui passent pour les meilleurs du monde. Il faut toutefois se montrer prudent : la côte chilienne étant parfois très polluée, les produits de l'océan peuvent provoquer des intoxications.

À proximité du marché central se profile le fronton de l'ancienne **Estación Mapocho**, deuxième gare de chemin de fer de la capitale. C'est Émile Jéquier qui en a réalisé les plans. Ouverte en 1912, cette gare était le terminus des trains en provenance de Valparaíso jusqu'au milieu des années 1980. Depuis, l'immense hall est devenu une salle d'exposition et de concerts. Sa façade ouvragée donne sur la place Capitán Prat, ornée d'un monument dédié à la marine, et sur la longue perspective du **Parque Venezuela** et du **Parque Forestal**.

Cet espace vert a été dessiné au début du XXᵉ siècle, à la demande du gouverneur Enrique Cousiño, par le paysagiste français Georges Dubois, sur les terrains laissés en friche après la canalisation du Mapocho. Planté d'arbres chiliens et d'essences rares, le Parque Forestal s'agrémente de petits squares et de monuments à la gloire de personnages célèbres (Christophe Colomb, Jean-Sébastien Bach, le dieu Pan ou encore Rubén Darío, poète moderniste nicaraguayen qui écrivit son œuvre maîtresse, *Azul*, durant son exil au Chili, à la fin du XIXᵉ siècle).

Le Mapocho, dont le nom, mapuche, signifie « fleuve qui se perd dans les terres » (ce cours d'eau est souterrain par endroits), longe le parc. Si son débit était faible la plupart du temps, ses eaux enflaient brusquement lors de la fonte des neiges ou sous l'effet de pluies torrentielles, et provoquaient de graves inondations dans la ville. Pour y remédier, Toesca conçut les premières *tajamares*, larges digues en pierre. Plus tard, on construisit le canal pour endiguer les flots tumultueux. Les travaux d'endiguement se poursuivent en aval de Santiago.

Au sud du Parque Forestal, sur une place bordant la calle Esmeralda, on découvre la **Posada del Corregidor**.

Ci-dessous, un marchand de masques ; à droite, composite et animé, le centre-ville de Santiago.

Cette belle maison coloniale en adobe, construite à la fin du XVIIIᵉ siècle, jadis occupée par un bar et centre de ralliement de la bohème de Santiago, est devenue un centre culturel qui accueille des expositions temporaires. La Posada doit son nom au blason du plus célèbre *corregidor* (officier de justice chargé de faire respecter la loi, de protéger les Indiens et de diriger la vie locale) de la ville, Luis Manuel de Zañartu, apposé sur sa façade par l'un de ses propriétaires.

Dans le parc, vers la pointe nord du cerro Santa Lucía, le **Museo Nacional de Bellas Artes** ❶ est la principale galerie d'art du pays et le plus ancien musée d'Amérique latine. Conçu par l'architecte français Émile Jéquier, sur le modèle du Petit Palais à Paris, il abrite des collections permanentes et des expositions itinérantes de peinture et de sculpture. L'un des bâtiments est consacré à l'art chilien et sud-américain contemporain (entre autres, les œuvres de Roberto Matta), l'autre à l'art populaire de l'époque coloniale (école de Cuzco). Quelques salles sont dédiées à des peintres européens tels Corot, Rubens, Luca Della Robbia et Murillo. Un peu plus loin se dresse le palacio Bruna, conçu en partie par l'un des plus grands poètes chiliens, Pedro Prado (il avait étudié l'architecture mais n'avait jamais été diplômé). À présent, c'est la Chambre nationale du commerce qui l'occupe. Le Parque Forestal se termine par la curieuse **Fuente Alemana** (« fontaine allemande »), offerte en 1910 par la communauté germanique du Chili pour célébrer le premier siècle d'indépendance. Le monument représente le Chili avec toutes ses richesses. En été, les petits Santiaguinos vont s'y rafraîchir. Au 84 de la calle Merced, un étrange animal mythologique orne la façade d'une maison Arts déco.

LE « QUARTIER LATIN »

Sur l'autre rive, niché entre fleuve et colline, **Bellavista** est le quartier de prédilection des artistes et des flâ-

Plan p. 146

Les portraitistes de rue sont légion dans les « paseos » de la vieille ville.

Un « mural » plaidant pour la paix.

Comme partout dans le monde, les bancs publics accueillent les amoureux.

neurs. Une des résidences de Pablo Neruda, **La Chascona**, aujourd'hui ouverte au public, y est située. Ses rues principales se nomment Pío Nono, Constitución, Purísima et Antonia López de Bello. Entre le río et la **plaza Caupolicán**, point de départ du funiculaire qui monte au *cerro*, de nombreuses boutiques proposent des bijoux en lapis-lazuli, pierre nationale chilienne. Le quartier est rempli de galeries d'art, de cafés et de nombreux restaurants, surtout sur Purísima et à proximité du puente (« pont ») del Arzobispo. C'est là que se produisent des musiciens. On peut aussi écouter de la Nouvelle Chanson chilienne à La Candela et au Café del Cerro.

À Bellavista se concentrent aussi la plupart des théâtres et d'innombrables *peñas*. Dès la nuit tombée, les trottoirs se peuplent de musiciens et de jeunes vendeurs d'objets artisanaux. Enfin, on ne peut aller dans ce quartier sans visiter la curieuse et célèbre maison en forme de navire où habita Pablo Neruda, *La Chascona*, située 192,

De nombreux parcs et jardins aèrent le centre et les quartiers aisés de la capitale, offrant un environnement convivial et naturel. Le plus grand d'entre eux, le Parque Forestal, longe le Mapocho. Il accueille les familles, les amoureux, les joggers, les contemplatifs... et souvent des prédicateurs.

calle F. Márquez de la Plata. Formée de plusieurs maisonnettes accrochées à la colline et enfouies dans la végétation, elle recueille une partie des objets rassemblés par cet infatigable collectionneur que fut le poète (*voir p. 181*) : tableaux, livres et statuettes de l'île de Pâques. Il est indispensable de réserver pour la visite.

LE PARQUE METROPOLITANO

Bellavista est dominé par la silhouette sombre et abrupte, haute de 440 m, du **cerro San Cristóbal** (colline Saint-Christophe). Les Espagnols la nommèrent ainsi parce qu'elle servait de point de repère aux voyageurs. Pour se rendre au pied du *cerro*, il faut franchir le pont Pío Nono puis longer la faculté de droit. La calle Pío Nono mène à l'entrée du **Parque Metropolitano**, où se regroupe l'ensemble des attractions du *cerro* (zoo, jardin botanique, piscines, restaurants, centre culturel et œnothèque). Ce parc peut se visiter à pied ou en voiture, mais il est plus amusant d'emprunter le vieux funiculaire, inauguré en 1925 (comme le fit en 1987 le pape Jean-Paul II lorsqu'il rejoignit le sommet pour bénir la ville).

Le **Zoológico** (riche de cent cinquante espèces) s'étend jusqu'à mi-hauteur, tandis que les belvédères et le **Santuario de la Inmaculada Concepción** occupent le sommet de la colline. Devant la chapelle toute proche, un arbre en provenance de Guernica a été planté par la communauté basque du Chili. La statue de 14 m de haut, inaugurée en 1908, est érigée au sommet d'une volée de marches que les fidèles montent à genoux lors des pèlerinages. De là, on a une superbe vue sur la ville. Pour redescendre, on peut prendre le téléphérique (de fabrication suisse), inauguré en 1980, jusqu'à l'avenue Pedro de Valdivia, à Providencia. En chemin, pourquoi ne pas faire une halte à la station Tupahue, pour visiter le jardin botanique, manger au restaurant ou déguster des vins à l'Enoteca ? Le Parque Metropolitano est idéal pour pique-niquer, nager dans l'une des deux piscines (Tupahue et Antilén) et faire du jogging ou du vélo.

LES QUARTIERS RÉSIDENTIELS

L'avenida Santa María, sur la rive nord du Mapocho, est une voie rapide qui mène aux quartiers chic de **Las Condes**, **Vitacura** et **Lo Curro**. La construction d'une immense résidence par le général Pinochet dans ce dernier fit scandale. C'est pourquoi il n'occupa jamais sa propriété. Face à Bellavista, de l'autre côté du fleuve, l'avenida Providencia relie le centre de Santiago à la « ville haute ». Entre le Mapocho et l'avenida Providencia, le **Parque Balmaceda**, planté d'arbres magnifiques et jalonné d'aires de jeux, recouvre les salles souterraines du **Museo Tajamares**, qui retrace l'histoire du fleuve et de ses aménagements. Quelques fragments des premières digues réalisées par Toesca y sont conservés.

L'avenida Providencia longe le **couvent** de l'ordre canadien des Sœurs de la Providence et l'**iglesia Nuestra Señora del Carmen**, bâtie en 1892. Au-delà, le quartier devient un ensemble de villas, d'immeubles résidentiels et de centres commerciaux huppés. Il abrite la plupart des ambassades. Ici se concentrent les meilleurs restaurants de Santiago.

Deux autres promenades permettent de découvrir l'ouest de la ville, en partant de l'Estación Central. En montant l'Alameda, on prend la calle Dieciocho qui mène au **palacio Cousiño**. Édifié à la fin du XIXᵉ siècle par un architecte français pour une riche famille française, ce somptueux édifice est le seul à avoir conservé son décor et son mobilier d'origine, importé de France.

De l'autre côté de la gare, la calle Matucana conduit au **Parque de la Quinta Normal**, un grand jardin très agréable qui renferme quatre musées : le musée d'histoire naturelle (qui rassemble toutes les plantes existant au Chili), le musée des Sciences et Techniques, le musée de l'Aviation et le Musée ferroviaire, qui possède une magnifique collection de locomotives à vapeur.

Plan p. 146

La cordillère littorale, vue du cerro San Cristóbal.

AUTOUR DE SANTIAGO

La capitale du Chili bénéficie d'une situation privilégiée. Ses habitants peuvent profiter aisément, par de petits déplacements, des plaisirs de la montagne et de ceux de l'océan. En effet, la station de ski la plus proche se trouve à 50 km et le Pacifique à 100 km.

Par temps clair, les crêtes déchiquetées des Andes se détachent dans le ciel à l'est de Santiago ; elles semblent hors de portée, mais ce n'est qu'une impression et quelques heures de bus ou de voiture suffisent pour atteindre le cœur de la montagne, en suivant le cours sinueux du Maipo. Ce fleuve aux eaux tumultueuses prend naissance dans les Andes et traverse ensuite les riches plaines de la vallée centrale.

LE CAJÓN DEL MAIPO

En fin de semaine, le **Cajón del Maipo** (la vallée du Maipo), au sud-est de la ville, est une destination très appréciée des Santiaguinos désireux d'échapper au stress et au brouhaha de la capitale. Il leur offre tout le calme, l'air pur dont ils peuvent rêver, et l'occasion de contempler des paysages de toute beauté.

Les plus actifs ont le choix entre la randonnée, la natation, l'équitation et d'autres activités de plein air. Le Maipo ne permet pas la pratique du canoë-kayak, mais des agences telles qu'Altué Expediciones organisent des descentes en rafting pour cinq à sept personnes d'octobre à mars. Seules conditions : avoir plus de douze ans et savoir nager.

Pour déjeuner, on a le choix entre un pique-nique sur l'une des nombreuses aires aménagées et un repas dans l'un des restaurants campagnards qui proposent des spécialités chiliennes, argentines ou allemandes. Pour dormir, on choisira, selon les goûts et le budget, l'hôtel, le camping ou les *cabañas* (bungalows).

Le *cañón* tire l'essentiel de ses revenus du tourisme, ce qui explique la variété des services proposés. De plus, comme la clientèle est en majeure partie chilienne, les prix restent très raisonnables et la région a conservé tout son caractère.

BALADES ET PLAISIRS CHAMPÊTRES

Au détour des nombreux virages qui font serpenter la route, les petits fanions blancs plantés devant les fermes sont une invitation pour les gourmands. Ils indiquent que l'on y vend des produits faits maison : appétissantes miches de pain (*pan amasado*) cuites dans des fours en terre traditionnels, confitures préparées avec les noix, les amandes et les baies de la région, mais aussi miel des montagnes et, bien entendu, délicieuses *empanadas* (chaussons fourrés à la viande ou aux légumes) qui sont l'un des mets de base de l'alimentation nationale. Autre spécialité dont les Chiliens raffolent, surtout s'ils ont grandi à la campagne : le pain aux *chicharrones* (« rillons »).

Carte p. 164

Santiago

Pages précédentes : vignes cultivées à l'ancienne. À gauche, transport de marchandises près de San José de Maipo. Ci-dessous, un temple votif à Maipú.

Aux visiteurs que ne tentent ni les joies du tout proche bord de mer, ni les beautés de la montagne andine, il reste la possibilité de faire le tour des vignobles autour de la capitale. On peut visiter la viña Santa Carolina, à Rodrigo de Araya, la viña Santa Rita à Alto Jahuel, et surtout, la viña Cousiño Macul, à Macul.

La fin de l'été (à partir de février) est la saison des *tunas* (figues de Barbarie) hérissées de piquants. Leur chair délicate contient des centaines de pépins minuscules. Elles se mangent nature ou, le plus souvent, sous forme de jus.

DES ACTIVITÉS VARIÉES

La route est jalonnée de points de vue sur le *cañón*, les villages et hameaux, les campings et les parcs. L'un d'eux permet d'apercevoir, près de La Obra, l'obélisque érigé sur le site où, en septembre 1986, le Front patriotique Manuel Rodríguez tendit une embuscade au cortège du général Pinochet. Plusieurs de ses hommes, en particulier son collaborateur le plus proche, trouvèrent la mort dans cet attentat, Lui-même ne fut que légèrement blessé (*voir p. 52*).

Les amateurs de formule 1 et de courses de motos prévoiront un premier arrêt à **Las Vizcachas ❶**, au début du *cañón*. Ils y trouveront un autodrome et l'unique *autocine*

(« drive-in ») de Santiago, le tout appartenant à un club privé. Les autres installations (casino et piscine de 3 000 m² jouxtant une agréable aire de pique-nique) sont réservées aux membres du club.

À quelques kilomètres de là, près de **La Obra**, des tailleurs de pierre travaillent un grès rose pâle, très utilisé dans différentes constructions, en particulier les terrasses. Un peu plus loin, on aura l'occasion de déguster et d'acheter du vin dans les locaux commerciaux des **Cavas del Maipo** et de visiter le domaine.

Juste après La Obra, la grosse bourgade de **Las Vertientes** possède une belle piscine entourée de pelouses et de massifs de fleurs. Si l'on souhaite y passer la journée, on devra se contenter de sandwichs que l'on aura apportés. Les adeptes du barbecue choisiront plutôt l'une des autres zones de pique-nique aménagées le long de la route.

À 25 km de Santiago, **San José de Maipo ❷**, perchée à 1 000 m d'alti-

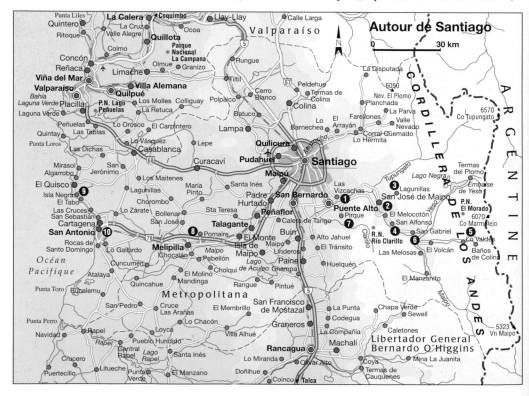

tude, est la plus grande agglomération du *cañón*. Elle doit sa fondation, en 1791, à la découverte de filons d'or et d'argent dans les environs. Dans cette ville andine traditionnelle, les maisons sont bâties en adobe et couvertes de chaume. Elle constitue un cadre idéal pour se détendre et profiter de l'air pur.

VERS LA HAUTE MONTAGNE

À la sortie de San José, sur la gauche, une petite route non goudronnée grimpe vers **Lagunillas** ❸. Cette station de ski perchée sur un pic montagneux à 2 200 m d'altitude domine une immense dépression creusée dans la cordillère. Elle a été fondée dans les années 1940 par le Club andin et a gardé une atmosphère très familiale et sportive. Le ski a été introduit au Chili à la fin du XIXe siècle par des Norvégiens chargés de porter le courrier en Argentine. Puis des Britanniques, qui construisaient la ligne de chemin de fer transandine, répandi-

rent à leur tour ce sport, qui fut adopté par les Chiliens les plus aisés. La saison de ski au Chili va de juin à septembre.

De retour sur la route principale, on traversera les petites villes d'El Toyo et El Melocotón, puis celle de **San Alfonso** ❹. Cette localité s'est développée dans une large cavité creusée par le Maipo. Elle est peuplée d'un curieux mélange de campagnards et de néoruraux attirés par la beauté et le calme de la vallée, d'autant plus appréciables que celle-ci s'étend à proximité de la capitale.

La Cascada de las Ánimas (« cascade des âmes »), terrain de camping et aire de pique-nique, s'organise autour d'une splendide piscine circulaire et de cabanes construites à la main, entièrement avec des matériaux locaux. Elles appartiennent à une famille qui possédait autrefois la plupart des terres de San Alfonso. Les enfants de l'ancien *latifundista* ont fondé une communauté hippie qui partage des idéaux écologistes et *new*

Carte p. 164

Herbes colorées en vente à Pomaire.

La pêche est une ressource très importante pour la région.

*Les chais de
Concha y Toro.*

*Bains de boue
près de la frontière
argentine.*

age. Le parc alentour et le camping sont superbement entretenus, et des randonnées sont organisées par les membres de la famille, pour un week-end ou toute une semaine. Elles permettent de découvrir une partie des Andes. De Santiago on peut réserver un bungalow à la Cascada de las Ánimas ou organiser une promenade à cheval à San Alfonso.

Dans le même village, la Posada Los Ciervos possède une salle accueillante et un magnifique jardin orné de bougainvillées. Non loin du restaurant, sur la route principale, un kiosque propose de délicieuses pâtisseries allemandes (*küchen*) aux fruits.

Si San Alfonso est une destination idéale pour la journée, on peut aussi se rendre directement à **Lo Valdés** ❺, tout en haut du *cañón*, à condition de partir tôt le matin (ce village se trouve à 70 km de Santiago, et les 14 derniers kilomètres s'effectuent sur une piste difficile d'accès en hiver). Juste après les sources chaudes **Baños Morales**, au-delà d'un poste de contrôle de la frontière argentine, toute proche, on arrive au **Refugio Alemán** (« refuge allemand »). La terrasse de cet excellent restaurant offre une vue saisissante sur les cimes neigeuses et sur un plan d'eau naturel autour duquel de nombreux fossiles marins rappellent que les Andes étaient jadis immergées.

Les **Baños de Colina** jaillissent au pied du volcan San José, à 11 km de là ; ces sources chaudes, ouvertes au public à partir d'octobre, peuvent atteindre 70 °C. Pour y parvenir, on traverse un décor lunaire qui contraste avec les autres paysages du *cañón*. Les bains sont aménagés dans des bassins naturels aux formes arrondies, disposés en terrasses et creusés dans le flanc de la montagne. L'eau qui s'échappe de grottes descend en cascade de bassin en bassin. Plus on s'éloigne de la source, plus la température est agréable. Du deuxième bassin on jouit d'une belle vue sur la vallée et ses splendides dégradés de gris, vert et rose, tout en se relaxant dans une eau chaude (et sulfureuse).

VERS L'ARGENTINE

Autre possibilité si l'on dispose d'une voiture : à la sortie de **San Gabriel** ❻, prendre à gauche et suivre le cours du **Yeso** jusqu'à la retenue du même nom. Au point de contrôle qui marque la frontière avec l'Argentine, les voyageurs devront laisser leurs papiers d'identité et leur appareil photo aux carabiniers. L'aller-retour depuis Santiago représente 170 km, et, au long de 65 km, la route consiste en un simple chemin de terre ; il est donc préférable d'emporter de quoi pique-niquer, même si l'on a prévu de s'arrêter dans l'un des nombreux restaurants du Cajón.

Pour le retour, on peut revenir sur ses pas jusqu'à El Toyo, puis traverser le Maipo et continuer de l'autre côté du *cañón* jusqu'au pont de Las Vertientes. Il faudra ensuite reprendre la route empruntée à l'aller, ou continuer par **Pirque** ❼, agréable petite ville entourée de vignobles. On y visitera les caves de **Concha y Toro**, où les vins reposent dans d'immenses cuves,

Les environs de Santiago comblent tous les désirs. À l'ouest, les villes balnéaires offrent tous les plaisirs des bords de mer. À l'est, les divers étages de la montagne andine satisfont les amateurs de randonnée, les skieurs, les rafteurs et les alpinistes. Les sources chaudes et les bains de boue attirent les personnes soucieuses de leur santé.

et le cellier sombre et poussiéreux où vieillit l'un des meilleurs vins chiliens, El Casillero del Diablo. De la route, on aperçoit l'ancienne propriété de la famille, entourée des maisons plus modestes des ouvriers viticoles. La majestueuse demeure (représentée sur l'étiquette de certaines bouteilles) fut construite vers 1875 ; c'est à peu près à cette époque que le paysagiste français Gustave Renner dessina le parc qui l'entoure.

Des autocars relient Santiago à San José, à Puente Alto (sur la route de Pirque), à Pirque et à d'autres villes du *cañón*. Mais disposer d'un véhicule personnel permet de prendre son temps, de découvrir à son rythme les charmes de la région, au gré de ses envies.

LES POTERIES DE POMAIRE

Au sud-ouest de Santiago, il est possible de prendre un bus qui dépose les voyageurs au carrefour menant à **Pomaire** ❽, petite localité qui tire l'essentiel de ses revenus de la vente de poteries. Le trajet à pied depuis la route principale dure à peu près une demi-heure, le long d'une route bordée d'arbres et de prairies verdoyantes. Le tremblement de terre de 1985 a détruit la plupart des maisons traditionnelles en adobe ; elles ont été remplacées par des baraques en bois. L'argile rouge, matériau autrefois très abondant dans la ville même, est presque épuisée ; aussi les potiers et les céramistes doivent-ils la faire venir des environs. Les pièces sont façonnées à la main et cuites dans de grands fours de pierre. Elles se distinguaient jadis par leur couleur noire ; de nos jours, les autres couleurs ont envahi le marché.

On trouve à Pomaire des *miniaturas*, figurines qui illustrent des thèmes champêtres et religieux, des *decorativas*, ornées de motifs d'inspiration plus libre, et une multitude de poteries utilitaires, de toutes les formes et vouées à tous les usages. Les plats aux noms pittoresques (*pailas*, *fuentes*, *tenazas*,

Carte
p. 164

*Promenade
en front de mer
à San Antonio.*

Carte
p. 164

*Pomaire est
spécialisée dans
la production
de poteries.*

*Sous le soleil,
exactement...*

*Au Chili,
la côte n'est
jamais
bien loin
et Santiago
ne fait pas
exception.
Les visiteurs
fatigués
s'adonneront
aux joies
du farniente
sur les plages,
les autres
pourront flâner
dans les ports
sans oublier
de faire halte
dans les
« picadas »
pour déguster
les spécialités
locales
à base
de produits
de la mer.*

tinajas, maceteros, etc.) sont parfaits pour les mets chiliens et espagnols. On peut passer une agréable journée à Pomaire, à flâner le long de la rue principale, entre les étalages de poteries et les petites boutiques de plantes vertes, et déjeuner dans l'un des nombreux restaurants qui proposent de la cuisine chilienne, des incontournables *empanadas* aux spécialités locales à base de viande de porc. Il faut absolument goûter aussi au *pastel de choclo*, ce savoureux gratin de maïs.

CAP SUR LE PACIFIQUE

Si l'on circule en autocar, il faut prévoir une journée complète pour visiter Pomaire. En revanche, si l'on dispose d'une voiture, on pourra poursuivre sa route jusqu'à Isla Negra, sur le littoral. C'est une merveilleuse promenade, même si le trajet du retour s'effectue de nuit.

À partir du carrefour de Pomaire, il faut reprendre la autopista del Sur en direction de l'océan et, juste avant San Antonio, bifurquer vers le nord jusqu'à **Cartagena**, **Las Cruces** et **El Tabo**. Ces trois stations balnéaires, très appréciées des Santiaguinos, possèdent de longues plages, particulièrement agréables au printemps et en automne. Les rayons du soleil, un peu moins ardents, rendent bien agréable une flânerie sur la grève et la contemplation des eaux fougueuses du Pacifique. Entre El Tabo et Algarrobo, **Isla Negra ❾** est un endroit véritablement étonnant ; on peut se demander si c'est parce que Pablo Neruda y a laissé son empreinte, ou si le grand poète l'a choisi justement parce que le lieu lui paraissait magique...

Sa maison domine les contours sauvages de la plage, où les vagues viennent se fracasser sur d'étranges rochers noirs semblables à des monstres préhistoriques. On a tendance à se laisser aller à la rêverie, face au paysage en perpétuelle évolution qui inspira au Prix Nobel une bonne partie de son œuvre, ou encore à se mettre à la recherche des étoiles de mer et des innombrables coquillages qui se nichent entre les rochers.

Les inscriptions sur la clôture qui entoure la maison de Neruda donnent une idée de l'influence qu'il exerça, et exerce encore, sur ses compatriotes. Amoureux de tous âges, lecteurs, écrivains, solitaires, groupes d'amis qui ont accompli le pèlerinage à Isla Negra, y ont gravé leur témoignage sur la barrière qui marque les limites de la propriété (*voir p. 181*).

Quelques kilomètres séparent Isla Negra du port de **San Antonio ❿**, où de nombreux signes trahissent la pauvreté et le dur labeur des pêcheurs. On y trouve quelques bons restaurants. Les *picadas,* petites baraques en bois entassées les unes à côté des autres où les pêcheurs viennent se restaurer, sont concentrées à l'ouest de la rade, à proximité du marché. On y sert d'énormes portions de poisson et de *mariscos* (fruits de mer) accompagnées de salade chilienne, de riz ou de frites, le tout à des prix très raisonnables. Le retour à Santiago par la route demande environ une heure et demie.

LES STATIONS DE SKI

Les domaines skiables de Farellones, La Parva et Valle Nevado se trouvent à une cinquantaine de kilomètres au nord-est de la capitale. On y arrive par une route étroite et sinueuse qui longe le cañon du Mapocho. C'est une destination idéale pour une excursion d'une journée, mais en hiver il est indispensable d'équiper ses pneus de chaînes (possibilité de location en début de parcours), en raison de la neige et du verglas. En toute saison il faut faire preuve d'une extrême prudence. La police contrôle l'accès à la route, qui est autorisé jusqu'à 13 heures. Les voitures ne peuvent redescendre qu'à partir de 14 heures. On se munira de vêtements chauds, même s'il fait 30 °C à Santiago. La période d'enneigement, qui commence en juin et se termine en septembre, attire de nombreux skieurs venus de l'hémisphère Nord, ravis de pouvoir pratiquer leur sport favori durant leurs vacances d'été.

Farellones, au pied du mont Plomo (5 430 m), est réputée pour son domaine skiable. En 1966 s'y tint le Championnat du monde de ski alpin – l'équipe de France rafla d'ailleurs les médailles. La station comporte quatre pistes bien équipées (la plus haute démarre à 3 333 m d'altitude) et correspondant à tous les niveaux de difficulté. Les débutants ont le choix entre des leçons individuelles ou collectives. Mais il n'est pas nécessaire d'être skieur pour apprécier la beauté de l'endroit. À mesure que l'on s'élève dans la cordillère, la route s'ouvre sur des paysages magnifiques, le ciel et l'air sont d'une extrême pureté. En chemin, on passe près des maisons d'architectes d'**El Arrayán**, quartier perché sur les hauteurs de Santiago. On aperçoit aussi La Ermita, avec sa chapelle et sa centrale hydroélectrique qui alimente l'une des principales mines du Chili, La Disputada.

À côté de Farellones, la petite localité de **La Parva**, à 2 816 m d'altitude, offre une vue splendide sur toute la vallée de Santiago. La Parva est généralement enneigée jusqu'en octobre. Plusieurs de ses pistes partent de 3 630 m.

Valle Nevado, à 3 000 m d'altitude, est une nouvelle station ouverte en 1988 par des investisseurs français. Un peu avant d'arriver à Farellones, un embranchement mène à 10 km au nord, en plein cœur de la montagne. Le site est équipé de deux hôtels et d'une résidence de luxe, proposant des services de haut de gamme : projection de films vidéo, boîte de nuit, gymnase, piscine, sauna, Jacuzzi, snack-bar et restaurant français. On y trouve des boutiques spécialisées dans la vente ou la location d'équipements de ski, une halte-garderie et un centre médical équipé pour les urgences. Le domaine skiable, l'un des plus étendus du monde, couvre 9 000 ha. La piste la plus élevée démarre à 3 670 m et la plus longue se déroule sur 17 km. On y pratique l'héliski, le surf et le parapente.

Autre station très fréquentée mais plus éloignée de la capitale (158 km au nord-est), **Portillo**, à la frontière argentine, se trouve à 2 900 m dans le massif de l'Aconcagua, dont le sommet, situé en Argentine, est le point culminant des Andes et de l'Amérique (6 959 m). Bâtie sur les rives de la laguna del Inca, elle bénéficie d'un site unique, été comme hiver. Portillo, dont le domaine skiable s'étend sur 950 ha, est spécialisée dans les courses de kilomètre lancé (le record mondial actuel est de 217 km/h).

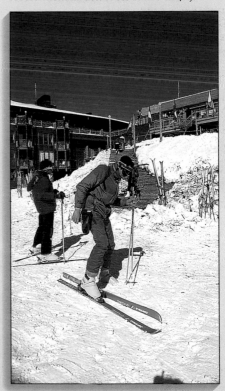

Le ski est un sport de luxe au Chili. Les prix y sont comparables à ceux d'un pays européen.

VALPARAÍSO ET VIÑA DEL MAR

Bien que lovées l'une contre l'autre au bord du Pacifique, Valparaíso et Viña del Mar forment deux ensembles urbains très différents. **Valparaíso**, créée au XVIe siècle par les Espagnols, est depuis des siècles le port de Santiago. Viña del Mar est une ville nouvelle entièrement dédiée au tourisme.

Un dédale de ruelles tortueuses, de rues et d'escaliers qui grimpent en pente raide vers de splendides demeures coloniales agrippées aux flancs des quarante-deux *cerros* (collines) donne son cachet particulier à Valparaíso. Ces maisons ont, pour la plupart, été bâties par les Britanniques au XIXe siècle, à l'époque où Londres gérait pratiquement toute la ville. Mais le bas de Valparaíso, chaotique et pollué, résulte de la politique économique implacable prônée par les « Chicago Boys ».

À quelques encablures de là, Viña attend les touristes dans une débauche d'acier, de verre et de néon. Chaque été, ses plages de sable doré sont prises d'assaut par des milliers de Chiliens. Jadis station balnéaire des classes privilégiées, Viña est un endroit idéal pour se détendre et s'amuser. Mais c'est Valparaíso qui, par la richesse de son histoire, présente le plus d'intérêt.

LES CONQUISTADORS

Valparaíso forme un port naturel à l'embouchure du río Maipo. Les Espagnols découvrirent ce site dès leur premier voyage au Chili. En 1535, Diego de Almagro, compagnon de Francisco Pizarro, était parti de Cuzco, au Pérou, pour une mission de reconnaissance vers le sud. Il espérait trouver un empire semblable à celui des Incas, récemment soumis. Découragé par de longs mois d'expédition à travers des contrées sauvages et inhospitalières, Almagro envoya son lieutenant, Juan de Saavedra, à la rencontre d'éventuels navires espagnols au mouillage sur la côte… Du haut d'une colline, Saavedra aperçut l'océan. Il contempla

la baie de Quintil, avec ses collines embaumées par les effluves du *boldo* et du *maitén*, deux variétés d'arbres indigènes, et émaillées de sources. La baie calme et lumineuse était alors peuplée d'Indiens Changos, qui vivaient de la pêche. Le conquistador trouva le site si beau qu'il le baptisa Valparaíso, « vallée du Paradis ». Ce nom fut confirmé officiellement en 1544 par Pedro de Valdivia, fondateur de Santiago et gouverneur du Chili.

LE TEMPS DES CAP-HORNIERS

Il y séjourna quelque temps en 1547. Il était alors isolé, appauvri par les guerres et découragé par l'absence de nouvelles et de soutien de la part de la couronne espagnole. Il prit ainsi contact avec des colons qui souhaitaient partir vers les colonies plus développées du Nord et leur proposa de les y conduire.

Une vingtaine de familles firent leurs préparatifs et s'installèrent à bord du navire, embarquant toute leur

Cartes pp. 174 et 184

Pages précédentes : la plaza de Reñaca, près de Viña del Mar.

À gauche et ci-contre, la charmante ville de Valparaíso doit sa réputation aux très nombreuses collines (« cerros ») qui l'entourent, à son architecture… ainsi qu'au café Cinzano.

*Autobus dans
le centre-ville.*

fortune, acquise en exploitant des gisements d'or avec l'aide d'esclaves indigènes. La veille du départ, Valdivia les convia à un grand banquet d'adieu dans le port, et, tandis que la fête battait son plein, il leva l'ancre et s'éloigna avec l'or, sous le regard furieux de ses victimes. En les délestant de 80 000 *dorados*, le gouverneur du Chili inaugurait, sans le savoir, le premier système d'imposition progressive du pays…

Au cours des siècles suivants, Valparaíso allait être une ville d'aventuriers. Elle devint le port de Santiago, alors en pleine expansion, et constitua la principale étape des navigateurs qui doublaient le cap Horn, ainsi que la première base navale du continent, jusqu'en 1914, année de l'ouverture du canal de Panamá. Elle perdit alors sa suprématie maritime.

Cible de choix pour les pirates et les corsaires (pour la plupart d'origine anglaise ou hollandaise), la ville dut s'entourer de solides fortifications pour résister aux attaques tout au long

des XVIe et XVIIe siècles. Ces ouvrages défensifs découragèrent les assaillants potentiels et eurent pour effet de stimuler le commerce et le stockage des marchandises en provenance ou à destination du pays. Les Anglais cessèrent bientôt leurs incursions pour devenir les principaux partenaires commerciaux du Chili nouvellement indépendant ; ils acquièrent alors de vastes portions de la ville.

Les docks ne furent aménagés qu'à la fin du XVIIIe siècle. Jusque-là, les marchandises étaient débarquées à dos d'homme, comme en témoigne un document daté de 1799 : « On éprouve un pincement au cœur à la vue des porteurs, plongés jusqu'à la poitrine dans une eau qui est plus froide que dans n'importe quel autre port au monde. »

UNE VILLE TURBULENTE

Plusieurs fois dévastée par des tremblements de terre et des raz-de-marée, Valparaíso fut aussi victime de

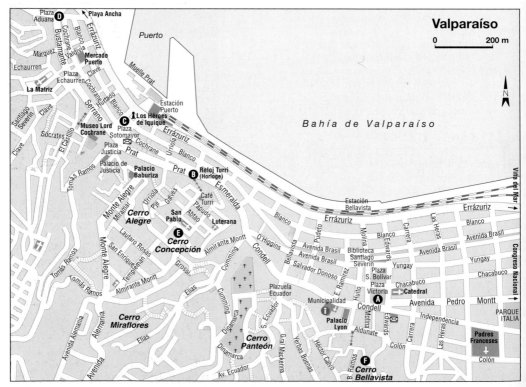

troubles politiques. En vingt ans, deux des gouverneurs de la ville connurent une fin tragique. Le premier, le tout-puissant Diego Portales *(voir p. 37)*, trouva la mort en 1837 au cours d'une brève rébellion militaire, alors qu'il se rendait à Quillota. Le second, général de son état, fut tué le 18 septembre 1859 lors d'un soulèvement populaire, aux portes de l'église de La Matriz, dans laquelle on célébrait l'indépendance du Chili.

Plus d'un siècle plus tard, Valparaíso allait à nouveau être le théâtre d'un événement dramatique. Le lundi 10 septembre 1973, au coucher du soleil, la marine chilienne gagna le large pour ses exercices annuels avec la flotte américaine. Le lendemain à l'aube, sa présence dans la baie marqua le début du coup d'État militaire. En moins d'une heure, des soldats de l'infanterie de marine envahirent le port, et les *Porteños* (habitants de Valparaíso), réfugiés dans les collines, leur opposèrent une résistance acharnée qui dura plusieurs jours.

NOUS IRONS À VALPARAÍSO...

À partir de Santiago, on rejoint **Valparaíso ❶**, à 120 km, par la route 68, au milieu des plantations et des forêts de la cordillère littorale. On entre dans la ville par l'avenida Argentina. Le mercredi et le samedi, cette grande artère se transforme en un immense marché où l'on peut acheter toutes sortes de fruits et de légumes, des poissons et des fruits de mer frais, des produits séchés et des gâteaux faits maison. Le dimanche, les produits de bouche cèdent la place à un marché aux puces *(feria persa)*, paradis des amateurs d'antiquités et des collectionneurs.

Sur l'avenida Pedro Montt (un ancien champ de courses), il est difficile de ne pas remarquer le siège du Congreso Nacional, achevé en 1990. Le coût de cet édifice a fait couler beaucoup d'encre... En effet, si pour certains il constitue le symbole de la nouvelle démocratie chilienne, pour d'autres il trahit l'impudence du pouvoir face à la pauvreté ambiante.

Cartes pp. 174 et 184

Départ pour une campagne de pêche.

L'avenida Pedro Montt longe la plaza Italia, où se tient une *feria artesanal* permanente, et se termine **plaza de la Victoria** , dont la **Fuente de Neptunio** (fontaine de Neptune) est un trophée de guerre arraché aux Péruviens en 1879.

Valparaíso se visite à pied. Le **Vitamin Service Café** sur l'avenida Pedro Montt, à côté de la plaza de la Victoria, est un bon point de départ. On y sert du vrai café, des jus de fruits frais et de délicieux sandwichs. En face du café, juste à côté de la **Catedral**, se trouve la maison où grandit Augusto Pinochet, né en 1915.

Les splendides résidences aux portes sculptées qui se dressent le long de la calle Condell font rêver à la vie mondaine de la fin du siècle dernier, à l'époque où les familles riches préféraient les brises rafraîchissantes du Pacifique à la moiteur de Santiago.

Cette longue rue se prolonge par la calle Esmeralda, qui prend fin à la hauteur de l'édifice abritant le **Reloj** (horloge) **Turri** . De là on prend l'*ascensor* (funiculaire) qui mène aux *miradores* Gervasoni et Atkinson, d'où l'on jouit d'une superbe vue.

La calle Prat représente le centre financier de Valparaíso ; c'est là que s'ouvrit la première Bourse du Chili. On a peine à croire que l'on se trouve dans une ville d'Amérique latine, tant l'influence britannique y est prégnante. Un autre funiculaire, El Peral, conduit au Museo de Bellas Artes. Sous la **plaza Sotomayor** repose Arturo Prat, héros de la marine chilienne. La place s'ouvre sur le *muelle* (« quai ») Prat et le port. La calle Serrano, à gauche, mène à l'église de La Matriz puis au marché et à l'Antigua Aduana, le plus ancien édifice de la ville. Un autre funiculaire, l'Artillería, qui date de 1893, monte au Museo Naval, paseo 21 de Mayo. De là, la vue est vraiment splendide.

FUNICULAIRES ET BELVÉDÈRES

C'est à la fin du XIXe siècle que le vieux port commença à acquérir l'as-

Ci-dessous, des immeubles de la fin du XIXe siècle s'étagent sur les pentes des collines ; à droite, les rues déjouent la difficulté en se transformant en escaliers abrupts.

pect qu'on lui connaît aujourd'hui. On empiéta sur la mer pour construire la route côtière, la ligne de chemin de fer et l'avenida Brasil. Des immeubles d'inspiration européenne poussèrent un peu partout, tandis que l'ancienne rue commerçante se transformait en place financière pour toute l'activité maritime et portuaire.

Face à l'accroissement de sa population, la ville s'étendit au-delà de ses limites initiales. On commença à bâtir des maisons sur les collines environnantes, séparées les unes des autres par des ravins abrupts. Chaque entrepreneur, chaque architecte mit au point ses propres techniques pour défier les lois de la gravité et déjouer les tremblements de terre. L'une après l'autre, les collines se couvrirent d'un réseau dense de rues sinueuses, d'escaliers, de trottoirs, de passages et de belvédères.

Pour composer avec la topographie, on installa une quinzaine de funiculaires de toutes les tailles et de toutes les formes. Aujourd'hui, ils constituent encore le principal moyen de locomotion de ceux qui veulent atteindre les hauteurs de la ville. On aurait tort de quitter Valparaíso sans avoir emprunté au moins l'un d'entre eux : bien que d'un autre âge, ces installations sont fiables et plusieurs d'entre elles offrent une vue splendide sur la baie.

Un autre moyen de transport permet à ceux qui aiment les sensations fortes d'apprécier les panoramas multiples de Valparaíso : il s'agit du minibus de la société Verde Mar, ligne O, qui parcourt toutes les hauteurs de la ville. On le prend à l'angle de la calle Serrano et de la plaza de la Constitución, et son trajet se termine avenida Francia, à l'angle de Pedro Montt. Il a également le mérite de conduire à l'une des maisons de Neruda, *La Sebastiana*, sise paseo Collado.

À l'extrémité ouest de la ville, l'avenida Marina mène à la plage **Las Torpederas** et, au sud de la baie, à l'une des plus agréables promenades de Valparaíso. Sous le souffle rafraîchissant de la brise marine, on admire

Plan
p. 174

Le siège de l'Amirauté.

à loisir les bâtiments qui entourent la plaza Ancha. Au bout de l'avenue, un funiculaire mène jusqu'au sommet de la plus grande colline de la ville, qui est aussi la plus peuplée. Ce *cerro* abrite l'école navale, l'hôpital et le cimetière, ainsi que les facultés de médecine, de biologie et de pédagogie de l'université de Valparaíso. Des impacts de balle (vestiges du coup d'État de 1973) sont encore visibles sur certaines façades.

Sur la place, quelques beaux édifices au charme discret rappellent que le port connut des jours meilleurs. En descendant le paseo 21 de Mayo, on jouit d'une vue très dégagée sur la baie et sur toute la zone portuaire, avec, en toile de fond, Viña del Mar. Par temps ensoleillé ou, mieux encore, par une chaude nuit d'été, il est agréable de faire le tour de la baie en bateau. Pour le réveillon du Nouvel An, le feu d'artifice sur les eaux de la baie et le concert de sirènes de bateau saluant l'arrivée de la nouvelle année offrent un spectacle sans pareil. À la **caleta El Membrillo**, petit port de pêche très animé qui fait partie de la ville, un restaurant géré par une coopérative de pêcheurs propose des spécialités de poissons et de fruits de mer, servies avec du riz et arrosées de vins chiliens.

Valparaíso peut servir de point de départ pour plusieurs excursions d'une journée vers le Parque Nacional La Campana, l'intérieur du pays et les petites villes d'architecture coloniale, comme Quilpué, Limache et San Felipe. La fraîcheur des places plantées de palmiers, la tranquillité des paysages et la nonchalance des habitants donnent envie de s'y arrêter quelque temps.

À 45 km de Valparaíso, sur la route de Santiago, un embranchement conduit à la plage de **Quintay**, un endroit idéal pour passer une journée loin de la foule. Dans la caleta de Quintay, plusieurs petits restaurants proposent des poissons frais pêchés, et l'on pourra passer une nuit au calme dans une *hostería* ou une *cabaña*.

L'activité du port de Valparaíso a baissé, mais son nom, chanté dans le monde entier, reste une promesse de rêve.

SOUVENIRS, SOUVENIRS...

En explorant le vieux quartier du port, ou quartier chinois, vers la **plaza Aduana ❶**, on plonge dans le passé haut en couleur de Valparaíso. Des tavernes telles que le Yaco, le Black and White et La Nave regorgent de souvenirs du temps passé. Ce quartier est extrêmement gai et animé le soir (surtout le week-end), mais il est préférable de s'y rendre en groupe ou – mieux encore – accompagné d'un vrai *Porteño*.

À sa façon, le **cerro Concepción ❺** est aussi l'occasion d'un voyage dans le passé. Autrefois quartier résidentiel favori des Anglais, l'endroit abonde de belles maisons, de larges avenues et de splendides points de vue sur la mer. On s'y rend par l'escalier de la calle Esmeralda, à côté de l'ancien immeuble d'*El Mercurio*, un journal fondé en 1827 à Valparaíso et considéré comme le doyen de la presse chilienne.

Également à flanc de colline, **Bellavista ❻** est un quartier moins huppé mais bien plus original. Il est desservi par l'*ascensor* de la calle Molina, au-dessus de la plaza Victoria. Ses centaines de ruelles étroites et de balcons fleuris composent un spectacle étonnant. Les maisons de couleurs vives semblent tenir par miracle au bord des ravins. D'étonnantes fresques réalisées par les élèves des Beaux-Arts dans les années 1970 ornent les rues Ferrari et Pasteur. On peut s'y promener en toute sécurité : les habitants sont des gens chaleureux et accueillants, et les enfants, d'un naturel curieux, ne sont pas avares de sourires. On ne court aucun risque de se perdre, puisque la mer est toujours là pour servir de point de repère.

On peut atteindre le **cerro Polanco**, à l'est de l'avenida Argentina, par un *ascensor* (calle Simpson) qui, débouchant d'un tunnel long et étroit, s'élève à ciel ouvert ; c'est l'une des nombreuses curiosités architecturales de Valparaíso. De là, on peut continuer en direction de la mer vers le cerro Barón et le mirador Diego Portales,

Plan p. 174

Viña del Mar : tout y est prévu pour le confort et le plaisir des vacanciers.

Cartes
pp. 174
et 184

L' « ascensor »
du cerro Artillería,
à Valparaíso.

Le casino
de Viña del Mar.

puis vers le cerro Los Placeres, que domine l'imposant château Santa María, où s'est installée l'université technique du même nom.

CÔTE D'AZUR À LA CHILIENNE

À Valparaíso et sa splendeur passée s'opposent le luxe et la modernité de **Viña del Mar** ❷, qui s'est développée au nord du grand port. Forte de ses immenses plages de sable fin, Viña est axée sur le tourisme, à l'exception de quelques industries textiles, des mines et de la sidérurgie. Mais ses plages ont la triste réputation d'être les plus polluées du Chili...

La ville regorge de grands hôtels, de casinos et de restaurants chic, de boutiques de luxe et de magasins de souvenirs. Elle possède également un très beau parc, la Quinta Vergara, dessiné en 1840 et planté d'espèces rares. C'est là que tous les ans, en février, se tient le Festival international de la chanson, qui attire des milliers de connaisseurs.

Viña del Mar abrita durant dix-sept ans, la dépouille de Salvador Allende. Au cimetière Santa Inés, sa pierre tombale resta anonyme jusqu'en 1989. En 1990, ses restes furent transférés dans un mausolée du cimetière général de Santiago.

L'automne est la meilleure période pour visiter la ville, alors désertée par les touristes. Il est fort agréable de se promener sur l'avenida Perú, le long de la côte, à l'heure où le soleil couchant pare les bananiers géants de reflets mordorés. Ceux qui disposent d'une automobile pourront emprunter la route côtière en direction du nord. Elle traverse les petites localités de Reñaca, Concón, Horcón et Cachagua, aux belles plages bordées d'affleurements rocheux où viennent se percher otaries, pélicans et cormorans. On y déguste des *empanadas* aux fruits de mer ainsi que de délicieux plats à base de poisson. La plage de Zapallar, à environ 60 km de Viña del Mar, est en train de devenir une des stations balnéaires les plus chic du Chili.

SUR LES TRACES
DE PABLO NERUDA

C'est par une rue tortueuse de Bellavista, le quartier « bohème » de Santiago, que l'on accède à une modeste demeure peinte en bleu. Sa façade de pierre brute la distingue nettement des maisons avoisinantes, toutes plus chic. Dans un jardin foisonnant orné de mosaïques, des escaliers et des échelles mènent à des pièces aux parois vitrées.

Cette étrange demeure, au 192 de la calle Fernando Márquez de la Plata, c'est *La Chascona*, « la femme aux cheveux ébouriffés ». Le poète Pablo Neruda, qui reçut le prix Nobel de littérature en 1971 et mourut deux ans plus tard (l'année même du coup d'État), la fit construire pour celle qui allait devenir sa seconde épouse, Mathilde Urrutia ; il la nomma ainsi en hommage à la chevelure sauvage de sa bien-aimée.

L'auteur du *Chant général* était un fervent collectionneur de livres, de tableaux, de vins, de coquillages… et de maisons. À sa mort, il en possédait quatre : *La Chascona* (à Santiago), l'*Isla Negra* (au sud de Valparaíso), *La Sebastiana* (à Valparaíso) et la *Quinta Michoacán* (à Santiago).

Chez Pablo Neruda, l'amour de la vie et de la poésie allait de pair avec une extrême sensibilité face au dénuement de ses semblables. En 1943, il adhéra au Parti communiste. De son vivant, il dédia son œuvre à la lutte quotidienne de ses compatriotes. Mort, il leur laissait ses biens. « Neruda ne collectionnait pas les objets pour le plaisir de les posséder, mais plutôt pour les partager », explique Juan Agustín Figueroa, qui dirige la Fondation Neruda. « Il avait toujours rêvé que ses biens constitueraient un jour l'héritage du peuple chilien. »

Après la mort de Neruda, de Delia del Carril, sa première femme, et de Mathilde Urrutia, les quatre maisons du poète devaient revenir au Parti communiste chilien et être transformées en centres culturels. Mais, après le coup d'État de 1973, les biens des partis politiques furent confisqués. Des patrouilles de soldats dévastèrent plusieurs fois *La Sebastiana* et *La Chascona*. Le saccage n'empêcha pas Mathilde d'y organiser la veillée funèbre du poète, et ses funérailles constituèrent en quelque sorte la première marche protestataire contre la dictature – et la dernière avant bien longtemps. De 1973 à 1985, Mathilde et un petit groupe d'écrivains, d'artistes et de juristes livrèrent une lutte silencieuse contre la bureaucratie des militaires.

Mathilde Urrutia consacra la dernière année de sa vie à remettre en état *La Chascona*, à ordonner les livres et les papiers de son défunt mari. Après sa mort, la Fondation Neruda publia ses Mémoires et s'installa dans la maison.

L'armée avait confisqué *Isla Negra*, mais Mathilde n'abandonna jamais son droit de propriété. Après une longue lutte, le gouvernement reconnut le droit d'existence de la Fondation. Depuis la fin de la dictature, la villa a été transformée en musée permanent ; la collection de livres rares et précieux, les manuscrits, les tableaux et les objets personnels du poète que l'on est parvenu à sauver ou à récupérer y sont rassemblés. La Fondation y organise des visites, ainsi qu'à Santiago, et les chercheurs ont accès aux archives.

Les restes de Pablo Neruda et de Mathilde Urrutia reposent à Isla Negra comme l'avait souhaité le poète : devant « l'océan au printemps éternel ».

Pablo Neruda, Prix Nobel de littérature en 1971.

LE NORTE CHICO

La partie septentrionale du Chili peut être divisée en deux zones : le Norte Chico (« le Petit Nord ») et le Norte Grande (« le Grand Nord »). La première correspond aux territoires semi-arides situés au nord de Santiago. Elle a pour capitales régionales La Serena et Copiapó. La seconde est constituée par le désert qui s'étend autour d'Antofagasta et d'Iquique. De Santiago, il faut vingt heures de bus pour aller à Antofagasta et une trentaine pour se rendre à Iquique. Il va sans dire que la plupart des voyageurs optent pour l'avion.

C'est dans le Nord que s'installèrent, au début du Xᵉ siècle, les Indiens Diaguitas, originaires des Andes, dont la civilisation se développa jusqu'à l'arrivée des Incas cinq siècles plus tard. Ils produisaient du maïs et d'autres végétaux en fonction de l'altitude. Ils avaient élaboré un système de culture en terrasses et construit des fortifications afin de se protéger de leurs voisins. Les poteries qu'ils utilisaient comptent parmi les plus originales des Amériques, et de nombreux objets décoratifs chiliens s'inspirent des motifs noirs, blancs et rouges caractéristiques de cette culture. Les musées archéologiques de La Serena et d'Ovalle en exposent quelques très belles pièces.

Le Norte Chico constitue une zone de transition entre les vallées fertiles du centre et le désert d'Atacama, où l'agriculture n'est possible que dans quelques villages oasis. Entre le río Copiapó et le río Loa, qui longe la mine de cuivre de Chuquicamata avant de se jeter dans le Pacifique au nord de Tocopilla, tous les cours d'eau s'évaporent avant même d'atteindre l'océan. À partir de là, les Andes se divisent en deux chaînes parallèles qui enserrent un bassin dans lequel les eaux issues de la fonte des neiges andines ont formé d'immenses *salares* (« salines »), présents dans tout le Nord, jusqu'en Bolivie. Ces gigantesques lacs salés sont très riches en lithium, en potassium et en borax, des matières premières utilisées couramment dans l'industrie. Au printemps, il arrive que la dépression longitudinale qu'emprunte la Panaméricaine se couvre d'une intense végétation, ce qui forme un spectacle exubérant et coloré. Mais ce phénomène, nommé *desierto florido*, ne se produit qu'une fois tous les cinq ou dix ans, lorsqu'il a plu durant l'hiver.

EN SUIVANT LA CÔTE

Au nord de Santiago, la végétation de la vallée centrale, de type méditerranéen, le *matorral*, alterne avec le *jaral*, une steppe de cactées et d'épineux. Les villages se raréfient et l'on voit de moins en moins de terrains clôturés et d'haciendas. La Panaméricaine descend vers le littoral, émaillé de petites stations balnéaires. De longues plages désertes se déploient au pied de hautes falaises. Les localités de **Pichicuy** (*pichi* veut dire petit, en mapuche) et **Pichidangui** ❸ s'agrémentent de belles étendues de sable où viennent se

Carte p. 184

Santiago

À gauche, la Laguna Verde, sur l'Altiplano ; ci-dessous, une femme à sa récolte.

Le Norte Chico est surnommé « pays des dix mille mines ». S'y offre un étonnant contraste entre des étendues désertiques qui recèlent des minerais divers et de riantes vallées qui se consacrent à une riche agriculture. Et comme partout ailleurs au Chili, on peut admirer de magnifiques panoramas sur la cordillère des Andes.

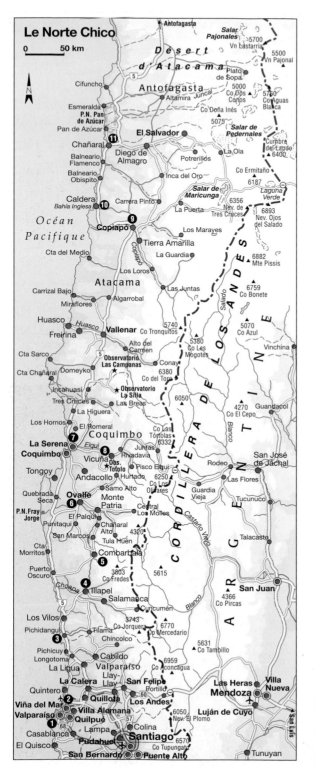

Le Norte Chico

briser d'énormes rouleaux. Entre les deux villages, dans le bourg de Los Molles, une réserve ornithologique attire de nombreux amateurs. On peut aussi y visiter des jardins de pierre et des grottes sous-marines. Au nord de Los Molles, la **Silla del Gobernador** (« chaise du gouverneur ») est la plus haute falaise marine de la cordillère littorale (695 m). Elle est visible de Valparaíso par temps clair.

Quelques kilomètres plus loin, un embranchement conduit à la petite ville touristique de Los Vilos, à 224 km de Santiago. Les restaurants de fruits de mer y côtoient les ateliers des sculpteurs qui travaillent le *guayacán*, un bois résistant, autrefois très abondant dans la région.

À 140 km au nord, après la ville de Socos, une petite route de 20 km relie la Panaméricaine au **Parque Nacional Fray Jorge**, enclave forestière étonnamment verte au milieu d'étendues arides. Cet îlot végétal a pu se développer grâce à la condensation de la brume océanique arrêtée par une colline. La végétation y est luxuriante (cactus, fougères et lianes) et on y trouve soixante espèces d'oiseaux, et en particulier des oiseaux-mouches géants.

À mi-chemin entre le parc et Coquimbo-La Serena, les plages de **Tongoy**, formées de débris très fins de coquilles de conques, figurent parmi les plus belles du Chili.

Coquimbo (63 000 habitants) abritait, en 1854, la plus grande raffinerie de cuivre du monde. Son port a conservé une importante activité, surtout à la période des exportations de fruits. Certains édifices s'ornent de sculptures en bois très ouvragées. On les doit à des artisans étrangers, que l'on fit venir à l'époque du boom minier, car les artisans locaux n'étaient pas suffisamment nombreux pour faire face à la demande de constructions nouvelles. On importa du pin de l'Oregon et une variété de bambou très robuste et de grande taille en provenance de l'Équateur, que l'on pouvait raboter pour en faire une surface solide.

Ces matériaux, souples et résistants, furent en particulier utilisés pour bâtir les églises de la région. Bien que dotées d'un campanile central très élevé, la plupart d'entre elles résistèrent ainsi à de nombreux tremblements de terre.

LA SERENA, LA BIEN NOMMÉE

La Serena ❼, à 473 km de Santiago, est célèbre pour son climat agréable et sa douceur de vivre. Elle est d'ailleurs en passe de supplanter Viña del Mar comme lieu de villégiature préféré des Chiliens.

Fondée en 1544 par Juan Bohón, un lieutenant de Pedro de Valdivia, elle était destinée à servir de relais entre le Pérou et le nouveau territoire sur lequel les Espagnols avaient jeté leur dévolu. Aussi vit-elle surgir dès le début de l'époque coloniale d'innombrables auberges destinées à accueillir les voyageurs. Par ailleurs, les communautés religieuses construisirent des maisons pour héberger leurs missionnaires en route pour le Sud. La ville compte encore une trentaine d'églises, dont les plus anciennes présentent de remarquables façades en pierre. L'une des plus belles est l'église San Francisco, calle Balmaceda, dont la façade baroque date de la fin du XVIᵉ siècle et dont les murs ont plus d'un mètre d'épaisseur. Elle abrite le **Museo Colonial de Arte Religioso** où l'on peut voir exposées des œuvres des écoles de Cuzco et de Quito.

La découverte des filons d'argent et de cuivre, en 1825, favorisa l'essor de la ville. Chaque famille de l'oligarchie terrienne des vallées voisines y avait alors sa résidence. La période coloniale et celle du boom minier ont vu s'édifier des demeures somptueuses, que l'on peut admirer en flânant dans les calles Balmaceda, Gilberto, Providencia et Carmona, autour de la plaza de Armas.

Dans les années 1950, un enfant du pays, le président Gabriel González Videla, a favorisé l'éclosion du style néocolonial, qui donne à la ville une réelle unité. Sa demeure, située au

Carte p. 184

Le pisco est l'une des spécialités du Norte Chico.

La vaste plage de La Serena fait concurrence à celles de Viña del Mar.

n° 495 de la calle Matta, est inscrite au patrimoine national et abrite un petit musée.

Le **Museo Arqueológico**, calle Cordovez, possède une riche collection d'objets de la culture diaguita, en particulier des spécimens de poteries ornées de figures géométriques, anthropomorphes ou zoomorphes, noir et blanc sur fond rouge. On se procure des copies de ces céramiques au marché de la Recova et chez les artisans du quartier de Compañías.

L'avenida Francisco de Aguirre conduit au front de mer et à l'immense plage de sable fin de Peñuelas, en passe de détrôner Viña del Mar.

LES RICHES VALLÉES TRANSVERSALES

On peut aussi rejoindre La Serena et la vallée de l'Elqui en passant par l'intérieur des terres. Peu après Los Vilos, on quitte la Panaméricaine en direction de la vallée du río Choapa et d'**Illapel** ❹ (à 57 km de là), son chef-lieu. Comme beaucoup de villes du Nord, Illapel a connu un boom minier suivi d'une crise, avant de se tourner à nouveau vers l'agriculture.

Dans le centre et sur la route de Salamanca subsistent quelques demeures du XIXᵉ siècle. Les haciendas traditionnelles étaient bâties en adobe autour d'un patio surmonté de balcons auxquels on accédait par un escalier en bois. Cette architecture était conçue pour faire obstacle à la chaleur.

Toute cette zone géographique, dans l'ensemble aride et montagneuse, est creusée de vallées étonnamment vertes et de rivières qui font le grand bonheur des pêcheurs de truites. La culture de la vigne et celle des fruits exotiques destinés à l'exportation constituent la richesse de la région. À partir d'Illapel, vers **Combarbalá** ❺ (73 km), l'ancienne route nord-sud, suit et prolonge le tracé de la « route de l'Inca », qui reliait Arequipa, au Pérou, à Copiapó. Elle grimpe à la verticale dans la montagne, dans une zone où le Chili n'est qu'une étroite bande

Paysanne aymara près de la frontière bolivienne.

de terre de 80 km de large. D'en haut, juste avant Combarbalá, on a une vue splendide sur les sommets enneigés de la cordillère.

Les *pirquineros* (mineurs indépendants) sont très nombreux dans cette région dont le sol, teinté de rouge et de vert, trahit la présence de cuivre. La place centrale de Combarbalá s'orne de dessins géométriques qui s'inspirent des motifs diaguitas. Les artisans locaux sculptent des églises miniatures, des œufs et diverses figurines en *combarbalita* (pierre blanchâtre qui ressemble à du marbre).

De Combarbalá, il est possible de continuer vers Ovalle, ou d'emprunter la route qui prend vers l'est et mène à Monte Patria, en suivant le cours du río Guatulame. Les meilleures vignes de la région se trouvent près d'El Palquí, où des centaines d'hectares irrigués s'accrochent à flanc de coteau.

De Monte Patria, une piste remonte le cours du río Grande jusqu'au village de **Las Ramadas**. Dans les collines environnantes est exploitée l'une des deux seules mines de lapis-lazuli du monde (l'autre se trouve en Afghanistan). Cette pierre semi-précieuse, très prisée, offre son bleu intense parfois veiné à des bijoux et à de nombreux objets décoratifs qui sont en vente dans tous les centres artisanaux du pays.

En continuant vers le nord, on traverse la vallée du Limarí, dans laquelle se blottit la ville d'**Ovalle** ❻ (74 000 habitants). Cette zone agricole dépendait autrefois de La Serena. Mais les récents progrès de l'irrigation ont permis d'exploiter des terres où l'on cultive du raisin pour l'exportation, ce qui a créé une nouvelle prospérité. La vallée produit aussi des quantités importantes du traditionnel pisco (les distilleries se visitent les jours ouvrables).

LA RÉGION D'OVALLE

À 19 km au sud-ouest d'Ovalle, le **valle del Encanto** (la « vallée enchantée »), creusé par le río Limarí, déploie ses trésors archéologiques. Ce site, classé monument national, renferme les vestiges d'une civilisation qui, il y a deux mille ans, vivait de la chasse et de la cueillette. Mais la plus grande partie des objets appartiennent à la culture El Molle (700 ans apr. J.-C. environ). C'est également là que se trouvent les pétroglyphes, des figures zoomorphes et anthropomorphes sculptées à flanc de colline ou gravées dans les rochers au ras du sol. Ce sont les plus méridionaux du continent américain. Malheureusement, quelques-uns des plus intéressants ont été extraits de leur site et sont désormais exposés dans des musées européens.

À une trentaine de kilomètres au nord d'Ovalle, les amateurs de sports nautiques fréquentent en grand nombre la retenue de **Recoleta**. De la route, on aperçoit en contrebas le confluent du río Grande et du río Hurtado.

Si l'on quitte Ovalle vers l'est en direction de la Cordillère, on arrive au **monument naturel de Pichasca**, constitué d'immenses formations rocheuses et de troncs d'arbre pétrifiés. La plupart des villages qui jalonnent la route sont d'anciens avant-

Carte p. 184

Dans le Parque Nacional Pan de Azúcar.

Le pisco sour étant un cocktail un peu traître, on le consommera avec modération.

Le pisco sour est un cocktail qui se boit très frais. Dans un shaker, verser le jus du citron, quelques cuillerées de sucre en poudre et le pisco (un bon verre et demi par citron pressé). Ajouter le blanc d'œuf monté en neige, de la glace pilée et bien agiter avant de déguster.

postes incas. La piste qui traverse la montagne jusqu'à Vicuña offre une vue superbe sur les Andes et sur la **vallée de l'Elqui.**

AU PAYS DE GABRIELA MISTRAL

Vicuña ❽, gros bourg de 13 000 habitants bâti en adobe, abrite le **Museo Gabriela Mistral**. C'est ici que la grande poétesse chilienne naquit, en 1889. Curieusement, de nombreuses sectes ésotériques ont élu domicile à Cochiguaz, dans les collines environnantes, attirées par la grande pureté du ciel austral et surtout la conviction que cette partie du désert est un centre d'énergie mystique.

À 18 km au sud-est de Vicuña se trouve le village de Monte Grande, où grandit Gabriela Mistral (*voir p. 190*). La poétesse vivait dans l'édifice qui servait à la fois d'école et de bureau de poste, et où sa sœur était institutrice. Sa maison a été transformée en musée où sont exposés divers objets lui ayant

Près de Vicuña, les terres riches et irriguées produisent des fruits pour l'exportation.

appartenu : son bureau, sa bibliothèque, ainsi qu'un buste et une reproduction en adobe de son village natal. Monte Grande abrite également le mausolée où elle repose.

De Vicuña, on rejoint la ville de La Serena (148 000 habitants), située à 55 km, par la fertile vallée de l'Elqui, que les Chiliens comparent au paradis.

LA TÊTE DANS LES ÉTOILES

Entre La Serena et **Copiapó** (334 km), la Panaméricaine s'enfonce à nouveau dans l'intérieur des terres ; çà et là, des chemins cahoteux la relient à la côte, distante d'une cinquantaine de kilomètres. Les amateurs de tourisme industriel peuvent aller visiter à Compañías les anciennes fonderies Lambert, du nom d'un Alsacien qui fit fortune dans l'industrie du charbon au XIXe siècle. À une soixantaine de kilomètres au nord se trouve le site d'El Tofo où, de 1914 à 1960, la compagnie Bethlehem Steel exploita le plus grand gisement de fer du monde. On peut

aujourd'hui parcourir ce qui reste des anciennes installations à ciel ouvert. Au sommet du **cerro El Tofo** a été mise en place une innovation unique en son genre pour produire de l'eau en un lieu où elle fait cruellement défaut : des filets dressés à flanc de colline captent la *camanchaca* (brume marine) et la condensent. L'eau potable est ensuite acheminée vers un réservoir qui pourvoit aux besoins des habitants de Caleta Chungungo.

Cette partie du Chili est le site de prédilection des astronomes dans l'hémisphère Sud grâce à des conditions atmosphériques exceptionnelles, car la distance qui la sépare des grandes agglomérations la met à l'abri de toute pollution lumineuse. Et son ciel est dégagé trois cents nuits par an (contre deux cent seize au mont Palomar, en Californie).

De la route, comme du cerro Grande à La Serena, on aperçoit les coupoles des observatoires internationaux du Tololo, de La Silla et de Las Campanas. El Tololo, l'un des plus importants du monde, se trouve près de Vicuña, à 88 km à l'est de La Serena, et à 2 200 m d'altitude. Cet observatoire panaméricain est géré par l'Association des universités pour la recherche en astronomie (Aura). Son téléscope de 4 m a longtemps été le plus grand de l'hémisphère Sud. Il est désormais supplanté par celui du cerro Paranal (8 m), au sud d'Antofagasta. Les trois observatoires se visitent sur rendez-vous.

À mi-chemin entre La Serena et Copiapó, à 50 km au nord de Huasco, un nouveau parc a été créé en 1994 : le **Parque Nacional Llanos de Challe**. On y trouve la rare *garra de león*, une magnifique fleur endémique du Chili, en voie de disparition, et de superbes cactus. C'est là que l'on peut admirer, si l'on est patient (cela peut prendre plusieurs années) les plus spectaculaires *desiertos floridos*.

LA RÉGION DE COPIAPÓ

Copiapó ❾ (126 000 habitants), la capitale régionale, est devenue le

Carte p. 184

L'arche naturelle de La Portada est un symbole de la région.

L'observatoire d'El Tololo, près de Vicuña.

Le buste de Gabriela Mistral, dans le musée de Vicuña.

centre national de production du raisin, grâce à l'apport de gros volumes de terre arable et à d'importants investissements en matière d'irrigation. Le jeu en valait la chandelle puisque ces fruits sont les premiers à mûrir et à garnir les tables nord-américaines au moment de Noël.

Bien que fondée au XVIIIe siècle, Copiapó est une ville typique du XIXe siècle. Sa prospérité a pour origine la découverte de mines d'argent. Son **musée minéralogique** est le plus intéressant de tout le Chili.

De Copiapó, la route rejoint la mer à **Caldera** ❿, dont la plage, ainsi que celle de **Bahía Inglesa**, très fréquentées l'été, sont considérées comme les plus belles du Nord. Entre Caldera et Chañaral, la route est jalonnée de nombreux lieux de baignade. Pendant plus de soixante ans, le port de **Chañaral** ⓫ a été gravement pollué par les résidus de la mine de cuivre d'El Salvador, charriés par le río Salado. Mais, après une action en justice menée par les habitants, qui a

aujourd'hui valeur d'exemple dans le monde entier, la compagnie Codelco fut contrainte d'assurer le respect de l'environnement. Les eaux toxiques sont désormais acheminées vers un site de stockage situé dans le désert.

À 30 km au nord de Chañaral s'étend, entre désert côtier et Cordillère, le **Parque Nacional Pan de Azúcar**, réserve naturelle de 44 000 ha. En bordure de mer vivent des pingouins, des loutres, des lions de mer et des phoques, ainsi que de nombreuses espèces d'oiseaux marins. Plus en altitude, au milieu d'une grande variété de cactus, vivent renards et guanacos.

DÉCOUVERTE DES « SALARES »

À partir de Copiapó, on peut organiser une excursion vers l'est à travers le désert pour se rendre à la **laguna Verde** (265 km), une superbe promenade, à condition de prendre quelques précautions élémentaires : emporter des vêtements chauds, beaucoup d'eau

GABRIELA MISTRAL

Après avoir enseigné quelque temps, Gabriela Mistral devint diplomate et voyagea beaucoup. C'est à cette période qu'elle commença à écrire. Elle choisit comme pseudonyme la combinaison des noms de deux poètes qu'elle admirait, D'Annunzio et Mistral.

Peu reconnue dans son propre pays (elle reçut le prix littéraire chilien en 1951, six ans après avoir obtenu le prix Nobel), considérée comme une excentrique tout au long de sa vie, elle ne trouva jamais grâce aux yeux de l'élite littéraire chilienne.

Si sa maison natale, à Vicuña, est aujourd'hui inscrite au patrimoine national, la poétesse demeure une figure plus austère que populaire. Son premier recueil de poèmes, publié à New York, s'intitulait *Désolation*. Ses thèmes de prédilection sont l'exil, la séparation, la difficulté de vivre un amour romantique dans un monde régi par un dieu vengeur.

Alors que Pablo Neruda, lui aussi prix Nobel, est une figure familière, très présente dans l'esprit et dans les conversations des Chiliens, qui font fréquemment référence au poète et à son œuvre, Gabriela Mistral occupe une place beaucoup plus lointaine au panthéon des arts. Elle se disait « femme, Elquine, Chilienne et Américaine ».

et des provisions ; se déplacer si possible à deux voitures équipées d'un moteur robuste ; enfin, avant le départ, rendre visite aux *carabineros* pour leur indiquer l'itinéraire et la durée de l'excursion.

À mi-chemin, un nouveau parc a été créé, le **Parque Nacional Nevado Tres Cruces**. Il occupe une superficie de 61 000 ha et s'organise en deux secteurs. Le premier, laguna Santa Rosa, s'étend autour du lac du même nom et inclut le **salar de Maricunga**. Le second, plus petit, se nomme laguna del Negro Francisco. Il se compose lui aussi de deux zones : en altitude, la laguna Dulce (« lagune d'eau douce »), dont les eaux moins salées offrent aux flamants un festin de plancton. La laguna Salada (« lagune salée ») est colonisée par des crustacés.

Pas moins de huit mille oiseaux s'installent dans le parc pour passer l'été. En toile de fond se détachent les crêtes andines et le capuchon blanc de l'**Ojos del Salado** (6 893 m), que les Chiliens ont longtemps pris pour le plus haut volcan du monde. Les Argentins, eux, ont toujours prétendu qu'en fait, le plus élevé est l'Aconcagua (6 959 m) qui se dresse sur leur territoire. Les progrès accomplis dans les techniques de mesure leur ont donné raison.

L'*hostería* qui se trouve tout près de la laguna Verde est un point de départ idéal pour les alpinistes.

À première vue, le lac aux teintes émeraude semble dépourvu de vie aquatique, mais une colonie de flamants roses y a élu domicile, et, de temps à autre, on les voit plonger le bec entre les rochers pour y dénicher leurs proies favorites.

En 1536, l'explorateur et conquérant Diego de Almagro eut la malencontreuse idée d'emprunter ce chemin. Au cours d'une longue marche de 800 km, ses hommes endurèrent les souffrances les plus terribles, dans des conditions atmosphériques extrêmes. La moitié d'entre eux, ainsi que leurs chevaux périrent de froid au passage des cols.

Carte p. 184

Une femme surveille son troupeau.

CHUQUICAMATA

Vers la fin du XVᵉ siècle, les Incas introduisirent dans la région les techniques agricoles et métallurgiques en usage au Pérou. Par la suite, les colons espagnols se regroupèrent dans les oasis, travaillant, à l'occasion, dans les mines d'or et d'argent, au gré des découvertes. Ce début d'activité minière annonçait l'ère industrielle qui s'ouvrit après l'indépendance. Autour de Copiapó, les mines, pour l'essentiel aux mains de propriétaires et d'exploitants chiliens, allaient donner naissance à une nouvelle élite industrielle et commerçante.

L'exploitation intensive du sous-sol entraîna l'essor du chemin de fer. La région vit apparaître les premières voies ferrées non seulement du Chili, mais aussi de toute l'Amérique latine.

Au milieu du XIXᵉ siècle, le Norte Chico était devenu le centre économique, intellectuel et culturel du pays ; la plupart des grandes familles y possédaient des intérêts industriels, qui complétaient les revenus de leurs domaines agricoles. La région a été le terreau dans lequel se sont développées les idées libérales en réaction contre la politique conservatrice du président Manuel Montt. Et c'est à Copiapó que deux industriels fondèrent le Parti radical chilien, en 1862.

UNE RÉGION EXCENTRÉE

Éloigné de la capitale et possédant peu d'infrastructures de transport, le Nord est toujours apparu comme une destination lointaine, réservée aux aventuriers. C'est aussi là qu'échouaient les indésirables dont les régimes politiques souhaitaient se débarrasser.

Au fil des siècles, les petits paysans et péons du Sud ont survécu en s'accommodant tant bien que mal des éléments. Les gens du Nord (prospecteurs solitaires ou mineurs occasionnels) n'ont cessé de lutter. Mais, tandis que les paysans du Sud courbaient l'échine sans remettre en question le principe de leur servitude devant leurs tyranniques patrons, les

mineurs du Nord découvraient la lutte des classes.

C'est dans le Nord, en effet, que naquit la gauche chilienne, l'une des plus déterminées de toute l'Amérique latine. Car c'est là, en l'absence de classe moyenne et en dehors de la zone d'influence des « grandes familles », que le travailleur se trouvait seul face à l'entreprise. Les compagnies minières s'installaient dans les « pampas » désertiques, construisaient les logements, approvisionnaient les magasins, décidaient qui travaillait, pendant combien de temps, pour quel salaire et de quelle manière ce salaire devait être dépensé. Car, bien souvent, la rémunération se faisait en bons valables dans le seul périmètre de la compagnie.

Les idéaux marxistes trouvèrent un terrain favorable dans les mines chiliennes. L'antagonisme entre les classes sociales fut scellé par le massacre de Santa María de Iquique, en 1907 (voir p. 45). Dans cette ville isolée au bord du Pacifique, les troupes

Carte p. 202

À gauche, la mine de Chuquicamata ; ci-dessous, un mineur, équipé contre la pollution.

Le nom de Chuquicamata vient de celui d'un peuple indien, les Chucos, ou Chuquis, spécialisés dans l'extraction et la transformation des métaux. La mine à ciel ouvert produit chaque année 650 000 t de cuivre et elle emploie dix mille salariés. Ceux-ci acceptent des conditions de travail inhumaines en échange d'une rémunération plus forte que partout ailleurs au Chili.

Monument érigé en l'honneur des mineurs.

C'est dans les mines du Nord que prit naissance un mouvement ouvrier très actif.

gouvernementales ouvrirent le feu sur des grévistes réunis avec leurs familles dans une école, faisant près de deux cents morts. Enfin, lors des élections de 1989, les candidats des partis communiste et socialiste remportèrent une part importante de leurs suffrages dans le Nord, malgré la sévère répression dont les « gauchistes » faisaient l'objet sous le régime du général Pinochet.

LE BERCEAU DU SYNDICALISME

Tributaire de l'activité minière, le nord du Chili a toujours subi les fluctuations des cours mondiaux fixés à Londres et à New York. Au début du XIXᵉ siècle, des centaines de petites mines de cuivre et d'argent furent exploitées. Quelques décennies plus tard, à l'issue de la guerre du Pacifique, le Chili prit possession des territoires du Nord, riches en nitrate. Le boom minier fit du pays un monoproducteur. Les richesses minérales représentèrent rapidement plus de la moitié des exportations.

Mais le miracle ne dura pas : la Première Guerre mondiale et la découverte, par la firme allemande Bayer, d'un nitrate synthétique en 1917 marquèrent la fin de la ruée vers l'or blanc et signèrent l'arrêt de mort des villes du nitrate (*voir p. 197*). De même que l'essor de cette industrie avait attiré dans le Nord une main-d'œuvre importante, la crise qui s'ensuivit provoqua le reflux vers le Sud de milliers de chômeurs. Sous l'influence de cette classe ouvrière pétrie d'idéaux démocratiques furent votées, sous la présidence d'Arturo Alessandri, des réformes sociales en faveur des travailleurs. En quelques décennies, le Chili avait vu naître un prolétariat industriel conscient de ses droits et capable d'exprimer ses revendications. À plusieurs reprises, ce prolétariat se heurta à la classe dirigeante. Aussi, au moment du coup d'État de 1973, l'armée organisa une « Caravane de la mort » dans le nord du pays, pour exécuter certains prisonniers politiques et décourager toute velléité de résistance dans la région.

LA PLUS GRANDE MINE À CIEL OUVERT

De la route de Calama, on aperçoit d'abord la fumée qui s'échappe des installations de Chuquicamata. Puis on découvre les immenses terrils qui viennent rompre la monotonie du désert. Mais c'est seulement une fois sur place que l'on mesure les vraies dimensions de la plus grande exploitation à ciel ouvert du monde. Le complexe minier comprend deux sites d'extraction de cuivre, une raffinerie, une fonderie et une ville de seize mille habitants avec ses logements, ses commerces, ses écoles, une église, un hôpital, etc.

Chuquicamata, à 3 000 m d'altitude, est une vaste fosse qui s'approfondit par gradins successifs, à coups de dynamite. Là, de gigantesques camions-bennes de 12 m de long et de 7 m de large acheminent le minerai jusqu'aux usines de transformation. Des camions ordinaires, qui, par comparaison, ressemblent à de minuscules insectes, arrosent les pistes avant leur passage pour limiter l'usure des pneus géants (près de 4 m de diamètre) : ils valent en effet la modique somme de dix mille dollars pièce. Ces camions sont équipés d'un mât surmonté d'un fanion pour signaler leur présence aux conducteurs des mastodontes, assis à 6 m du sol (la hauteur d'une maison de deux étages).

Après la phase d'extraction, le minerai doit subir une série d'opérations qui permettent de le séparer de sa gangue stérile, de le concentrer et de récupérer différents sous-produits. Il est déversé dans un concasseur qui le réduit en gravier et subit ensuite un broyage humide qui le transforme en une pâte plus facile à manipuler. Dans des cellules de flottaison, on ajoute à cette pâte des réactifs chimiques, puis on injecte de l'air et on agite le tout pour séparer les mousses riches en métal de la boue stérile. Après épaississement, filtrage et séchage, le concentré obtenu, qui contient 36 % de cuivre, passe dans plusieurs fours pour être coulé sous forme de plaques (anodes) de cuivre blister pur à 99,3 %.

Carte p. 202

La mine à ciel ouvert de Chuquicamata a la forme d'une ellipse de 4,5 km sur 2,5 km, et elle affiche une profondeur de 680 m.

Carte
p. 202

*Des armoiries
figurant sur un
train destiné au
transport du
nitrate, à Iquique.*

*À Chuquicamata,
on extrait le cuivre
et on le traite.*

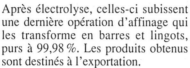

Après électrolyse, celles-ci subissent une dernière opération d'affinage qui les transforme en barres et lingots, purs à 99,98 %. Les produits obtenus sont destinés à l'exportation.

Le minerai brut contient des métaux associés tels que le molybdène, l'or et l'argent, que l'on récupère, ainsi que d'autres substances beaucoup plus nocives. La roche extraite contient du soufre et de l'arsenic.

Depuis peu, une partie du soufre est convertie en acide sulfurique (destiné à l'électrolyse du cuivre), mais le personnel ne peut se protéger complètement des poussières et des vapeurs délétères. Selon les syndicats, plus d'un ouvrier sur trois est intoxiqué par les particules d'arsenic, de même que la zone environnante, y compris les réserves d'eau d'Antofagasta. On raconte l'histoire d'un retraité de la mine qui, lors d'un voyage en Espagne, mourut subitement. Sa femme fut soupçonnée de meurtre car le médecin légiste avait trouvé de fortes concentrations d'arsenic dans le sang du défunt.

*Dans la mine
de cuivre de
« Chuqui »,
tout est
gigantesque :
les excavations,
les machines
qui les
creusent,
les camions
de 400 t
qui tournent
inlassablement,
juchés sur leurs
roues de 4 m
de diamètre,
les bâtiments
de retraitement
du minerai,
les hangars
grands
comme des
cathédrales.*

Si les problèmes d'environnement sont mieux pris en compte que sous la dictature, les responsables politiques peuvent difficilement prendre des mesures draconiennes tant que la mine de Chuquicamata sera vitale pour l'économie nationale. En effet, Codelco Chile (Corporación Nacional del Cobre, la compagnie chilienne du cuivre), à qui elle appartient, produit les trois quarts du cuivre du Chili : 1,600 000 t, dont près 650 000 t proviennent de Chuquicamata. Le cuivre représente 40 % des marchandises exportées, bien que le pays s'efforce de diversifier sa production.

La teneur moyenne des gisements ne cesse de diminuer, mais elle reste assez élevée par rapport à la moyenne mondiale. Pour obtenir la même quantité de cuivre, on doit extraire et traiter des volumes de plus en plus importants, ce qui produit plus de pollution. D'autre part, Chuquicamata ne cesse de s'étendre et d'empiéter sur le *campamento* où résident les mineurs et leurs familles. Ceux-ci sont donc obligés d'aller s'installer dans la ville-dortoir de Calama, à 18 km de là.

En 1971, un vote unanime du Congrès permit au président Allende de nationaliser cette industrie. Après le coup d'État de 1973, les militaires dédommagèrent les entreprises américaines expropriées mais ne purent rendre les mines au secteur privé. En 1976 fut créée l'entreprise publique Codelco Chile. Compte tenu de l'importance de l'industrie du cuivre dans l'économie chilienne, les salariés de Codelco pèsent lourd dans la balance politique du pays. Les mineurs du cuivre occupent une place à part et bénéficient de salaires et d'avantages plus importants que les ouvriers des autres secteurs.

Certes, ils ne sont pas tous logés à la même enseigne, d'autant que Codelco confie un nombre croissant d'activités à des entreprises de sous-traitance afin de réduire ses coûts. Quoi qu'il en soit, la ville de Calama est remplie de solides gaillards au teint buriné qui, devant un verre de bière ou un plantureux repas, viennent dépenser une infime partie de l'incroyable richesse produite par Chuquicamata.

LES VILLES FANTÔMES

L'effondrement du cours du salpêtre, à la fin de la Première Guerre mondiale, fut si brutal que les cités minières, privées de leur unique source de revenus, se vidèrent du jour au lendemain de leurs habitants. Parmi elles, Humberstone et Santa Laura, qui sont inscrites au patrimoine national. À la fin des années 1960, on pouvait encore apercevoir un wagon abandonné depuis un demi-siècle avec sa cargaison, près de la mine de Santa Laura, non loin d'Iquique. À l'origine, les exploitations minières portaient le nom d'*oficinas*, par allusion aux comptoirs où les mineurs vendaient le minerai qu'ils venaient d'extraire. N'importe qui pouvait alors s'improviser mineur : il suffisait de creuser la terre pour en extraire le *caliche* (nitrate de sodium) qui affleurait à la surface et de le concasser. Vers 1850, on mit au point de nouvelles techniques qui permettaient de traiter du minerai moins riche (30 %), mais qui supposaient la mise en place d'installations permanentes. C'est ainsi qu'apparurent de véritables villes minières. On les repère à leurs immenses terrils aplatis appelés *tortas de ripios* (« galettes de résidus »).

La mieux préservée est celle d'**Humberstone**, à 45 km à l'est d'Iquique. Ainsi nommée en hommage à Santiago Humberstone, propriétaire minier et ingénieur chimiste qui fut à l'origine de nombreuses découvertes, elle abrita jusqu'à 5 000 habitants. Quelques *tamarugales* (les seuls arbres qui poussent dans le désert) ornent la place, et les sièges de l'ancien théâtre municipal sont encore intacts. Luxe suprême, l'endroit possédait une piscine en métal surmontée d'un auvent en bambou. Sur des dizaines d'hectares se succèdent ateliers et maisons désormais livrés à la poussière et au vent du désert.

Lorsqu'on déambule dans ce décor de western, on est en proie à un sentiment étrange : c'est comme si les habitants, surpris par une invasion armée, venaient juste de s'enfuir. L'ambiance qui s'en dégage est semblable à celle du film que le réalisateur chilien Leonardo Kocking y tourna en 1987, *La estación del regreso* (*La Gare du retour*). Tout près d'Humberstone, Santa Laura abrite une usine de transformation et un complexe administratif en parfait état.

De la route qui va d'Antofagasta à Calama, juste après Carmen Alto, on aper-

Santa Laura, abandonnée du jour au lendemain. Grâce à la qualité de l'air, les vestiges de la cité minière se sont conservés intacts.

çoit l'**Oficina Chacabuco** et la gare de chemin de fer de Salinas. Le site comportait une usine de distillation d'eau, aujourd'hui abandonnée ; construite en 1872, elle fut la première installation industrielle à fonctionner à l'énergie solaire. Des autres *oficinas* ne subsistent que les murs des maisons, construites avec les déblais des mines.

Les seules exploitations de nitrate encore en activité, **Pedro de Valdivia** et **María Elena**, se trouvent de part et d'autre du salar del Miraje, au sud-est de Tocopilla. Elles appartiennent à la Soquimich (Sociedad química y minera de Chile), entreprise d'État privatisée sous la dictature.

Le marché du nitrate a trouvé un second souffle avec la revalorisation mondiale des engrais naturels ; de plus, on commercialise l'iode obtenu à partir du minerai. Le procédé utilisé permet de traiter à moindre coût des minerais de basse teneur (7 %). Cette méthode est appelée « système Guggenheim », du nom des investisseurs américains qui furent un temps propriétaires de la mine de Chuquicamata – c'est également eux qui fondèrent le célèbre musée new-yorkais.

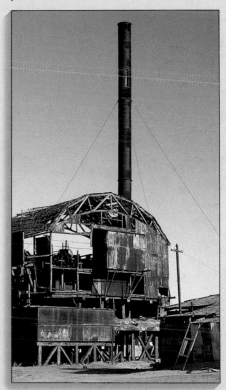

LE NORTE GRANDE

De Copiapó à Arica (1 270 km) s'étend le désert des déserts, celui d'Atacama, situé dans une zone de hautes pressions permanentes. Le courant froid de Humboldt et la présence d'une double barrière montagneuse empêchent la formation de précipitations. Depuis les débuts de la présence européenne, on n'a jamais enregistré la moindre goutte de pluie dans la région. La sécheresse exceptionnelle de l'atmosphère a permis la conservation de quantité de trésors archéologiques, comme les géoglyphes ou les momies d'Atacama, antérieurs de plusicurs milliers d'années à celles des déserts égyptiens. La transparence de l'air y est extraordinaire. Ce désert, très différent de ceux d'Afrique, ne se compose pas de dunes, mais de vastes plaines aux couleurs minérales, ponctuées par l'ocre des massifs déchiquetés et le vert acide des oasis.

Bien qu'inhospitalier, ce désert a depuis toujours attiré les chercheurs d'or et autres métaux, à commencer par les Incas. Plus tard, l'exploitation se rationalisa autour des *oficinas*, villes créées do toutes pièces autour d'un comptoir où les mineurs pouvaient vendre leur production.

La mise en œuvre d'importants moyens logistiques est depuis toujours indispensable pour assurer l'approvisionnement en eau de ce désert. Certaines techniques, utilisées pour capter le plus d'humidité possible, datent du XVIIIᵉ siècle. L'usine de dessalement d'eau de mer construite en 1872 à Carmen Alto, à 100 km environ d'Antofagasta, fut la première application industrielle de l'énergie solaire au Chili. Aujourd'hui encore, des sommes énormes continuent à être investies dans des canalisations impressionnantes, de véritables pipelines destinés à acheminer l'eau de la Cordillère vers les agglomérations du littoral et les très gourmands centres miniers.

Ce détournement se fait malheureusement au détriment des populations andines, qui sont contraintes de se déplacer au fur et à mesure que leurs réserves d'eau s'épuisent. Mais le sous-sol, d'une richesse incommensurable, continue d'attiser les convoitises et les espoirs. Et si beaucoup de Chiliens y ont laissé leur vie, un certain nombre d'autres y ont bâti d'immenses fortunes.

LA CAPITALE DU DÉSERT

Antofagasta (296 000 habitants) ❶ est la cinquième ville du Chili et le plus grand centre urbain du désert. C'est aussi le principal port d'exportation du minerai de cuivre en provenance des immenses mines de Chuquicamata et de La Escondida (cette dernière, ouverte en 1991, est financée par des capitaux britanniques, japonais et australiens). Antofagasta fut fondée en 1850. En 1879, un différend au sujet de la propriété des mines de salpêtre amena l'armée chilienne à occuper le port de la cité, alors en territoire bolivien. Cet événement marqua le début de la guerre du Pacifique.

Carte p. 202

Santiago

Pages précédentes : une saline torturée et desséchée, le « salar » d'Atacama. À gauche, l'église coloniale de San Pedro de Atacama ; ci-dessous, des lamas.

À la pointe du « salar » d'Atacama, peut-être le lieu le plus inhospitalier du monde, San Pedro de Atacama fut jadis une halte pour le bétail argentin destiné à nourrir les employés des « oficinas » du désert. C'est aujourd'hui une jolie ville construite en adobe, très appréciée par les touristes du monde entier.

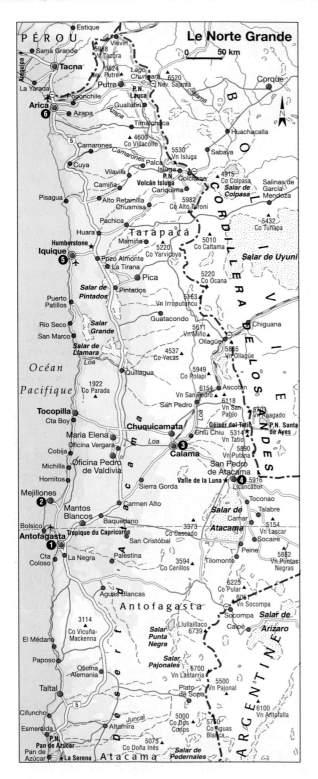

À la hauteur d'Antofagasta, le Chili atteint sa plus grande largeur (355 km du Pacifique à la frontière orientale). Une immense plage de 20 km de long introduit une note de couleur claire dans le brun minéral des collines environnantes. Le centre-ville, autour de la plaza Colón, est très animé, ainsi que le port de pêche. Antofagasta possède un excellent musée régional, qui éclaire les visiteurs sur l'histoire locale et sur les anciennes populations du désert. Au nord de la ville, dans l'océan, se dresse l'arche de La Portada, majestueux monument naturel de 20 m de haut, formé d'un amas de coquillages sculptés par la mer. Une péninsule, qui marque aussi le passage du tropique du Capricorne, le sépare de la petite ville de **Mejillones ❷**. Celle-ci abritait autrefois l'usine d'Antofagasta, Railway & Co, où l'on construisait des locomotives et des wagons pour les chemins de fer du Nord. Aujourd'hui, Mejillones est un important centre de pêche.

Au nord-est d'Antofagasta, à Carmen Alto, la route bifurque vers **Calama ❸** (215 km) et la mine de cuivre de Chuquicamata (voir p. 195). Hormis ses multiples bars de mineurs, la ville n'offre pas grand intérêt.

En revanche, le village de **Chiu Chiu**, à 33 km au nord-est de Calama, est un ancien carrefour préhispanique au confluent de deux cours d'eau. Îlot de verdure et de fraîcheur dans un environnement rougeâtre et inhospitalier, il correspond parfaitement à l'idée que l'on se fait d'une oasis. Son église, de 1675, comporte des éléments propres à la culture atacamène : les murs de terre très épais soutiennent une charpente en cactus séché dans laquelle les clous sont remplacés par des liens de cuir. À l'intérieur sont exposées des représentations du Christ assez peu orthodoxes.

Avant d'atteindre San Pedro de Atacama (100 km au sud-est de Calama), on traverse le **llano de la Paciencia** (« plaine de la patience »). Un nom particulièrement bien choisi : de part et d'autre de la route, le désert s'étend à perte de vue. Une autre piste permet de rejoindre San Pedro en passant par le valle de la Luna, mais il est plus prudent de ne s'y engager que si l'on dispose d'un véhicule tout-terrain, car les risques d'ensablement sont importants.

UN VILLAGE HORS DU TEMPS

San Pedro de Atacama ❹ est un endroit plein de charme, où l'on vit au ralenti. Complètement à l'écart du reste du pays, le village-oasis a échappé à certains méfaits du monde moderne et conserve les traces de la culture atacamène. Les rues sont en terre battue, il y a très peu de voitures et l'électricité est fournie par un groupe électrogène qui ne fonctionne qu'une partie de la journée. Vers 10 h du soir, les lumières s'éteignent, tout le monde allume des bougies. Le ciel nocturne est d'une saisissante beauté. L'atmosphère, à 2 500 m d'altitude, est d'une pureté exceptionnelle et l'on a vraiment l'impression d'être tout près des étoiles. Le village se situe à la pointe nord de l'immense **salar de Atacama** et, vers l'est, s'élèvent plu-

sieurs sommets enneigés, parmi lesquels le Licancabur (5 916 m), qui figure parmi les plus hauts volcans éteints de la Cordillère.

Occupé par les Incas en 1450, avant de l'être par les Espagnols, San Pedro a connu le boom du salpêtre et aussi son déclin : le village compte moins de deux mille habitants. Sur la place, aux maisons de couleurs vives, s'élève une demeure en adobe appelée **Casa Pedro de Valdivia**, en hommage au conquistador, qui y séjourna quelque temps. Mais la forme trapézoïdale des ouvertures et les murs inclinés sont caractéristiques de l'architecture inca.

De l'autre côté de la place se dresse une jolie petite église blanche datant du XVIIe siècle, l'une des plus anciennes du Chili. À deux pas de là, le **musée archéologique Gustavo Le Paige** est l'un des plus intéressants du Chili et de tout le continent sudaméricain. Le missionnaire belge qui lui a donné son nom est arrivé dans la paroisse en 1955. Il a consacré vingt-cinq ans à rassembler plus de quatre

Carte
p. 202

Coiffe tissée vieille de quinze siècles.

Géoglyphes dans le valle de Azapa. La meilleure heure pour admirer ces œuvres se situe en début d'après-midi.

cent mille pièces magnifiques et admirablement mises en valeur. Les collections retracent toute l'histoire de cette région, depuis l'implantation des Atacamènes, il y a environ 11 000 ans. La célèbre momie baptisée *Miss Chile* y est exposée. Le musée contient aussi une série de crânes humains aux formes étonnantes. Tout près de San Pedro se trouve **Pozo Tres**, une piscine d'eau thermale tiède que l'on vide tous les soirs à des fins d'irrigation. À 3 km au nord-ouest du village, on peut visiter les ruines de la **Pukara de Quitor**, une forteresse indienne du XIIᵉ siècle partiellement restaurée.

DES PAYSAGES INSOLITES

San Pedro donne accès aux plus beaux paysages du Nord. À 40 km au sud, le beau village de **Toconao** est entièrement construit en *liparita*, pierre volcanique issue de la carrière toute proche. On peut y louer les services d'un guide pour aller observer, au coucher du soleil, les flamants roses du lac **Chaxa**, au milieu du salar de Atacama. Il faut deux jours pour faire le tour de la gigantesque (3 000 km²) saline, à travers des paysages éblouissants, semblables à des mirages.

Le célèbre **valle de la Luna** se trouve à 10 km de San Pedro, en direction de Calama. Ce paysage minéral est d'une beauté étrange, presque surnaturelle. Au coucher du soleil, les dunes et les formations rocheuses qui parsèment la vallée projettent des ombres fantastiques et, lorsque la pâle clarté de la lune se reflète sur les cristaux de sel du désert, on se croirait sur une autre planète.

Une autre excursion mène aux geysers d'**El Tatio**, à quelque 90 km de San Pedro. Il faut partir à 4 h du matin pour ne pas manquer ce spectacle grandiose. Juste avant le lever du soleil, les eaux sous pression jaillissent des entrailles de la terre en émettant un curieux gargouillis. Certains geysers forment de larges bassins bouillonnants au ras du sol, d'autres ressemblent à des mini-volcans couron-

Le Valle de La Luna, un site dantesque.

nés de concrétions minérales. Le spectacle prend fin vers 10 h. On peut alors se délasser dans un grand bassin d'eau thermale à 35°, avant de rentrer à San Pedro. Attention : le site étant à 4 320 m, on peut souffrir du mal d'altitude.

SALPÊTRE ET GÉOGLYPHES

D'Antofagasta la Panaméricaine se dirige vers le nord en direction d'Iquique. De nombreux géoglyphes sont dessinés sur les versants rocheux. L'immense **Reserva Nacional Pampa del Tamarugal**, qui s'ouvre environ 48 km avant l'embranchement pour Iquique, renferme, entre autres, Los Pintados, un site de quatre cents figures environ datant de 1500 à 700 av. J.-C. C'est aussi la région des villes fantômes (*voir p. 197*), abandonnées après la crise du nitrate.

L'arrivée à **Iquique** (214 600 habitants) ❺ est surprenante. Entre la ville et les falaises abruptes qui la dominent s'étend une immense dune de couleur grise. Seule peut être habitée une étroite bande bordée d'une plage magnifique, mais beaucoup trop dangereuse pour les baigneurs.

Iquique a connu une période prospère au moment de l'essor du salpêtre, de 1890 à 1920. C'est l'époque où de grandes vedettes européennes se produisaient au **Teatro Municipal** et allaient souper de l'autre côté de la place dans un palais de style mauresque, le **Centro Español**. Après l'effondrement du marché du nitrate, l'industrie de la pêche prit le relais et Iquique devint le premier port de pêche du pays.

Le **Museo Regional**, dans la calle Boquedano, abrite une intéressante collection d'objets précolombiens. À quelques pas de là, le **Museo Naval** fait revivre l'histoire du célèbre combat naval d'Iquique. Mais il ne faut surtout pas manquer les beaux édifices colorés du XIXᵉ siècle qui entourent la plaza Arturo Prat. Le centre d'Iquique est inscrit au patrimoine national.

Carte p. 202

À gauche, l'église d'Iquique ; ci-dessous, les sources thermales de Pica.

Carte
p. 202

*Une fresque,
à Iquique.*

*Ci-dessous,
le Centro español
d'Iquique
avec son plafond
mudéjar ;
à droite,
les geysers
d'El Tatio.*

À 72 km au sud-est d'Iquique, sur la route qui mène à la belle **oasis de Pica**, des milliers de villageois et de pèlerins célèbrent chaque année, entre le 12 et le 18 juillet, la fête religieuse de La Tirana, curieux mélange de catholicisme et de rites païens. Les plus grandes confréries de danseurs masqués accourent de tout le pays. La Tirana était le surnom de la dernière Vierge du Soleil, Ñusta Huillac, célèbre pour la résistance qu'elle opposa aux conquérants espagnols.

En continuant sur la Panaméricaine, vers Arica, on arrive à Huara. À 14 km de cette cité, on peut admirer un géoglyphe appelé el Gigante de Atacama. Avec ses 86 m de haut, il s'agit de la plus grande représentation archéologique d'un être humain au monde.

UNE VILLE STRATÉGIQUE

Arica (175 000 habitants) ❻ a été le premier port d'exportation du minerai d'argent provenant de la mine de Potosí, en Bolivie. Péruvienne jus-

Avec ses volcans éteints ou toujours en activité, la cordillère des Andes manifeste une intense activité géologique. L'eau sourd sous toutes les formes : rus destinés à devenir des rivières, geysers explosifs et sources chaudes fort prisées par les visiteurs qu'ont fatigués leurs explorations et leur adaptation à l'altitude.

qu'au début des années 1880, Arica est devenue le point de passage international vers la Bolivie et le Pérou. C'est une station balnéaire très fréquentée, car l'océan y atteint des températures agréables. Il y fait 21 °C toute l'année et il n'y pleut jamais. Le centre-ville s'enorgueillit de l'église San Marcos, fabriquée à Paris par Gustave Eiffel en 1876, et dont les murs et le plafond sont faits de feuilles de fer moulées, de même que le bâtiment de la douane.

Le **Museo Arqueólogico de San Miguel de Azapa**, niché dans une verte oasis à 12 km à l'est d'Arica, abrite une collection exceptionnelle qui porte sur dix mille ans d'histoire : pétroglyphes, tissages, poteries et surtout des momies datant du Ve millénaire av. J.-C.

La route qui va d'Arica au lac Chungará (220 km), près de la frontière bolivienne, est jalonnée de nombreux et pittoresques villages des époques précolombienne et coloniale. Tous possèdent leur église baroque et leur forteresse en adobe.

En montant vers le parc national Lauca, à 4 500 m d'altitude, on aperçoit l'imposante silhouette des volcans Parinacota et Pomerape, qui sont censés garder le fameux trésor des Incas. Le village de Parinacota, vidé de ses habitants une grande partie de l'année, renaît au moment des fêtes religieuses organisées par les bergers aymarás de la région. Le reste du temps, ceux-ci mènent une existence solitaire sur les hauts plateaux balayés par les vents.

Au-delà de la **laguna Cotacotani** et de ses eaux émeraude, on atteint le **Parque Nacional Lauca** classé réserve de la biosphère par l'Unesco. Dans le parc, le lac **Chungará**, entouré de six volcans, est l'un des plus hauts du monde. Il abrite sur ses rives de lave noire une faune extraordinaire : viscaches, vigognes de couleur sable, alpagas, nandous et condors. Au milieu de milliers d'oiseaux (un tiers des espèces du Chili), on aperçoit des oies sauvages au plumage blanc tacheté de gris, des canards bleus et des flamants roses.

Au sud de Lauca, la **Reserva Nacional Las Vicuñas** est destinée à protéger les vigognes menacées.

DANS LE DÉSERT D'ATACAMA

L'extrême nord du Chili est occupé par le désert, la brousse et les hautes plaines inhospitalières qui forment l'Altiplano. Cependant, la montagne et le désert offrent au visiteur un choix de paysages étonnants. D'une superficie égale à six fois la Belgique, le désert d'Atacama est,

dit-on, le plus sec au monde. Cela dit, les pluies qui l'arrosent tous les dix ans en moyenne font germer des graines en dormance, provoquant le phénomène dit du « désert fleuri ». Ces précipitations sont liées au phénomène climatique El Niño, qui lui-même dépend des courants de l'océan Pacifique.

Le village-oasis de San Pedro de Atacama, dominé par le volcan Lincancábur, est situé au cœur d'une région d'un très grand intérêt géologique, aux vastes lacs salés chargés des sels minéraux issus des terrains volcaniques, aux sources chaudes et aux formations désertiques inhabituelles. À l'est de San Pedro, vers les frontières bolivienne et argentine, le terrain s'élève brutalement vers l'Altiplano. Dans cette région froide on peut voir des lacs de montagne d'une très grande beauté ainsi que de multiples signes de l'activité volcanique (sources chaudes et geysers).

On pourra admirer d'autres trésors naturels au nord du désert d'Atacama, à la frontière du Pérou, en particulier la faune variée et originale qu'abritent les parcs nationaux de Lauca et du Volcán Isluga, ou encore la réserve nationale de Las Vicuñas.

Les voyageurs aventureux prendront le train à Calama pour gagner Uyuni, en Bolivie. Leur curiosité sera récompensée par la majesté des paysages de l'Altiplano, tels l'immense bassin salin d'Uyuni ainsi que les Lagunas Verde et Colorada.

▶ *La vigogne est un petit camélidé très rare qui trouve refuge sur les hauteurs du nord du Chili. Sa laine moelleuse était déjà très appréciée à l'époque inca.*

◄ *Culminant à 5 916 m, à la jonction du désert plat et de l'Altiplano chilien, le volcan Licancábur domine le petit village de San Pedro de Atacama.*

▲ *Trois espèces de flamant nichent à la Laguna Chaxa, au sud de Toconao : le flamant des Andes, le flamant du Chili et le flamant de James.*

PATRIMOINES DE L'ATACAMA

Des groupes humains ont vécu dans le désert d'Atacama il y a des milliers d'années, comme le montrent les objets (momies, bijoux, poteries, tissus…) mis au jour autour de San Pedro et conservés dans le village, au Museo Gustavo Le Paige, l'un des plus beaux musées du pays. Le produit des fouilles, relativement bien conservé par un climat des plus secs, renseigne assez précisément sur la vie des indigènes avant l'arrivée des Européens. San Pedro étant le point de départ d'excursions dans le désert, on pourra visiter par exemple le valle de la Luna, dont les roches salines érodées évoquent effectivement le relief lunaire. Enfin, la région conserve le fort de Pukara de Quitor (XIIe siècle).

▲ *Le lama, cousin américain du chameau, s'accommode des rudes conditions de vie caractéristiques des milieux de l'Atacama.*

► *Une averse suffit à faire fleurir le désert. Mais comme l'événement ne se produit qu'une fois par décennie, certaines espèces végétales de l'Atacama sont encore mal connues.*

◄ *C'est tôt le matin que jaillissent les nombreux geysers d'El Tatio, à 4 300 m d'altitude.*

L'ARCHIPEL JUAN FERNÁNDEZ

Le petit archipel Juan Fernández – une des destinations les moins connues du pays – est situé à 670 km de la côte chilienne, à la hauteur de Valparaíso. Il se compose de trois îles principales, Robinson Crusoé (la seule habitée), Alejandro Selkirk et Santa Clara, ainsi que de nombreux îlots. Les deux premières doivent leur nom au marin écossais qui vécut seul sur l'une d'elles pendant quatre ans et quatre mois, et dont l'aventure inspira à Daniel Defoe son célèbre roman *Robinson Crusoé*, paru en 1719.

L'archipel fut découvert une première fois le 22 novembre 1574 par le navigateur espagnol Juan Fernández. Par la suite, il reçut de loin en loin la visite de pirates, de corsaires et autres contrebandiers. À cette époque, les deux îles principales s'appelaient encore Mas-a-Tierra (« la plus proche du continent ») et Mas-a-Fuera (« la plus au large »).

ROBINSON CRUSOÉ, LE VRAI

En 1704, le marin écossais Alexander Selkirk arriva sur l'île Mas-a-Tierra, qui garda ce nom jusqu'en 1966, année où elle fut rebaptisée Robinson Crusoé. À la suite d'une querelle avec le capitaine de son bateau, le *Cinque Ports*, il avait en effet demandé par bravade à être débarqué sur la première île où le climat serait supportable, et le capitaine le prit au mot. À peine à terre, Selkirk regretta sa décision irréfléchie et nagea désespérément après la chaloupe qui ramenait les autres marins à bord, en criant qu'il avait changé d'avis ; mais le capitaine lui fit répondre qu'il « pouvait mourir de faim sur son île ».

Avec pour tout bagage sa malle de marin (quelques vêtements, un peu de tabac, une bible et un couteau) ainsi qu'une hache, un fusil et une livre de poudre, il réussit néanmoins à s'adapter à son nouveau milieu et à y survivre pendant cinquante-deux mois. La première année, il scruta régulièrement

l'océan du haut d'un promontoire, espérant que ses anciens camarades reviendraient le chercher. (Il apprendrait, quatre ans plus tard, que le *Cinque Ports* avait coulé peu de temps après l'avoir débarqué à Mas-a-Tierra et que capitaine et équipage avaient été capturés par les Espagnols et jetés dans les geôles de Lima.) Au bout de dix-huit mois, il dut se rendre à l'évidence : il ne pouvait plus attendre d'autre secours que fortuit.

Bien que déserte, l'île avait déjà été habitée. À l'époque de Juan Fernández, des chèvres avaient été introduites en vue d'une éventuelle colonisation. Ce projet n'avait jamais abouti, et les chèvres étaient retournées à l'état sauvage. Elles fournirent à Selkirk l'essentiel de son alimentation.

Selkirk commença par les tuer avec son fusil, mais sa poudre s'épuisant, il apprit à les attraper à la course ; cet entraînement involontaire fit de lui un coureur si agile qu'il échappa un jour à des corsaires espagnols, qui l'avaient repéré et comptaient lui faire un mauvais

Carte p. 214

Pages précédentes : le col d'où Selkirk observait la mer dans l'espoir d'y découvrir l'arrivée d'un bateau ; à gauche, une centaine de pêcheurs travaillent dans l'archipel ; ci-dessous, un yacht au mouillage.

Autour des îles, les fonds marins sont très profonds ; la plate-forme continentale est réduite et il y a donc peu de faune et de flore marines. C'est de là cependant que la population de l'archipel tire une part importante de ses revenus, grâce à la pêche à la langouste, qui fournit 70 % de la production chilienne.

Une bonne prise.

vais sort. À la suite d'une chute qui le laissa inanimé pendant toute une journée, il décida de construire un enclos et d'y élever ses propres chèvres. Il se servit aussi de leurs peaux pour se vêtir, tapisser les murs de sa caverne et fabriquer un matelas.

Chaque nuit, il entendait ce qu'il appelait les « monstres des profondeurs » pousser des cris « trop horribles pour être entendus par l'oreille humaine ». Il s'agissait d'otaries, que, surmontant ses craintes, il réussit à tuer par ruse, en les approchant par-derrière et en leur fendant le crâne d'un coup de hache.

D'autres animaux moins plaisants lui rendaient visite, les rats, eux aussi introduits sur l'île par l'homme. Les rongeurs dévorèrent ses vêtements et allèrent jusqu'à lui grignoter les orteils pendant son sommeil. Pour en finir avec cette présence importune, Selkirk apprivoisa des chats sauvages, qui lui tinrent ensuite compagnie (il raconta plus tard qu'il leur avait appris à danser).

Selkirk n'avait d'autre distraction intellectuelle que la mise à jour de son calendrier et sa bible, qu'il finit par connaître par cœur. De retour en Angleterre, il disait qu'il avait été « meilleur chrétien au temps de sa solitude qu'il ne l'avait jamais été et, probablement, ne le serait jamais ».

Bien que sa vie sur l'île fût relativement heureuse, Selkirk ne cessait de surveiller l'horizon, dans l'espoir d'apercevoir un navire, du haut du promontoire qu'il avait découvert, à une heure et demie de marche de sa grotte. Il devait néanmoins être circonspect dans ses appels au secours car il savait que, s'il était tombé aux mains de corsaires espagnols, il aurait été envoyé aux travaux forcés dans la vice-royauté du Pérou ou même tué sans autre forme de procès.

Un jour, enfin, il vit un navire qui lui sembla anglais. Il y avait en fait deux bateaux, qui battaient pavillon britannique, le *Duke* et le *Duchess*. Le capitaine Woodes Rogers le fit monter à son bord. Les matelots, qui le trouvè-

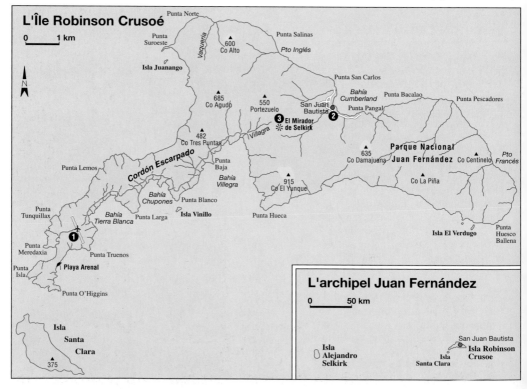

rent dans une forme exceptionnelle alors qu'eux-mêmes étaient minés par le scorbut, ne crurent d'abord pas son histoire, jusqu'à ce que le célèbre corsaire William Dampier, qui se trouvait sur l'un des bâtiments, le reconnût. On constata cependant qu'il avait beaucoup de peine à s'exprimer dans sa langue maternelle.

Selkirk était bien différent de la description romantique qu'en fit par la suite Daniel Defoe, et il n'eut aucun regret de revenir à sa vie antérieure, davantage faite de débauche et de piraterie que de prières. Reparti pour une autre expédition, il mourut de fièvres sur le bateau en 1723, âgé de quarante-sept ans. La relation de son aventure passionna l'Europe entière.

UN DESTIN ÉTRANGE

En 1750, l'Espagne reprit le contrôle de l'île, jusqu'alors abandonnée aux pirates, et créa le village de San Juan Bautista, dans la baie de Cumberland. L'île fut ensuite habitée par intermittence et servit surtout de domaine pénitentiaire. C'est ainsi qu'en 1814, après la bataille de Rancagua (*voir p. 35*), une quarantaine de patriotes y furent exilés et condamnés à vivre dans des grottes.

En 1877, le Chili y établit une présence permanente. Le baron suisse Alfred de Rodt, accompagné d'une quarantaine de colons, s'installa à San Juan Bautista et y introduisit la pêche à la langouste. En 1915, les vaisseaux de la marine britannique *Glasgow* et *Kent*, alors ancrés dans la baie de Cumberland, affrontèrent le croiseur allemand *Dresden* et le coulèrent.

En 1935, enfin, le gouvernement chilien transforma les îles Juan Fernández en parc national voué à la conservation de la flore et de la faune. On lança ensuite un programme d'extermination des chèvres. Ces caprins, qui n'avaient cessé de proliférer, malgré l'intervention d'Alexander Selkirk, avaient en effet considérablement endommagé la flore locale.

Carte p. 214

Les scientifiques pensent que les trois îles de l'archipel Juan Fernández sont issues de trois éruptions volcaniques distinctes.

À gauche, plaque commémorant l'exil de Selkirk, posée par des officiers de la Royal Navy en 1868 ; à droite, illustration du « Robinson Crusoé », de Daniel Defoe.

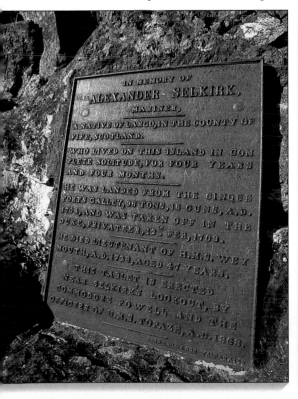

*L'aigle endémique
de l'archipel vit
seulement dans
l'île Alejandro
Selkirk.
Pour une raison
inconnue, il ne
s'établit jamais
dans les autres
îles, même s'il
les visite de temps
à autre.*

*À gauche,
l'« asado »
(viande grillée au
barbecue) est l'un
des mets préférés
des Chiliens ;
à droite, les
insulaires sont
réputés pour
leur gentillesse
et la chaleur
de leur accueil.*

UN ARCHIPEL VOLCANIQUE

L'archipel Juan Fernández est la partie émergée d'une chaîne volcanique sous-marine qui forme l'extrémité orientale de la dorsale du Pacifique Est. Sur l'île Robinson Crusoé (47 km²), le mont le plus élevé, El Yunque (l'enclume), culmine à 915 m.

L'île Alejandro Selkirk (44,5 km²), distante d'environ 180 km de la première, est plus montagneuse et son plus haut sommet, le cerro Los Inocentes, atteint 1 650 m.

Suffisamment éloigné du continent pour échapper au courant froid de Humboldt, l'archipel Juan Fernández bénéficie d'un climat de type méditerranéen : en février, le mois le plus chaud, la température moyenne est de 22 °C ; en août, le mois le plus froid, elle est de 10 °C. Les précipitations annuelles, réparties principalement entre avril et octobre, atteignent 1 000 mm. En raison de la topographie des lieux, les pluies n'arrosent pas toutes les zones de façon équitable. Une part importante de l'île Robinson Crusoé est couverte de forêts humides, tandis que le reste du paysage de l'archipel est constitué de steppe herbacée et de bruyères persistantes.

UNE FAUNE ET UNE FLORE ORIGINALES

Comme dans beaucoup d'îles océaniques, le biotope a subi des modifications dues à l'introduction d'espèces allogènes, tant animales que végétales. Ainsi, la présence des chèvres a eu des conséquences diverses. Les caprins ont défriché de vastes zones où, plus tard, ont repoussé des plantes résistantes à l'épreuve des animaux ; en revanche, dans les endroits très escarpés que les chèvres ne purent jamais atteindre, quelques espèces rares et fragiles ont subsisté.

Sur environ 140 variétés végétales, une centaine sont endémiques. Les plantes introduites se sont dévelop-

pées en devenant parfois très différentes de ce qu'elles étaient dans leur
milieu d'origine. Ainsi, le mûrier sauvage a proliféré dans des proportions
totalement imprévues.

Les plantes les plus originales sont
essentiellement des arbres (palmiers,
canneliers), une cinquantaine de variétés de fougères géantes et une sorte de
vigne grimpante. On a découvert un
arbre endémique, le *yunque* (*Yunquea
tenzii*), qui ne pousse que sur quelques
dizaines de mètres carrés, au sommet
du mont Yunque.

L'archipel compte onze espèces
d'oiseaux terrestres endémiques, dont
l'oiseau-mouche rouge (*picaflor rojo*).
Tandis que le mâle est d'un beau rouge
flamboyant, la femelle, au plumage
vert clair, a la tête bleue et la queue
blanche. En raison de ces différences
de couleurs et du fait que le mâle
semble préférer les espaces ensoleillés
et la femelle l'ombre des arbres, on a
longtemps cru qu'il s'agissait de deux
espèces distinctes. Leur population est
très réduite et ils vivent surtout dans la
forêt. Les côtes sont aussi très fréquentées par les oiseaux marins tels que le
pétrel et l'albatros, qui viennent s'y
reproduire, ainsi que par les otaries.

UNE DESTINATION PAS SI LOINTAINE

Une visite dans l'archipel Juan Fernández peut sembler relativement
compliquée. Il faut deux ou trois
jours pour s'y rendre en bateau, mais
le plus pratique est évidemment
l'avion. Les vols de Santiago à destination de Robinson Crusoé ont lieu
très régulièrement en été (d'octobre à
avril), moins fréquemment en hiver.
Pendant cette saison, la piste d'atterrissage en terre battue, construite
dans les années 1970, est souvent
rendue inutilisable par les pluies.
Deux compagnies effectuent la liaison entre les îles sur des bimoteurs :
Lassa et Transportes Aéreos Isla
Robinson Crusoé. L'avion quitte
l'aéroport de Santiago tôt le matin.
Deux heures et demie plus tard, on

Carte
p. 214

*À l'embarcadère
de San Juan
Bautista, arrivée
de la navette
maritime
qui dessert
l'aérodrome.*

L'exploitation incontrôlée du bois de santal l'a fait disparaître de l'archipel. Ce bois, à l'essence odoriférante, d'usage religieux, médicinal ou aromatique, était l'objet d'un commerce important à la fin du XIXe siècle et au début du XXe.

Une cinquantaine de variétés de fougères poussent sur l'archipel. Les plus hautes peuvent atteindre cinq mètres de hauteur.

distingue l'archipel perdu dans le bleu de l'océan, semblable à un atoll polynésien. L'**aérodrome** ❶ se trouvant à l'opposé du village de **San Juan Bautista** ❷, il faut encore une heure et demie aux passagers pour arriver à bon port. Ils doivent emprunter un 4 x 4 sur une route en pente raide, puis embarquer sur un bateau découvert. Par beau temps, le spectacle est merveilleux : on longe des escarpements rocheux où l'eau claire est parfois troublée par des bancs de poissons, tandis que, sur le rivage, des phoques se prélassent au soleil.

Le village de San Juan Bautista, où vivent les deux tiers des 800 habitants de l'archipel, est construit à l'endroit même où Alexander Selkirk effectua la majeure partie de son séjour. Dominée par des monts boisés, aux sommets constamment nimbés d'une brume grise, la petite agglomération, aux maisons de couleurs vives, s'étend sur quelques rues et possède quelques hôtels et restau-

La végétation de l'archipel Juan Fernández présente un mélange étonnant de plantes d'origine géographiques différentes, depuis les Andes ou la région de Magallanes jusqu'à Haïti ou la Nouvelle-Zélande. Mais dans leur isolement océanique, elles ont évolué d'une manière très éloignée de leurs origines insulaires ou continentales.

rants. Les insulaires vivent de l'artisanat (objets en bois, coquillages...), du tourisme (une cinquantaine de visiteurs par mois en saison), et surtout de la pêche à la langouste, qui leur permet de bénéficier d'un niveau de vie relativement élevé par rapport aux autres Chiliens.

Chose étonnante sur cette petite île si tranquille, ses monuments évoquent presque tous des combats. Des canons anglais jalonnent la promenade qui domine le village, d'où l'on voit aussi une série de blockhaus édifiés contre la marine péruvienne pendant la guerre du Pacifique. Le long du chemin qui part du village en direction du nord, on peut voir, incrustés dans la falaise, des restes d'obus tirés par les navires britanniques contre le croiseur allemand *Dresden*.

SUR LES PAS DE SELKIRK

Le circuit classique au départ de San Juan suit les traces du marin écossais vers une élévation appelée **Mirador de Selkirk** ❸, observatoire d'où il scrutait régulièrement l'horizon. Il est préférable de partir vers 8 heures, pour arriver avant que la brume s'installe. La promenade passe par les ruines du **fuerte Santa Bárbara**, construit par les Espagnols en 1749 pour dissuader les pirates d'aborder.

Le chemin traverse un bois, au sortir duquel on a une vue dégagée sur un sommet en lame de couteau. À 550 m d'altitude, ce pic permet d'embrasser tout l'horizon. Une plaque y a été apposée au XIXe siècle par l'équipage d'un vaisseau de guerre britannique, en souvenir de l'aventure d'Alexander Selkirk. En 1983, une autre plaque a été installée par l'un des descendants du marin écossais.

Au retour, on peut faire une halte à la **cueva de los Patriotas**, où vécurent pendant plusieurs années les indépendantistes exilés par les Espagnols après la défaite de Rancagua (*voir p. 35*). À la différence de Selkirk, ils ne purent s'habituer à l'humidité des grottes ni au climat de l'île, et ne pardonnèrent jamais au gouvernement de les y avoir relégués. On peut aussi aller voir, à 20 minutes du village en canot, la **grotte de Robinson Crusoé**, où vécut Alexander Selkirk.

UN MUSÉE NATUREL

L'île est depuis 1977 déclarée réserve mondiale de la biosphère. C'est aussi un parc national, géré par la Conaf (Corporación Nacional Forestal), dont le rôle est de protéger la faune et la flore, exceptionnelles ici. Ses membres passent le plus clair de leur temps à tenter d'éradiquer les espèces animales et végétales introduites par l'homme et dont la prolifération produit des ravages. C'est le cas des mûriers sauvages, des chèvres, des chats sauvages et des lapins. Les biologistes y font régulièrement des découvertes intéressantes, telle la fougère *Dendroseries macranta*, espèce que l'on n'avait pas vue depuis 1907 et que l'on croyait éteinte.

La vie sur Robinson Crusoé est très calme. Bien entendu, les centres d'intérêt sont liés à l'aventure du héros de l'île mais aussi au paysage lui-même, aux petites criques où les otaries se réchauffent au soleil, à la plage de sable fin où l'on se baigne dans une eau claire et chaude, à cette forêt qui recèle des espèces uniques.

Les insulaires ont un mode de vie assez anachronique : ils prennent ce qui leur convient de la vie contemporaine, comme l'électricité, la médecine, la radio et la télévision ; les routes ne sont que des pistes (San Juan Bautista ne compte que quelques voitures) et l'approvisionnement est assuré, une fois par mois, par le bateau en provenance de Valparaíso. La plupart d'entre eux sont conscients de leur chance et considèrent leur île comme un paradis, tout comme Selkirk qui déclarait à un journaliste, plusieurs années après son retour : « J'ai aujourd'hui huit cents livres de rente, mais je ne serai jamais aussi heureux que quand je n'avais pas un penny. »

Carte p. 214

Chassées pour leur huile et leur peau, les otaries, seuls mammifères natifs de l'archipel, étaient en voie d'extinction il y a un siècle. Mais leur nombre s'est redressé de façon spectaculaire puisqu'on en compte neuf mille environ sur Robinson Crusoé et Santa Clara.

LA VALLÉE CENTRALE

Le centre du Chili constitue la région la plus peuplée, la plus industrialisée et la plus fertile du pays. La **vallée centrale** est la dépression qui s'insère entre la cordillère des Andes et la petite cordillère littorale. Elle s'étend de 80 km au nord de Santiago jusqu'à environ 500 km au sud de cette ville. Le climat y est tempéré et le sol, très fertile grâce à la densité du réseau hydrographique, propice à l'agriculture. En dehors de la vigne, introduite par les conquistadors, on y cultive des céréales ainsi que des denrées principalement destinées à l'exportation (fruits, haricots, riz et divers légumes).

Dans la partie méridionale de la plaine centrale, c'est l'industrie du bois qui prédomine. Les espèces d'arbres indigènes ont été presque complètement détruites par l'exploitation intensive au XIXᵉ siècle et remplacées par des centaines de milliers d'hectares de pins, certes d'un bon rendement, mais qui appauvrissent considérablement les sols. Les pâturages, assez nombreux, font de cette région une grande productrice de viande. Enfin, les mines de cuivre et de charbon ont permis le développement de diverses industries.

Dans les grandes exploitations agricoles de la vallée centrale, le tracteur a remplacé la charrue tirée par des chevaux. Pourtant, dans les villages et sur les petites routes, on voit encore souvent des bêtes labourant un champ ou attelées à une charrette pour aller au marché voisin. Quitter la route panaméricaine pour s'enfoncer dans la campagne revient à faire un voyage dans le passé.

Ce parfum d'autrefois se retrouve tout particulièrement le 18 septembre, jour de la commémoration de l'indépendance. La campagne chilienne se met alors en fête ; dans tout le pays, on dresse des *fondas* et des *ramadas*, abris couverts de feuilles d'eucalyptus et sous lesquels on mange et on danse la nuit venue. Les paysans isolés parcourent des kilomètres pour rejoindre le village où se déroulent rodéos et concours de *cueca* (la danse natio-

nale), et où l'on sert toute la nuit des *empanadas* et de la *chicha* (vin jeune).

LE GRENIER AGRICOLE DU CHILI

La Panaméricaine conduit à **Rancagua ❶**, capitale de la sixième région, à 87 km au sud de Santiago. C'est une ville animée de 207 000 habitants, dont l'économie est liée aux deux principales activités de la région, l'agriculture et l'exploitation minière. Dans la montagne, à 25 km à l'est de la ville, la mine d'**El Teniente** est le plus grand gisement souterrain de cuivre du monde. Rancagua, fondée en 1743 sur des terres cédées par les Picunches, fut en 1814 le théâtre de la défaite des patriotes face aux Espagnols, à la suite de laquelle O'Higgins et les frères Carrera durent s'exiler en Argentine.

Rancagua possède une belle église du XVIIIᵉ siècle, **La Merced**, dans la tour de laquelle O'Higgins s'était installé pour guetter l'arrivée de renforts qui ne vinrent jamais. Le **Museo Histórico Regional** est pour une large part

À gauche, moisson mécanisée ; ci-dessous, messe dominicale.

Environ 90 % des Chiliens sont catholiques. Entre 1493 et 1822, plus de quinze mille missionnaires sont arrivés sur le continent. L'Église, qui soutient que l'évangélisation a été le plus souvent pour les peuples indigènes un moyen de promotion humaine et un outil de liberté, défend avec conviction la cause des Indiens.

Carte p. 222

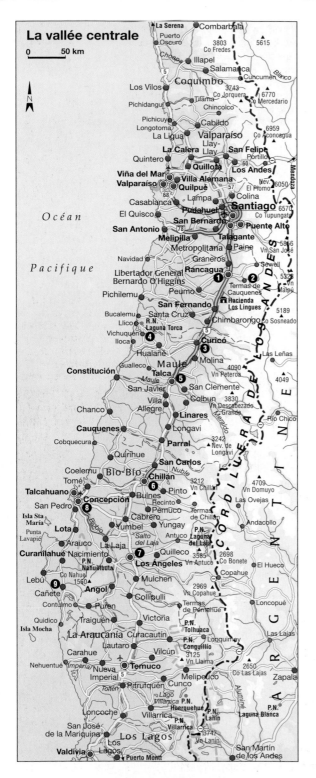

La vallée centrale

0   50 km

consacré à l'épopée de l'indépendance, mais il abrite aussi une collection d'art religieux de l'époque coloniale.

PLONGÉE DANS LE PASSÉ COLONIAL

On ne peut manquer de visiter les **Termas de Cauquenes ❷**, à 28 km à l'est de la ville. Ces sources thermales furent utilisées dès l'Antiquité. Au XVIIIe siècle, les Jésuites, qui en étaient propriétaires, en vantèrent les vertus curatives. En 1834, le naturaliste britannique Charles Darwin les mentionna dans ses écrits. En 1885, on y construisit un établissement de bains qui est devenu depuis un hôtel de haut de gamme. Les chambres, équipées d'antiques poêles à bois et possédant toutes une baignoire alimentée par les sources, donnent sur un grand jardin ou sur le río Cachapoal.

À 30 km au sud de Rancagua, une petite route prend sur la gauche après Pelequén et mène à l'**hacienda Los Lingues**. Cette magnifique hacienda abrite l'une des rares demeures coloniales encore intactes de cette région. Beaucoup ont été endommagées par les tremblements de terre ou laissées à l'abandon car trop vastes et trop coûteuses à entretenir. Aussi une visite à Los Lingues permet-elle de se faire une idée de la façon dont vivait l'aristocratie terrienne, à travers les collections d'objets anciens importés d'Europe ou fabriqués par les Indiens Mapuches et Diaguitas. L'hacienda Los Lingues héberge l'un des quatre hôtels que possède la chaîne Relais et Châteaux en Amérique du Sud.

Cette propriété appartient d'abord à Melchor Jufré de Águila, maire de Santiago en 1599. Elle passa ensuite aux mains de la famille González Montero, dont l'un des membres fut gouverneur du Chili, qui en est encore propriétaire. Pour sa construction, qui se fit en deux temps (entre le XVIIe et le XIXe siècle), on utilisa principalement l'adobe et le *cal y canto*, un appareil de pierre et de mortier qui contient du blanc d'œuf. D'autres matériaux nobles furent employés, comme la pierre rose de Pelequén et le bois de chêne. Les toits sont en chaume recouvert de tuiles de céramique.

Certaines portes ont été sculptées par les jésuites bavarois de Calera de Tango, les maîtres ébénistes de cette époque. La demeure s'élève au milieu d'un vaste parc aux arbres centenaires, où évoluent faisans, perdrix et paons. Ses nombreux patios sont de véritables bijoux. Les écuries de la ferme renferment de très beaux pur-sang arabes, les *aculeos* (des promenades à cheval sont proposées).

DES LACS PAISIBLES

À partir de la Panaméricaine, on peut effectuer plusieurs détours vers la côte. Après San Fernando, ville administrative qui ne présente guère d'intérêt en dehors de quelques églises et bâtiments coloniaux, une route suit la vallée du Tinguiririca et mène à Santa Cruz, Lolol, puis à San Pedro de Alcántara (village colonial possédant un intéressant couvent) et enfin jusqu'à la côte, à Llico. Cette route très agréable traverse un paysage vallonné où de petites villes provinciales semblent vivre au ralenti. On atteint la petite agglomération de Vichuquén par Llico, ou, si l'on a choisi de continuer sur la Panaméricaine après San Fernando, par Curicó, le long du río Mataquito. **Vichuquén**, à 110 km de **Curicó** ❸, date de l'époque préinca, mais elle s'est développée dès le début du XVIIIᵉ siècle. Là, dans les rues bordées d'orangers, le temps semble s'être arrêté. Le principal centre d'intérêt de cette province est cependant le **lago Vichuquén** (40 km²), dont les eaux bleues et tièdes sont serties dans l'écrin d'une forêt de pins. On y pratique différents sports nautiques. Plusieurs terrains de camping sont répartis sur les rives.

À 3 km au nord, le lac de Torca, plus petit, fait partie de la **Reserva Nacional Laguna Torca** ❹. Ce plan d'eau est le lieu d'élection des cygnes à cou noir et d'un certain nombre d'oiseaux tropicaux qui s'y regroupent ou viennent y nidifier. Sur sa rive, de grands hérons bleus se dissimulent entre les roseaux. Les hérons blancs, les canards et les *taguas* (foulques noires) entretiennent une cacophonie permanente.

Carte p. 222

Poisson sur le marché de Concón.

La vallée centrale est le verger du Chili. Toutes sortes de fruits sont disponibles sur les marchés et largement exportés.

Les cygnes à cou noir que l'on voit sur le lac de Torca pondent leurs œufs dans des nids de roseau flottants.

À mesure que l'on descend la vallée centrale, les fleuves se font plus nombreux et leur bassin hydrographique s'amplifie.

On déguste des fruits de mer à **Llico**, petit village de pêcheurs à quelques kilomètres de là. L'énorme structure métallique qui s'élance dans l'océan à une extrémité de la crique est l'unique réalisation d'un vaste projet d'aménagement d'un canal et d'un port militaire, lancé dans les années 1890 et abandonné par la suite. Au nord de la crique s'étend une longue plage de sable bordée de dunes.

LE FOYER DE L'INDÉPENDANCE CHILIENNE

À 62 km au sud de Curicó par la Panaméricaine, la ville de **Talca** ❺ se trouve à l'ouest du río Claro. Cette agglomération de 193 000 habitants est la capitale de la septième région. Fondée en 1692, elle fut reconstruite en 1742, à la suite d'un séisme. Depuis sa fondation, Talca est un important centre urbain qui abrite les demeures des riches propriétaires et industriels de la région. La ville coloniale entoure la **plaza de Armas**, bordée de pal-

miers, de jacarandas, de magnolias et de cèdres. Sur le marché, on peut acheter des objets artisanaux et se restaurer dans l'une des *picadas*.

Talca, ville universitaire et culturelle avec ses musées et ses nombreuses galeries d'art, présente un certain charme. Son principal centre d'intérêt est le **Museo O'Higginiano**, une belle demeure coloniale dans laquelle vécut le héros de l'indépendance. En 1813 José Miguel Carrera, en compagnie de O'Higgins, y organisa la résistance contre les troupes royalistes. Dans l'un des salons, Bernardo O'Higgins signa l'acte d'indépendance du Chili, le 12 février 1818. Le musée contient aussi des collections de peintures, de sculptures, de manuscrits et d'objets précolombiens. À 8 km à l'est de Talca, sur la route de Vilches, se trouve la **Villa Cultural Huilquilemu**, un ensemble de maisons du XIXe siècle joliment restaurées et aménagées en galeries d'art et musées.

En continuant sur la Panaméricaine, on arrive à **Chillán** ❻ (135 km), ville

natale d'O'Higgins. Fondée en 1565, cette ville de 148 000 habitants changea plusieurs fois d'emplacement en raison d'attaques répétées des Indiens, puis d'une série de violents tremblements de terre. La dernière catastrophe, qui date de 1939, fit 15 000 morts. Presque tous les bâtiments furent détruits, de sorte que Chillán est une cité d'aspect moderne.

Après ce dernier grand séisme, le Mexique offrit au Chili une école, la **Escuela México** (avenida O'Higgins, 250), qui fut décorée par deux peintres mexicains de renom, David Alfaro Siqueiros et Xavier Guerrero. Le premier réalisa la décoration de la bibliothèque, en prenant pour thème des personnages (indigènes et coloniaux) de l'histoire des deux pays ; le second réalisa une fresque intitulée *Hermanos mejicanos* (« frères mexicains »), dans l'escalier de la bibliothèque. La Escuela México se visite toute l'année.

Le marché artisanal (*feria*) de plein air, plaza de la Merced, ouvert tous les jours mais particulièrement animé le samedi, est le plus coloré et le plus grand du Chili. On y trouve des produits de la montagne et des objets d'artisanat provenant de toutes les provinces du pays. C'est dans cette région que sont fabriqués les vêtements traditionnels du *huaso* : chapeau de feutre ou de paille au bord large et plat, poncho court et bigarré, bottes de cuir et étriers en forme de sabots en bois sculpté.

SKI ET THERMALISME

À 80 km à l'est de la ville se trouve **Termas de Chillán** (1 650 m d'altitude), station qui conjugue le thermalisme et les sports d'hiver. Sur le versant occidental du **volcan Chillán**, le domaine skiable possède certaines des plus belles pistes naturelles des Andes, équipées de remonte-pentes et du plus long télésiège d'Amérique du Sud (2 500 m). Les pistes sont ouvertes de juin à octobre.

Rien n'est plus agréable après le ski que de plonger dans l'une des quatre piscines thermales de la station. L'hôtel principal comprend aussi des baignoires et des saunas. On peut aussi se relaxer en se faisant enduire de boue puis masser. Le superbe Gran Hotel Termas de Chillán, rouvert après un incendie, dispose de cent vingt chambres de grand confort.

Les alentours de la station sont très fréquentés ; les Chiliens y viennent surtout en été et campent à proximité des thermes au lieu-dit **Las Trancas** (7 km avant la station), ou bien ils logent dans les bungalows et les hôtels de **Recinto**, petit village pittoresque à une quinzaine de kilomètres sur la route de Chillán. La forêt environnante offre de multiples possibilités de promenade. En été, le télésiège emmène les touristes au sommet du volcan (on peut aussi faire l'ascension à cheval). La végétation des pentes, riche et variée, évoque déjà celle de la région des lacs. Chênes, sapins et pins s'élancent vers le ciel au milieu des fougères géantes, des *copihues*, plantes grimpantes aux fleurs principalement rouges en forme de trompette, et des *ñires*, arbres qu'on ne

Carte p. 222

Un petit air de western.

Dans les villages de la vallée centrale, les habitants vaquent sans se presser à leurs occupations, s'abritant du soleil sous les galeries de bois qui bordent les chaussées ou les places. En fin d'après-midi, assis devant leur maison, ils bavardent avec des voisins en effectuant quelques menues tâches domestiques ou en savourant simplement le temps qui passe.

*La mine
de charbon
surnommée
« el Chiflón del
Diablo » près de
Lota, transformée
en musée de la
Mine, se visite.
C'est à Lota
que l'écrivain
Baldomero Lillo
(1867-1923)
a situé certaines
de ses nouvelles,
notamment « Sub
Terra » (1904),
très connu au
Chili.*

*Belle maison
coloniale près
de San Fernando.*

trouve qu'au Chili. Sur la route qui ramène à Chillán, on s'arrêtera à la **cueva de los Pincheira**, une immense caverne utilisée comme refuge par les frères Pincheira et leur bande de rebelles royalistes qui rançonnèrent la région en 1819 pendant la guerre d'indépendance. De la route, on voit les spectaculaires **Piedras Comadres**, gigantesques rochers.

De retour sur la Panaméricaine, avant d'arriver à **Los Ángeles ❼**, on traverse le río Laja par un pont d'où l'on aperçoit de spectaculaires chutes d'eau. Le **Salto del Laja**, à peu près à mi-chemin entre Santiago et Puerto Montt, est un lieu très fréquenté par les Chiliens. Les **chutes** franchissent deux grandes arches naturelles hautes d'une vingtaine de mètres dans de vastes bassins qui se rétrécissent en un étroit goulet, avant de rejoindre le *cañón* au fond duquel coule la rivière. On peut faire une halte très agréable dans ce secteur, équipé de nombreux terrains de camping, hôtels, restaurants, piscines et parcs.

LA PORTE DU SUD

En quittant Chillán, on peut aussi prendre (à environ 25 km au sud de la ville) la route qui mène en direction de la côte, vers Quillón et Concepción. À l'embouchure du Bío-Bío, à 112 km de Chillán, **Concepción ❽** est la capitale de la huitième région et la deuxième métropole du pays, bien qu'elle ne compte que 212 000 habitants.

Fondée en 1550 par Pedro de Valdivia, la cité fut pendant quelques années le siège de l'Audience royale et la capitale politique, militaire et administrative du Chili. En 1600, ces fonctions furent transférées à Santiago, et Concepción devint la principale ville de la *frontera* matérialisée par le río Bío-Bío, au-delà de laquelle régnaient les farouches Araucans. Après le violent tremblement de terre de 1751, la cité fut reconstruite sur son emplacement actuel.

En 1939, la ville fut complètement détruite par un violent tremblement de terre suivi d'un raz de marée, si bien

qu'elle ne possède plus beaucoup de vestiges de sa gloire passée ; cela ne l'empêche pas d'être vivante et agréable. C'est le siège d'une importante **université**, d'où sont issus les principaux leaders de la gauche chilienne. Le campus, avec son amphithéâtre en plein air et sa grande esplanade centrale, offre une très belle perspective sur les différents édifices et la tour de l'horloge. Tout près de là, la **Casa del Arte** (musée des beaux-arts) conserve une importante collection d'œuvres de peintres sudaméricains, dont la grande fresque *Presencia de América Latina* du Mexicain Jorge González Camarena.

La **Galería de Historia**, près du parque Ecuador, retrace de façon très vivante l'histoire du Chili et de la région de Concepción en particulier, à travers une série de maquettes et de diaporamas.

À **Talcahuano**, le port de Concepción, on peut visiter le *Huáscar*, cuirassé péruvien capturé lors de la célèbre bataille navale d'Iquique, durant la guerre du Pacifique. C'est l'un des plus anciens bâtiments de ce type dans le monde.

La baie qui s'étend au sud du port abrite un imposant ensemble de raffineries. Toute cette région regroupe de multiples industries : usines textiles de Tomé, usine de porcelaine de Penco, aciéries de Huachipato et mines de charbon de Coronel et de Lota. Le développement de **Lota**, située à 42 km de Concepción, commença au milieu du XIXᵉ siècle avec l'ouverture de la principale exploitation de charbon du pays. Certains puits avançaient sous l'océan. Mais la baisse de rentabilité et la concurrence internationale ont entraîné la fermeture des puits en 1997. L'histoire de la ville est en grande partie liée à celle de la famille Cousiño, à qui elle a appartenu pendant des dizaines d'années. Les Cousiño fondèrent la première exploitation forestière de la région, pour fabriquer les poutres destinées à étayer les galeries de leurs mines ; ils firent aussi bâtir le palais qui porte leur nom à Santiago. Leurs descendants possèdent encore le vignoble

Carte p. 222

Les routes chiliennes sont bordées de petits sanctuaires.

À Lota, ramassage des morceaux de charbon tombés lors des chargements et rapportés sur le rivage par la marée.

Cartes
pp. 222,
234

Cousiño Macul. En 1862, Isidora Goyenechea Cousiño confia à un paysagiste anglais la conception d'un magnifique espace boisé de 14 ha, le **parque Isidora Cousiño**, seul ornement de cette ville qui évoque plutôt *Germinal*.

LA ROUTE DE L'ARAUCANIE

Plus on descend vers le sud, plus le paysage est boisé. Aux essences d'origine on a peu à peu substitué les pins, qui tapissent les versants des montagnes et dont les troncs emplissent les camions que l'on croise sur les routes. L'industrie du bois et de la cellulose a stimulé le développement de la région d'**Arauco**, petite ville tranquille à proximité de la mer. L'ancienne route des conquistadors mène à **Cañete ❾**, à 135 km au sud de Lota, aux confins des réserves mapuches. C'est là que Pedro de Valdivia fut tué par les hommes du chef de guerre mapuche Lautaro en défendant le fort de Tucapel, en 1553. Dans toute la région sont érigées des stèles commémoratives de cet événement. À 1 km de Cañete, le **Museo Mapuche** contient une intéressante collection d'objets indiens et relate l'histoire des tribus mapuches à l'aide de dessins et de documents divers.

Le **lago Lanalhue**, à 5 km au sud-est de Cañete, offre un agréable paysage où l'on peut s'arrêter pour passer quelques jours, ou au moins pour se restaurer. Sur la plage Laguer, un terrain de camping accueille aussi les touristes. La route longe le lac avant d'arriver à **Contulmo** (30 km), plaisant village fondé à la fin du XIXᵉ siècle et habité par une colonie allemande. Les rues sont bordées de maisons au style typiquement germanique, et la place centrale s'orne d'une étrange fontaine représentant le blason chilien. La boutique Schulmeyer, qui date de 1912, constitue un excellent témoignage de ce qu'étaient les magasins de ces villes de la frontière.

La visite des moulins Grollmus, à quelques kilomètres de Contulmo, se révèle très intéressante : ancien moulin artisanal, centrale hydroélectrique (qui alimenta le village en électricité pendant plusieurs décennies) et surtout magnifique collection de plantes où sont rassemblées vingt-trois variétés de *copihues*.

En s'éloignant du littoral en direction de Purén, on traverse, à une dizaine de kilomètres de Contulmo, une réserve naturelle de 88 ha, le **Monumento Natural Contulmo**, où sont conservées des espèces d'arbres indigènes qui ont presque disparu du Chili.

Si on continue le long de la côte, bordée de longues plages de sable blanc, on arrive à un plan d'eau solitaire, le **lago Lleulleu**, encore plus beau que le Lanalhue. Pour apprécier ce site magnifique, il faut le traverser en bateau. À sa pointe sud, il offre un paysage de forêt vierge absolument grandiose.

En dehors du petit village de **Puerto Lleulleu**, la plus proche agglomération est **Quidico** (17 km), station estivale fréquentée pour ses excellents restaurants de fruits de mer (*voir carte p. 234*). À 60 km au sud, le village de Tirúa, au bord du río du même nom, marque l'extrémité de la route qui s'arrête au pied de la cordillère littorale.

Ci-dessous, gardien de bétail qui a troqué son poncho contre un blouson mais a gardé le sombrero et les étriers du « huaso ». À droite, les contreforts des Andes au sud de Santiago.

Descendant des chevaux barbes et andalous importés par les conquistadors espagnols, le cheval de race criollo est retourné à l'état sauvage avant d'être utilisé et élevé par les Indiens, montrant ainsi ses facultés d'adaptation. Au Chili, on l'appelle « corralero ».

LA RÉGION DES LACS

Les Chiliens ont une véritable prédilection pour la partie méridionale de la vallée centrale, appelée « région des lacs ». Beaucoup d'entre eux ne la connaissent que par la télévision et par les photos de lacs couleur d'azur sur fond de volcans enneigés qui ornent infailliblement les murs des restaurants et des bars. Le Sud, fief de la communauté d'origine allemande, est synonyme pour eux de prospérité et de paix et renvoie à l'image rêvée d'un Chili européen.

Pour les étrangers, cette région, quoique fort belle, est loin d'offrir le même dépaysement que les Andes ou le désert d'Atacama. Le climat ressemble à celui du nord de l'Europe et les paysages évoquent le Canada ou la Suisse : montagnes verdoyantes, forêts, lacs paisibles, ruisseaux et cascades. Bien que les Mapuches aient pratiqué le déboisement à grande échelle à l'époque où ce territoire leur appartenait, la forte diminution de leur population aux XVIIe et XVIIIe siècles a rendu ses droits à la nature. Les versants des collines et des volcans se sont à nouveau couverts de forêts impénétrables. Mais l'exploitation éhontée de la forêt a repris au début du XXe siècle et il a fallu l'intervention du gouvernement pour la limiter.

L'agriculture et l'industrie se partagent l'économie de la région. Les principales productions agricoles sont les céréales, la pomme de terre, la betterave, les plantes fourragères ainsi que les produits laitiers (l'élevage y est généralisé). Les dernières années ont vu une formidable expansion de la pisciculture, de l'ostréiculture et de la mytiliculture.

LA COLONISATION

Si l'on excepte les quelques *reducciones* (réserves) mapuches, la région des lacs est peuplée de descendants de colons européens. Le métissage y est beaucoup moins marqué que dans le nord et le centre du Chili, car les colons ont occupé des terres sur lesquelles il ne restait plus beaucoup d'Indiens.

Les Espagnols s'étaient installés dès le milieu du XVIIIe siècle sur des parcelles autour de Valdivia et d'Osorno. Vers 1840, le gouvernement chilien chercha à intégrer les territoires araucans. Dans le cadre de l'un de ces programmes, le savant naturaliste allemand d'origine chilienne Bernardo Philippi fut chargé par le musée de Berlin d'inventorier la faune et la flore locales et d'explorer la région située entre Osorno et Llanquihue. En 1845 fut promulguée une loi faisant de toutes les terres « inoccupées » la propriété de l'État et, trois ans plus tard, Philippi, nommé « agent de la colonisation », retourna en Allemagne pour trouver des candidats à l'immigration pour la région de Valdivia. Les premiers colons allemands, au nombre de deux cents, arrivèrent en novembre 1852. C'est à cette époque que furent fondées les villes de Puerto Montt, Puerto Varas et Puerto Octay. Les rives du lago Llanquihue se peuplèrent ensuite peu à peu.

Carte p. 234

Santiago

Pages précédentes : le célèbre Salto del Laja. À gauche, des « huasos » se livrent à un rodéo ; ci-dessous, Mapuche faisant les foins.

Dans la région des lacs vivent en communauté ou dans des « reducciones » (réserves) plusieurs centaines de Mapuches, réduits à cultiver quelques arpents de terre d'assez médiocre qualité et souvent impropres à l'élevage, source principale de leurs revenus. Ils souffrent aussi de l'exploitation illégale de leurs forêts.

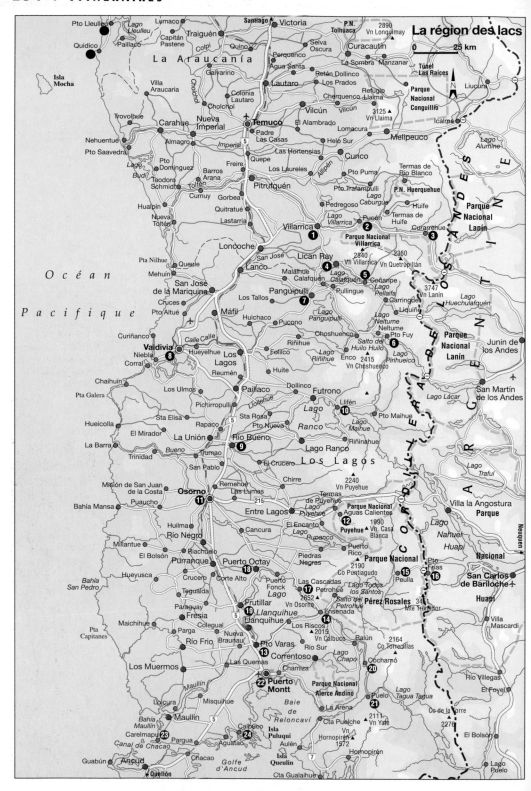

La région des lacs

0   25 km

Vers 1880, le flux d'immigrants se tarit. Le gouvernement procéda alors à l'adjudication des terres encore inoccupées. Il les divisa en lots de 800 ha qui furent achetés par des colons déjà installés ou par des propriétaires originaires des régions de Valdivia, La Unión et Osorno. Au début du XXe siècle, toutes les terres étaient occupées, alors que les Mapuches étaient cantonnés dans des réserves au pied de la cordillère littorale et dans une vallée, à l'est du lago Ranco.

La véritable intégration de la région se fit grâce au chemin de fer. Osorno fut reliée à la capitale en 1902 et à Puerto Montt dix ans plus tard. Le développement des villes et celui des campagnes se firent parallèlement. Le tourisme apparut dès 1914.

UNE CAMPAGNE TRADITIONNELLE

Lorsqu'on quitte la Panaméricaine à la hauteur de Victoria pour s'engager dans les vallées latérales, on découvre une campagne qui vit au rythme des travaux des champs, de l'élevage des chevaux et des réunions familiales ou amicales arrosées de *chicha*. Les sommets de la cordillère des Andes laissent peu de place à l'agriculture extensive : les fermes sont petites et les récoltes peu diversifiées en raison du climat (étés courts, pluies abondantes tout au long de l'année). Beaucoup d'endroits sont dépourvus d'électricité et de téléphone et les routes sont souvent impraticables pendant les mois les plus humides, sauf pour les véhicules tout-terrain. Un réseau d'autocars sillonne les campagnes. Les voyages sont lents en raison de l'état des routes et des multiples arrêts, mais ils ont le mérite d'être peu onéreux et de couvrir pratiquement la totalité de la région, qui est idéale pour les « routards ».

UNE LIGNE DE VOLCANS

On admet généralement que la région des lacs commence au río Toltén, mais cette délimitation n'a rien de scientifique. Le paysage volcanique qui la caractérise commence en réalité au nord de Temuco, dans le **Parque Nacional Conguillío**. Ce secteur, qui englobe de nombreux volcans, dont le **Lonquimay** (2 890 m), est encore peu visité malgré la beauté de ses sites. Il renferme également plusieurs réserves mapuches. On y trouve les derniers araucarias, magnifiques arbres autochtones. Cette espèce était menacée d'extinction jusqu'à ce que le gouvernement Aylwin en interdise l'exploitation, en 1990 ; il fallut pour cela « dédommager » les sociétés privées installées dans la région, auxquelles on dut verser la modique somme de 12 millions de dollars...

Le Chili se trouve sur la ceinture de feu du Pacifique, qui s'étire de l'Alaska à la Patagonie, en passant par la Californie et l'Amérique centrale, et reparaît de l'autre côté de l'océan Pacifique en Nouvelle-Zélande, au Japon et au Kamchatka. Il compte 2 085 volcans, dont 55 sont en activité, parmi lesquels le Quetrupillán, le

Carte p. 234

Vallée du río Bío-Bío. Né dans les Andes, il est le plus puissant fleuve du Chili.

Le Bío-Bío contribue à drainer la grande vallée centrale et a donné son nom à la huitième région administrative. Historiquement, il marque la « frontera ». Au-dessous du fleuve, c'était le territoire des Mapuches, les « peuples rebelles », qui résistèrent d'abord aux Incas, puis pendant plus de trois cents ans à l'envahisseur espagnol.

Lanín, le Choshuenco, le Llaima et le Villarrica, ces deux derniers étant les plus actifs.

Les volcans chiliens sont doublement dangereux en raison de leur calotte neigeuse qui, en cas d'éruption, se transforme en torrents de boue dévastateurs. La lave avance beaucoup plus lentement que la neige fondue, mais elle brûle tout sur son passage. Elle forme des coulées qui finissent par se solidifier. Au sommet du Villarrica, on peut voir rougeoyer le magma en fusion à l'intérieur du cratère, tout près de la surface.

Certains, considérés comme semi-actifs, peuvent être réveillés par l'éruption d'un volcan en pleine activité ; ce phénomène de réaction en chaîne n'a rien d'étonnant quand on sait que ces volcans sont reliés entre eux à une très grande profondeur sous la croûte terrestre. Ainsi, en 1640, 1750 et 1765, ils sont tous entrés en éruption. Une violente explosion emporta le cône du Calbuco en 1893. Quant au volcan Osorno, le plus

L'élevage a tenu longtemps une place privilégiée au Chili avant d'être détrôné par la culture des céréales. Le pays compte aujourd'hui un troupeau de trois millions et demi de bovins, qui ne suffisent pas à assurer les besoins des Chiliens, très friands de viande de bœuf.

beau, aux versants tapissés d'une abondante végétation, des gravures du milieu du XIXᵉ siècle le représentent couvert de coulées basaltiques.

Entre les localités de Villarrica et Los Lagos, on ne compte pas moins d'une quinzaine de lacs de tailles variées.

AUX SOURCES DU BÍO-BÍO

La petite ville de **Lonquimay** (*voir carte p. 222*), à 120 km à l'est de Victoria, sur la Panaméricaine, est bâtie sur le versant oriental de la cordillère, au bord d'un affluent du Bío-Bío, fleuve qui marqua pendant plusieurs siècles la frontière avec les territoires indiens. Les alentours offrent d'agréables buts de promenade, comme le **lago Galletué**, où le **Bío-Bío** prend sa source avant de se diriger ensuite vers le nord, sur une centaine de kilomètres, et de prendre la direction du Pacifique.

La route de Lonquimay emprunte le tunnel de **Las Raíces**, le plus long

d'Amérique du Sud (4 528 m). Percé en 1930 pour laisser passer une ligne de chemin de fer, dans le cadre d'un projet (abandonné) de connexion ferroviaire entre les deux océans, ce tunnel a été renforcé et abrite maintenant une route praticable en toutes saisons. En hiver, il s'y forme d'impressionnantes stalactites. La route est jalonnée de sites intéressants : thermes de Tolhuaca et Manzanar, rochers volcaniques de Piedra Cortada et Piedra Santa (lieux sacrés des Mapuches), le Parque Nacional de Tolhuaca et la Reserva de Malalcahuello.

Le Parque Nacional Conguillío, à une cinquantaine de kilomètres au sud de Curacautín, s'étend sur 60 000 ha au pied du **volcan Llaima** (3 125 m), couvert de neiges éternelles. Sa dernière éruption date de 1957. La route traverse une forêt de chênes, de cyprès et d'espèces indigènes rares comme les araucarias, les *coigües* (hêtres) et les *raulíes*, espèce native au bois rouge. Les petits lacs Verde, Captren et Arco de Iris se sont formés il y a moins de cinquante ans à la suite d'éruptions volcaniques.

TEMUCO ET LE LAGO VILLARRICA

De Victoria, la Panaméricaine descend vers **Temuco** (63 km), en plein territoire araucan. Cette ville d'environ 200 000 habitants, reliée par avion à Santiago et à Puerto Montt, était à sa fondation, en 1881, une forteresse avancée destinée à contenir les attaques des Mapuches. C'est d'ailleurs là que fut signé le traité mettant fin aux hostilités.

Devenue un centre culturel et universitaire ainsi qu'un important marché, elle abrite le **Museo Regional de la Araucanía**. Outre de nombreux témoignages de la culture mapuche, on peut y voir le seul portrait connu d'Antoine de Tounens (*voir p. 41*). Le marché *feria pinta*, intéressant pour l'artisanat et très pittoresque, voit se rassembler tous les Indiens de la région. Aux portes de la ville, le Parque Cerro El Nieblo est planté d'espèces indigènes, arbres géants et

fleur *copihue*. Quant aux Mapuches, ils sont regroupés dans les réserves situées entre Temuco et la mer.

Le principal attrait de la région est le grand **lago Villarrica**, à 87 km au sud-est de Temuco ; après celles de Viña del Mar et de Reñaca, ses plages de sable gris, surplombées par le cône enneigé du **volcan Villarrica** (2 840 m), sont les plus appréciées des Chiliens.

Sur la rive méridionale, la plaisante petite ville de **Villarrica** ❶ fut au XVIᵉ siècle un des premiers centres d'orpaillage, avant d'être reprise par les Mapuches. En 1882, un contingent militaire réussit à les soumettre et la ville, reconstruite, attira très tôt les touristes. Près du petit **Museo Histórico y Arqueológico**, on peut voir une *ruca* araucane, maison de chaume qui devait être bâtie par quatre hommes, en quatre jours. Chaque année, en février, Villarrica accueille un festival artisanal mapuche au cours duquel on a l'occasion d'assister à une démonstration nocturne de certaines danses et

Carte p. 234

Artisanat de petites échoppes au bord des routes.

Les chutes du Petrohué avec, en arrière-plan, le volcan Osorno.

Le torrent couleur émeraude descend en une série de cascades entre de gros blocs de pierre volcanique noire, particulièrement résistante à l'érosion, encaissés dans une végétation d'un vert profond. La couleur des chutes est due à la présence d'algues.

Les perroquets sont nombreux dans les montagnes autour de Conguillío. Le matin, de bonne heure, ils réveillent les campeurs de leur cri rauque.

Le volcan Villarrica, aux neiges éternelles, est toujours en activité. Son ascension peut être dangereuse.

rituels religieux et trouver des objets inhabituels d'artisanat. À l'autre bout du lac, **Pucón ❷**, à 25 km de Villarrica, fondée à la fin du XIXᵉ siècle, accueillit d'abord des colons allemands, avant de devenir le lieu de prédilection des pêcheurs. La construction du Gran Hotel attira une riche clientèle, puis la ville devint le rendez-vous des artistes. Pucón demeure très fréquentée par les classes moyennes de Santiago, qui pratiquent la pêche, la voile, l'escalade, le rafting et le ski dans la région, tout en profitant de la vie nocturne et des restaurants.

À 2 km de là commence le **Parque Nacional Villarrica**, dont les splendides paysages de lacs, cascades et ruisseaux servent d'écrin à trois volcans. Les grimpeurs chevronnés peuvent en faire l'ascension, qui nécessite environ cinq heures de marche sur glace avec crampons. De nuit, depuis les rives du lac, on aperçoit les rougeoiements du volcan Villarrica.

La route qui va vers la *reducción* Quelhue, à une dizaine de kilomètres au nord-est de Pucón, près du río Trancura, réserve de superbes vues sur les volcans enneigés.

PLAGES ET STATIONS THERMALES

Le lago Villarrica est entouré de trois autres plans d'eau de moindre importance. Le lago Caburgua (à environ 25 km au nord-est de Pucón) est un lac volcanique bordé d'une insolite plage de sable blanc (au lieu de l'habituel sable gris, résidu des cendres volcaniques), au milieu des montagnes boisées du **Parque Nacional Huerquehue**.

En haut d'un sommet en esplanade, trois petits lacs (Laguna Chica, Laguna El Toro et Laguna Verde) entourés de plages composent un site charmant. L'ascension dure environ deux heures et permet d'admirer au passage la cascade Nido de Águila. Plusieurs rivières souterraines se jettent dans le lago Caburgua ; elles surgissent à **Los Ojos del Caburgua**, un extraordinaire

ensemble de puits naturels creusés dans la verdure, où on peut se baigner, à 25 km de Pucón. C'est un lieu de promenade et de pique-nique très apprécié.

Les sources thermales abondent dans cette région à l'activité volcanique permanente. Les plus spectaculaires sont sans doute celles de Palguin, à 27 km au sud-est de Pucón, où se succèdent trois cascades. On peut y faire des promenades à cheval et du rafting. Les **Termas de Huife**, à 36 km au sud du Parque Huerquehue, sont modernes et luxueusement équipés. On peut s'offrir des sensations fortes en plongeant aussitôt après dans les eaux glacées du río Liucura.

VERS LA FRONTIÈRE ARGENTINE

Curarrehue ❸, à 37 km à l'est du lago Villarrica, dans la vallée du río Trancura, est une ville de montagne dont le développement, lié à l'agriculture, date des années 1910. Ses commerces et services administratifs desservent toutes les vallées environnantes. La plupart des habitants ont de la famille du côté argentin et vont et viennent de part et d'autre de la frontière, au gré des offres de travail. Presque tous sont métis et portent des noms mapuches.

Dans la région, on cultive surtout des céréales en dépit du climat pluvieux qui met souvent les récoltes en danger, et des pommes de terre, moins fragiles. Mais, étant donné les coûts de transport, cette production est destinée à la consommation locale. La culture du houblon et celle de la betterave à sucre sont d'implantation récente. Les pâturages ne manquent pas, ce qui permet de gagner quelques centaines de pesos de plus en vendant du lait aux coopératives.

La frontière sud chiléno-argentine est peu surveillée car les cols sont difficiles à contrôler. C'est par là que beaucoup de Chiliens sont passés en Argentine, fuyant la dictature du général Pinochet avec la complicité de la population. Les montagnards font sou-

Carte p. 234

Le Gran Hotel Pucón. La ville, fortement enrichie par le tourisme, comprend de nombreuses résidences secondaires, des hôtels de diverses catégories et on n'y compte plus les restaurants en terrasse.

vent preuve d'amabilité et d'ouverture d'esprit et se montrent toujours très cordiaux, même si les étrangers les intimident parfois. Le paysan monté sur son cheval invitera spontanément le piéton qui va dans la même direction à monter avec lui ; la charrette tirée par des bœufs ou le camion rempli de troncs d'arbres s'arrêteront pour laisser monter des villageois marchant sur le bord de la route.

LA RÉGION DES SEPT LACS

De Villarrica, on peut emprunter la route qui va vers Lican Ray et la région connue sous le nom des **Sept Lacs**. Plus petits que les autres, ils sont moins fréquentés car l'accès en est plus difficile, et la plupart sont entourés de hautes falaises boisées.

Les routes escarpées, sinueuses, truffées de nids-de-poule, sont fréquemment glissantes et impraticables en hiver. Aussi est-il préférable de disposer d'un véhicule adapté pour s'aventurer dans cette région, qui révèle des paysages spectaculaires et des aperçus exceptionnels sur la faune et la flore ; les eaux de ces lacs sont très poissonneuses, mais, à l'exception du Calafquén, ils possèdent peu de plages. Ils présentent également une particularité géographique intéressante : ils sont reliés les uns aux autres et s'alimentent mutuellement.

À 30 km au sud de Villarrica, au bord du lago Calafquén, le plus grand des sept, la station balnéaire de **Lican Ray ❹** est en pleine expansion. Cet ancien village de colons, n'a d'autre moyen de communication avec le reste du pays que le lac ; il avait été vidé de ses habitants en 1958 dans le cadre d'un projet de barrage qui devait inonder la zone. Mais le tremblement de terre de 1960 en empêcha la réalisation et, en 1965, l'État, alors propriétaire des terrains, décida d'y reconstruire un village touristique. Lican Ray, avec ses plages de sable noir et ses marchés nocturnes, est devenue une station balnéaire très animée.

Épicerie de village.

En revanche, la petite ville de **Coñaripe ❺**, à 21 km à l'extrémité est du lac, a conservé son atmosphère paisible et plus populaire de station balnéaire du début du siècle. Plusieurs bus s'y rendent chaque jour depuis Villarrica et Lican Ray. Coñaripe se trouve au pied du volcan Villarrica ; on peut voir les coulées de lave de l'éruption de 1970 qui se sont arrêtées à quelques mètres seulement du bord du lac.

Coñaripe constitue le point de départ de nombreuses promenades. Une route très escarpée qui contourne le lago Pellaifa par le nord ménage des points de vue splendides. On peut continuer en direction de la vallée, très pittoresque, qui s'étend entre les deux volcans, vers le village mapuche de Liquiñe (44 km). Une rivière y coule à travers les forêts de bambous et de pins. Au moment de Pâques, la région se couvre de *copihues*, la fleur emblématique du Chili, au calice blanc, jaune ou rouge ; une petite station thermale avec une piscine d'eau chaude et une *hostería* assez confortable incitent à faire une halte.

Un peu avant Liquiñe, une petite route conduit vers le camping et la plage du lago Neltume au pied du volcan Choshuenco. En continuant vers Puerto Fuy, on passe près du spectaculaire **Salto del Huilo Huilo**, les plus hautes chutes du Chili. L'eau s'engouffre dans un canal de 10 m de large puis, dans un fracas assourdissant, se déverse plusieurs dizaines de mètres plus bas dans une gorge tapissée de verdure.

On peut continuer la route vers le **lago Pirihueico**, tout en longueur, à une vingtaine de kilomètres au sudest. C'est un endroit totalement sauvage. Cerné de forêts vierges où domine le *lingue*, arbre endogène, bordé de rives escarpées et de très petites plages de sable noir où l'on aperçoit parfois des empreintes de puma, il constitue un point de passage vers l'Argentine. À l'embarcadère de **Puerto Fuy ❻**, un bac traverse le lac jusqu'à Puerto Pirihueico.

En retournant vers **Neltume**, on arrive au pied du sommet enneigé du volcan **Choshuenco**, dont on peut faire l'ascension. La route qui y mène est assez difficile, mais la vue sur le lago Panguipulli que l'on admire depuis son sommet est superbe. Si on le souhaite, on peut monter en voiture jusqu'au refuge. À la mauvaise saison et souvent même en été, il est impossible de continuer jusqu'au lago Riñihue, en raison du très mauvais état de la route. En revanche, on y accède par le sud depuis la ville de Los Lagos, que traverse la Panaméricaine.

Au nord de Choshuenco, la route longe les plages du lago Panguipulli pendant une centaine de kilomètres jusqu'à la ville du même nom. **Panguipulli ❼** (« colline des pumas »), était autrefois le centre de la production et du transport du bois. Les troncs étaient apportés depuis les forêts environnantes sur des barges et acheminés dans le reste du pays par voie ferrée. La construction de routes a mis un terme à cette activité. C'est maintenant une petite ville plaisante, aux places et aux rues bor-

Carte p. 234

Le « copihue » (« Lapageria rosea »), la fleur nationale du Chili, ne fleurit qu'à Pâques. Il apparaît sur presque tous les objets d'artisanat.

Moisson à la main.

Dans certains secteurs peu fréquentés, la vie est restée très traditionnelle. Avant de partir travailler aux champs, les hommes font le plein d'énergie en avalant un petit déjeuner reconstituant : le « chupilca », blé grillé arrosé de vin blanc, ou le « mudai », un jus riche en féculents, à base de céréales cuites.

dées de rosiers, qui bénéficie d'un microclimat.

UN PETIT COIN D'ALLEMAGNE

De Panguipulli ou de Riñihue, on rejoint la Panaméricaine à Los Lagos, d'où une petite route mène à **Valdivia ❽** (à 50 km à l'ouest), une des plus belles villes du Sud chilien : moderne, gaie, verdoyante grâce aux pluies abondantes, elle est très marquée par l'architecture et la culture germaniques. Ce port fluvial compte 115 000 habitants. Bien que rattachée à la région des lacs, Valdivia en est séparée par la cordillère littorale. Au confluent de trois rivières, elle est entourée de marais, de canaux et de fjords où vit un gibier aquatique rare au Chili.

Fondée en 1552 par le conquistador qui lui donna son nom, la ville fut ensuite abandonnée par les Espagnols pendant un siècle en raison des incessantes attaques indiennes. En 1645, les Espagnols s'y installèrent de nouveau et construisirent des fortifications. Valdivia a longtemps joué le rôle de citadelle espagnole en pays mapuche.

En 1850 arrivent les premiers colons allemands, sur l'île de Teja, qui s'appelait alors Valenzuela, du nom de son propriétaire. Elle prit son nom actuel en raison des fours à briques et à tuiles (*teja*) des fabriques qui fournissaient la ville. La première vague d'immigration allemande dura jusqu'en 1875, puis d'autres colons arrivèrent au tournant du siècle.

On peut avoir un bon aperçu de la vie de cette époque en visitant l'île de Teja, où l'on verra des demeures bourgeoises construites par les colons allemands au commencement du XXe siècle. Ainsi, le **Museo Histórico y Antropológico Mauricio van de Maele** – du nom d'un journaliste belge qui habita la ville entre 1954 et 1984 – renferme des objets mapuches et un très beau mobilier qui date de l'époque coloniale et des débuts de

Ci-dessous, à gauche, des beignets appétissants. Les « comedores » ou « cocinerías » des marchés offrent souvent des plats typiques, frais et bon marché. À droite, musiciens de rue à Valdivia.

l'immigration. Il a été installé dans l'ancienne Casa Andwandter, qui abrita les colons qui figurent parmi les tout premiers ; certains d'entre eux sont enterrés derrière le musée.

En 1960, Valdivia a été presque entièrement détruite par un séisme suivi d'un raz de marée qui modifia la géographie de toute la région. Elle est aujourd'hui entièrement reconstruite et ses habitants se sont tournés vers le tourisme et les universités. L'**Universidad Austral** est un important centre de recherche marine et forestière.

La **calle General Lagos**, qui longe le fleuve, a été déclarée « zone typique » en 1991 pour son alignement de maisons anciennes bien conservées. Dans cette rue, le **torreón Los Canelos**, tour fortifiée, est le seul vestige de l'ancienne muraille de protection érigée par les Espagnols en 1774.

Cette ville agréable, longtemps la deuxième du pays, a conservé toutes ses traditions. Halte incontournable dans le centre, le **café Haussmann** est célèbre pour ses *crudos* (toasts tartinés de steak tartare). Il ne faut pas manquer la *feria fluvial*, marché très animé qui se tient tous les matins sur les rives du río Valdivia, et le spectacle des bateaux de pêche dans le port. Enfin, chaque été, Valdivia accueille son célèbre festival, la Semana valdiviana (marché artisanal, spectacles musicaux au bord du río Calle Calle, concours hippique et, le dernier jour, parade nautique, feux d'artifice et élection d'une reine de beauté).

LES FORTINS SUR LE PACIFIQUE

Tout au long de l'année, les promenades sur les quais et dans les stations balnéaires voisines sont très fréquentées. Bien que l'on puisse se baigner dans les cours d'eau qui traversent la ville, il est plus agréable de pousser jusqu'aux plages des petits ports fortifiés de **Corral** et de

Carte
p. 234

Conséquence du séisme de 1960 et du gigantesque raz de marée qui s'ensuivit, les terres du nord de Valdivia, englouties sous les eaux, sont devenues la réserve naturelle El Santuario de la Naturaleza Río Cruces, qui abrite 90 espèces d'oiseaux.

Seuls les bâtiments des quais et de l'île de Teja ont résisté au tremblement de terre.

LES COLONS ALLEMANDS

Au XIXᵉ siècle, plusieurs millions de personnes émigrèrent d'Allemagne pour s'installer dans les différents pays d'Amérique du Sud. Ils souhaitaient échapper à la pauvreté (pendant plusieurs années les récoltes avaient été désastreuses dans leur pays) et aux turbulences politiques liées à l'échec des révolutions libérales et nationales. D'autre part, le développement des transports à vapeur favorisait les voyages transatlantiques. Il y eut en fait deux vagues d'immigration allemande au Chili, la première au milieu du siècle et la plus importante entre 1885 et 1910. En 1850, le pays sortait de trois décennies d'anarchie politique, et les provinces éloignées, comme celle de Valdivia, qui étaient abandonnées à leur propre sort, parurent propices à de nouveaux arrivants.

Attirés par un climat semblable à celui de la Baltique, les Allemands s'y installèrent en masse, transformant Valdivia en un centre manufacturier et commercial florissant. Certains devinrent cultivateurs, mais la plupart préférèrent tirer parti de leurs compétences

techniques. Forgerons, charpentiers, tanneurs, brasseurs, horlogers, tailleurs et maréchaux-ferrants peuplèrent bientôt la région.

Vers 1900, un voyageur rapportait qu'il avait peine à croire qu'il se trouvait au Chili. Beaucoup d'artisans avaient converti leurs ateliers en petites usines ; Valdivia devint au début du XXᵉ siècle le principal centre industriel du Chili ; des brasseries, des distilleries, des chantiers navals, des minoteries, des tanneries et une centaine de scieries y avaient prospéré, et, en 1913, s'y ajoutèrent les premiers hauts-fourneaux du pays – alimentés au charbon de bois, ils furent une des causes du déboisement des environs. La menuiserie et l'ébénisterie connurent un grand essor grâce aux immenses forêts d'espèces indigènes ou allogènes, comme le pin d'Oregon, importé des États-Unis à partir de 1860.

La région d'Osorno accueillit des immigrants plus pauvres, majoritairement agriculteurs. En 1846, elle reçut les premières vagues d'immigrants qui transformèrent forêts et marécages en terres agricoles et d'élevage. Chaque nouveau colon allemand recevait une parcelle de terre, une paire de bœufs, une vache et un veau, cinq cents planches, un seau de clous et une petite rente mensuelle pendant la première année. Son titre de propriété stipulait qu'il devait construire une maison et un enclos. L'aide médicale était gratuite et le nouveau venu pouvait prendre la nationalité chilienne s'il le désirait.

La région du lago Llanquihue accueillit elle aussi une forte vague d'immigration. La prospérité des Allemands était légendaire dans le pays. Mais leur chance commença à tourner avec la Seconde Guerre mondiale, quand ils furent mis sur liste noire et leurs capitaux gelés jusqu'en 1946.

On en oublierait presque que les immigrants étrangers ne constituèrent jamais plus de 10 % de la population locale. Des mouvements de migration interne se firent aussi parallèlement à l'arrivée des Allemands, mais il s'agissait surtout de Chiliens pauvres et d'un faible niveau d'éducation. Aussi les étrangers s'imposèrent-ils rapidement, employant les *mestizos* dans leurs exploitations et stimulant à eux seuls le développement économique de la région. En dépit de quelques incidents, la cohabitation n'a jamais constitué un véritable problème, et, à l'heure actuelle, cette région pluriculturelle ne connaît pas la moindre tension ethnique.

Les traditions festives sont restées très vivaces et ponctuent l'année des descendants des colons. Les traditions culinaires perdurent, elles aussi. On ne quittera pas Valdivia sans avoir dégusté ses pâtisseries allemandes, ses tartes aux fruits et ses chocolats. On peut aussi y visiter la brasserie Kunstmann, sur la route de Niebla, qui abrite un musée de la bière, et déguster quelques spécialités.

Niebla, à l'embouchure des ríos Valdivia et Tornagaleones. À 18 km, Niebla, station balnéaire animée, a conservé les fortifications de ce qui fut au XVIIᵉ siècle la principale place forte espagnole du Sud, avec ses dix-huit canons qui renforçaient les tirs de ceux de Corral et de Mancera. Les jours de beau temps, la vue est vraiment exceptionnelle.

On peut traverser l'estuaire en barque ou en canot à moteur pour atteindre la petite île de **Mancera**, quartier général militaire de la ville au XVIIIᵉ siècle. L'île est charmante, avec ses jardins et ses maisons anciennes ; on visitera le couvent et la petite église San Francisco. Dans le port, des bateaux conduisent à Corral, de l'autre côté de l'estuaire, port principal de Valdivia et impressionnante place forte d'où l'on a une vue superbe sur le labyrinthe d'îlots et de canaux. En février 1820, l'escadre de lord Cochrane y remporta une belle victoire sur les forces royalistes.

La route côtière qui part de Niebla conduit à plusieurs plages très agréables, en particulier celle de **Curiñanco** (25 km au nord). Cette plage, très sauvage, est la plupart du temps balayée par le vent, et des vaches pataugent dans les flaques laissées par la marée. En hiver, la route est impraticable et le village presque inaccessible, sauf par la mer. Dans un petit restaurant, on sert un mélange de viande et de fruits de mer très riche appelé *pulmay*.

Si l'on n'est pas motorisé, on peut prendre le bus qui se rend à Curiñanco une fois par jour, au départ de Valdivia. Mais cela oblige à passer la nuit sur place (il y a un camping) ou à retourner en auto-stop à Niebla. Autour de Valdivia, les transports se font surtout par bateau. La terre marécageuse ne se prête pas à la construction de routes, et la Panaméricaine passe loin de la côte, au détriment de l'économie locale.

Au sud de la ville, le littoral est sans doute le plus beau et le mieux préservé du Chili. Les forêts de mélèzes qui

Carte p. 234

Les phoques se nourrissent de crustacés, de poissons ou de céphalopodes.

Détente à Valdivia.

couvraient autrefois les collines environnantes ont disparu, mais cette région a conservé son atmosphère de *frontera*. Parmi les endroits les plus agréables de la côte citons la plage de sable blanc de **Chaihuín**, village de pêcheurs situé à une vingtaine de kilomètres au sud-ouest de Corral.

On peut aussi faire de très jolies promenades en bateau de pêche dans le dédale de canaux qui entoure Valdivia.

LES LAGOS RANCO ET MAIHUE

La zone sud de la région des lacs, à l'est de la Panaméricaine, est surtout appréciée par les pêcheurs. Le grand **lago Ranco** dispose toutefois d'un certain nombre d'infrastructures touristiques. De Valdivia, on peut rejoindre Los Lagos et continuer vers **Futrono** (90 km au sud-est), petite station estivale sur la rive nord du lac.

Mais si vous devez prendre un bus, il est plus facile de le faire depuis **Río Bueno ❾**. Le **fuerte San José de Alcudia** se visite, ainsi que le **Museo**

Pêche de « mariscos » (crustacés).

Une campagne de prévention contre le choléra conseille de manger les poissons et crustacés cuits. Bien qu'il y ait peu de cas de cette maladie au Chili, les restaurateurs sont obligés de suivre la consigne. Certains, fruits de mer comme le « loco » (ormeau ou abalone), en voie de disparition, sont souvent interdits de pêche.

Arturo Möller Sandrock, qui expose des céramiques mapuches, des armes anciennes et des documents sur l'émigration germanique.

La plupart des villages qui bordent le lago Ranco, naguère simples rendez-vous de pêche, possèdent aujourd'hui d'excellents hôtels et restaurants. Il est possible de faire le tour complet du lac (environ 120 km) en voiture : les deux rivières se traversent par le bac. La route est bordée de plages et de falaises couvertes de pins. La partie la plus belle se trouve à l'est, entre le río Caunahue et Llifén. Un chemin conduit dans le cañón del Caunahue, un endroit parfait pour pique-niquer.

La route continue sur **Llifén ❿** (30 km de Futrono). Ce joli petit village de pêcheurs est devenu le véritable centre touristique du lago Ranco. La playa Bonita, au sable très fin, est agréablement ombragée d'arbres centenaires. De nombreuses promenades en bateau y sont organisées. De Llifén, on peut faire un détour jusqu'à Puerto Maihue (32 km à l'est), sur la rive nord du petit **lago Maihue**, beaucoup plus sauvage.

DES RÉSERVES MAPUCHES

La réserve mapuche de Rupameica s'étend au pied du **volcan Puyehue** (2 240 m). C'est là, dit-on, que les traditions les plus authentiques se sont conservées. Si l'on a la chance d'être introduit dans la réserve par l'un de ses habitants, on est accueilli avec de grandes démonstrations d'hospitalité ; en revanche, on risque de se heurter à une certaine hostilité si on se présente sur sa propre initiative.

En continuant à longer le lago Ranco de Llifén, on arrive à la péninsule de **Riñinahue**. Le trajet permet d'admirer le **Salto del Nilahue** (un des rares exemples, au Chili, de deux chutes successives), au débit impressionnant, surtout au début de l'été. Après le pont qui enjambe la rivière, un chemin privé à gauche conduit à **Carrán**, sur la rive sud du lago Maihue. Ce petit village porte le nom d'un volcan récent, apparu en 1954 et dont la dernière éruption date de 1979.

Autour de Riñinahue, le paysage est beaucoup plus volcanique et on voit les traces des éruptions récentes. Puis une très belle route en corniche longe la rive sud du lac, où se multiplient de luxueuses résidences secondaires. La petite ville de **Lago Ranco**, à 47 km de Llifén, accueille une clientèle plus populaire. Le petit port vivait jadis du commerce du bois, remplacé par le tourisme. Sur la plage de galets, on peut louer un bateau pour faire une excursion dans les îles. Le petit **Museo Arqueológico** et son exposition permanente sur la culture mapuche méritent une visite. Au-dessus de la ville, la colline de Piedra Mesa offre une vue panoramique sur les treize îles du lago Ranco.

L'île **Huapi**, la plus grande, est habitée par une colonie mapuche, créée par des Indiens qui cherchaient à échapper aux conquérants espagnols. L'homme qui préside au conseil de la communauté est un descendant de cacique. Ses titres de propriété, concédés par le gouvernement chilien en 1914, décrivent ainsi les limites du terrain : « Au nord, bordé par le lago Ranco ; au sud, bordé par le même lac ; à l'est, le même lac ; à l'ouest, le même lac. » Aujourd'hui, six cents Mapuches vivent dans cette enclave. Selon une enquête, 20 % seulement des habitants participent encore au *nquillatún*, festival religieux annuel qui célèbre la terre et les récoltes. L'avenir de la colonie de l'île Huapi est très incertain car l'alcoolisme est très répandu parmi les Mapuches. De plus, les habitants pourront prochainement vendre les terres ancestrales qui leur ont été attribuées par la loi indigène de 1979, ce qui mettrait fin à la notion de communauté. Si l'on veut rejoindre les lacs situés plus au sud, on prendra pour point de départ Osorno.

OSORNO, VILLE CARREFOUR

De toutes les villes du Sud, **Osorno** ⓫ (105 000 habitants) est certainement la moins vivante. Fondée une première fois en 1558, elle fut entièrement

Carte p. 234

Bottes d'algues, « cochayuyos », séchées et liées. Les vertus nutritives de cette algue en font un ingrédient apprécié.

Labourage traditionnel.

détruite lors du soulèvement mapuche de 1598 et abandonnée par ses habitants, qui allèrent s'installer dans des endroits mieux protégés, comme les petites criques de l'île de Chiloé. La ville fut reconstruite en 1796. Elle doit le début de sa prospérité à la forte colonie allemande qui s'y est implantée au XIXᵉ siècle. Sa situation centrale, au croisement de la Panaméricaine et de la route 215, qui mène en Argentine, dans la région la plus touristique du Chili, en fait aujourd'hui une étape incontournable. C'est aussi un important marché pour les habitants des campagnes environnantes. Une certaine effervescence y règne une fois l'an, à l'occasion de la foire aux bestiaux.

Au centre de la ville, au bord du fleuve, se dresse le **fuerte Reina María Luisa**, construit en 1793 sur l'ordre d'Ambrosio O'Higgins (père de Bernardo O'Higgins) qui y vécut pendant la reconstruction d'Osorno. Le quartier formé par les rues Bilbao, O'Higgins et Matta abrite de belles

Les familles vivent de productions saisonnières ou d'activités liées au tourisme et, le reste de l'année, subsistent grâce aux récoltes engrangées ou au salaire de ceux de leurs membres qui travaillent en ville.

demeures de style germanique. Près de la plaza de Armas, le **Museo Histórico Municipal** renferme d'intéressantes collections d'archéologie et d'histoire régionales. Le mirador de Rahue permet d'embrasser du regard la ville avec ses maisons aux toits pentus, le río Rahue et les volcans qui se détachent à l'horizon.

LES LAGOS PUYEHUE ET RUPANCO

Le **lago Puyehue** (50 km) se trouve sur la route principale reliant le sud du Chili à l'Argentine. En hiver, lorsque les routes du Nord sont infranchissables à cause de la neige, les bus font parfois un long détour pour passer par Osorno et Entre Lagos, car les cols y sont moins élevés. La route internationale 215 traverse d'abord un paysage de collines, grimpe ensuite à 1 300 m pour atteindre le lac et le Parque National Puyehue, puis, du côté argentin, elle longe le lago Nahuel Huapi avant d'arriver à San Carlos de Bariloche.

L'apparition d'élevages de saumons sur le lago Puyehue a provoqué des polémiques. Les adversaires de la pisciculture affirment qu'à terme ces vastes concentrations de poissons nourris artificiellement ne peuvent que modifier l'équilibre écologique. La principale agglomération est **Entre Lagos**, à 50 km d'Osorno, assez jolie ville à la pointe sud-est du lac. Cet important nœud ferroviaire, qui était au centre du réseau de transport du bois, est devenu pour les touristes une base d'exploration de la région. La plage n'a rien d'extraordinaire ; en revanche, on trouve de bons terrains de camping à une douzaine de kilomètres de la ville par la route 215. Il y a aussi dans les environs d'Entre Lagos plusieurs hôtels de classe internationale.

La principale excursion à partir d'Entre Lagos est la visite du **Parque Nacional Puyehue** et du volcan Casa Blanca, à une cinquantaine de kilomètres à l'est. En chemin, on passe devant deux stations thermales qui comptent parmi les plus célèbres du

Chili : Puyehue et **Aguas Calientes** ⓬, toutes deux bien équipées et assez fréquentées en fin de semaine. C'est là que se trouvent les bureaux du parc.

La route longe d'abord plusieurs petits lacs et traverse de magnifiques forêts (notamment une rare forêt de climat tempéré humide). Elle se termine à la station de sports d'hiver d'Antillanca, au pied du volcan. Pour atteindre le sommet, on emprunte un chemin carrossable sur 4 km ; l'ascension est plus facile que celle du volcan Villarrica. À la lisière de la forêt qui recouvre le volcan poussent des hêtres à feuilles persistantes, ce qui constitue une autre rareté. Depuis le sommet, le paysage, de toute beauté, offre au regard trois autres volcans, l'Osorno, le Puntiagudo et le Puyehue, qui dessinent un large demi-cercle à l'horizon.

D'Entre Lagos, on peut se diriger directement vers le sud en passant par le **lago Rupanco**. Les possibilités de camping et d'excursions y sont moins nombreuses qu'autour des autres lacs ; le Rupanco est surtout fréquenté par

Carte p. 234

Bordant le lago Llanquihue, le volcan Osorno a souvent été comparé au mont Fuji du Japon, du fait de son harmonieuse géométrie.

L'hôtel Puyehue est un établissement thermal traditionnel.

des pêcheurs, pour la plupart des étrangers et des Chiliens aisés. La Marina del Rupanco, à 13 km d'Entre Lagos, est un petit centre touristique en pleine expansion. Un peu plus loin, la luxueuse **Hostería El Paraíso** possède une plage et un petit embarcadère privés. La salle de restaurant est décorée du sol au plafond de plaques en forme de poisson indiquant le poids des plus belles pièces attrapées dans le lac, avec la date de capture et le nom du pêcheur. Près du pont qui enjambe le río, on trouve des barques à louer pour pêcher ou se promener sur la rivière. Le camping le plus proche est à 25 km, sur la rive sud. **Puerto Chalupa** (8 km), sur la rive nord du lago Rupanco, est un petit village doté d'une plage très agréable mais dépourvu d'hôtel et de terrain de camping.

LE LAGO LLANQUIHUE

Avec ses 877 km², c'est le plus grand lac de la région et le quatrième d'Amérique latine. De la rive nord à la

Une ferme près de Río Bueno.

rive sud, il y a près de 50 km à vol d'oiseau. Proche de la mer, le lago Llanquihue a un petit air océanique, avec des vagues dont la puissance augmente en cas de mauvais temps ou de grand vent, et des microclimats qui rythment l'activité des pêcheurs. En regardant une carte, on voit bien que, sans cette bande de terre d'une vingtaine de kilomètres qui sépare Puerto Varas de Puerto Montt, le lago Llanquihue serait en fait un immense fjord. C'est un des sites les plus visités du Chili. Les circuits partent généralement de Puerto Montt et remontent vers le nord.

La principale station estivale de la rive du lac est **Puerto Varas ⓭**, qui possède l'un des deux casinos du Chili (l'autre se touve à Viña del Mar), installé dans l'ancien Grand Hôtel, à présent *Hotel y Cabañas del Lago*. Ses rues bordées de rosiers et sa promenade face à la plage en font un agréable lieu de villégiature, de style très germanique. Les deux plus belles plages sont celles de Hermosa

et de Niklitscheck (dont le nom évoque l'afflux d'immigrants slaves qui succéda à la vague d'immigration allemande).

Ces plages, longues de plusieurs kilomètres, bordées de restaurants et de boutiques, débordent d'animation le soir. Les villes des rives sud et ouest du lac (Puerto Varas, Llanquihue, Frutillar) que l'axe ferroviaire nord-sud dessert, sont reliées depuis longtemps au reste du pays par le chemin de fer.

De la rive sud, la vue sur le lac avec en toile de fond le volcan Osorno (2 681 m) et le mont Puntiagudo (2 190 m) est splendide. D'autre part, les activités proposées en été à Puerto Varas et dans les environs (festivals, jeux, expositions, concours...) justifient pleinement l'attrait que cette région exerce sur les touristes. Les moyens d'accès sont nombreux, les hôtels, auberges, chambres d'hôtes et terrains de camping abondent, et il y en a pour toutes les bourses. La saison bat son plein en février ; en janvier, bien que la météo soit aussi clémente, les vacanciers sont gênés par les *tábanos*, ces grosses tiques qui bourdonnent au soleil et sont particulièrement attirées par les vêtements sombres et les objets brillants.

En quittant Puerto Varas vers l'est, on emprunte une route en lacet qui réserve de belles vues sur le lac. Il y a souvent du vent, même par très beau temps, de sorte que la température n'est jamais très élevée et on est tenté de rester longtemps au soleil, ce qu'il vaut mieux éviter. En effet, en raison de la détérioration de la couche d'ozone, plus on se rapproche de l'Antarctique, plus les rayons du soleil sont violents et nocifs. De nombreuses *hosterías* émaillent la rive du lac. Sur la gauche se dresse la pointe tronquée du volcan Calbuco (décapité par une explosion en 1983). À mi-chemin entre Puerto Varas et Ensenada, on traverse le río Pescado, bien nommé si l'on en croit les pêcheurs.

Ensenada ⑭, à 46 km de Puerto Varas, est un village-étape à partir

duquel on peut faire de nombreuses excursions. Les touristes qui y font halte se rendent en général à Petrohué, jolie station balnéaire au pied du volcan Osorno, juste entre les deux lacs. En suivant la route qui longe la rivière, on peut s'arrêter pour admirer les étranges **Saltos del Petrohué**.

UN VOLCAN AU CÔNE PRESQUE PARFAIT

Entre les chutes et le lac, la route enjambe plusieurs petites rivières dont les eaux montent brutalement à la fin de l'hiver, à la fonte des neiges du volcan Osorno.

Il y a plusieurs siècles, les éruptions de ce volcan ont détourné vers le lago Todos los Santos le cours du río Petrohué qui se jetait auparavant dans le lago Llanquihue. On peut encore observer d'anciennes coulées de lave, ainsi qu'une végétation et un certain nombre d'insectes caractéristiques de cet endroit.

Prêt à planter la tente.

La région des lacs est très appréciée des jeunes Chiliens, qui y viennent nombreux en été : peu fortunés dans leur grande majorité, ils pratiquent volontiers l'auto-stop et le camping. Même en pleine saison (décembre-février), le grand soleil n'est pas garanti et de fortes averses peuvent être fréquentes.

Église à Puerto Varas.

L'hôtel Ensenada est rempli d'objets anciens, essentiellement de ferronnerie.

Le **lago Todos los Santos** est magnifique, très étroit, tout en longueur et bordé de hautes falaises couvertes de conifères. Il a été découvert par des jésuites un jour de Toussaint, ce qui explique son nom. De la rive, on aperçoit de loin les petits glaciers du monte Tronador (la « montagne qui tonne ») qui marque la frontière avec l'Argentine, et la vue sur le volcan Osorno est encore plus impressionnante que celle que l'on a depuis le lago Llanquihue.

De Petrohué, on peut emprunter l'un des bateaux qui effectuent des croisières d'une journée sur le lac pour rejoindre Peulla, de l'autre côté, un village très touristique où il peut faire étonnamment chaud, mais la petite plage est charmante et la rivière très ombragée dégage une fraîcheur appréciable. **Peulla** ⓯ est le point de départ de superbes randonnées pédestres. On peut aussi poursuivre vers San Carlos de Bariloche (Argentine) en prenant un autre bateau à **Puerto Frías** ⓰.

Depuis Ensenada, un autre circuit mène vers Las Cascadas. La route, non goudronnée, est difficile sur certaines sections en raison de la terre volcanique qui, même sèche, peut se révéler très glissante. Ce secteur qui fut recouvert de lave et de scories lors d'une éruption du volcan, en 1835, permet de constater comment la végétation peut se reconstituer. À 3 km d'Ensenada, une route sur la droite mène au refuge de **La Burbuja**, sur le flanc du volcan Osorno. Une montée de 19 km conduit en haut du volcan. Par temps clair, au coucher du soleil, la vue depuis le sommet est inoubliable. La Burbuja, où l'on peut passer la nuit, est aussi une petite station de ski.

La route principale continue vers Las Cascadas, dans des conditions un peu plus favorables (aucun bus ne l'emprunte, mais on peut faire de l'auto-stop). Cette route possède un nombre incroyable de virages, que les riverains expliquent à leur façon : lorsque le chemin fut tracé, le paie-

ment se fit au nombre de kilomètres réalisés ; on s'arrangea donc pour qu'il soit le plus long possible.

Las Cascadas ⓱ est un centre de vacances doté d'une plage et d'un camping. Un sentier de randonnée de 4 km serpente dans les collines. Il est facile de se perdre, aussi vaut-il mieux faire appel à un guide. À mi-chemin se trouve la petite chapelle isolée de Río Blanco et son cimetière.

Le **volcan Osorno** est accessible soit par Ensenada, soit par Las Cascadas. Son sommet enneigé domine la route qui longe le lac. Les grimpeurs entraînés peuvent gravir ses pentes et atteindre le cratère en six heures environ. Mais les conditions atmosphériques changeantes et les crevasses rendent l'ascension assez dangereuse, même pour des alpinistes chevronnés.

LES BASTIONS AVANCÉS DU TOURISME

En contemplant la vue sur le lac et le volcan, on comprend aisément pourquoi les colons se sont acharnés à rendre habitable cette région si densément boisée. Certains firent venir des pêcheurs de l'île de Chiloé pour les assister dans cette tâche éreintante (pas toujours en échange d'une rémunération équitable, malheureusement). On raconte même que certains employeurs « perdirent » leurs ouvriers dans la forêt pour éviter d'avoir à les payer.

En 1865, toute la rive occidentale du lago Llanquihue était colonisée. Comme il est complètement enclavé dans une forêt impénétrable, les communications se font par bateau. Trente-neuf embarcadères seront construits autour du lac. Les colons transportaient les troncs abattus et les produits de leur ferme jusqu'au lac, où ils les chargeaient sur le vapeur de Puerto Varas. Ils se rendaient souvent en ville pour faire des provisions. Mais des tempêtes donnaient lieu à de fréquentes catastrophes financières car, pour éviter de chavirer, on était contraint de jeter les

paquets par-dessus bord. L'arrivée du chemin de fer en 1912 signe la fin de la navigation.

Les grandes plages qui s'étendent entre Las Cascadas, Puerto Klocker et Puerto Fonck sont absolument désertes. **Puerto Fonck** possède toujours son embarcadère, témoin du passé marchand du lago Llanquihue.

Fondée par des colons allemands en 1854 dans une baie très abritée, la station balnéaire de **Puerto Octay** ⓲ est très fréquentée ; l'affluence y est cependant moindre que sur la rive méridionale du lac. En 1912, le ministre de l'Intérieur Luis Izquierdo eut l'idée de faire du lago Llanquihue une région touristique. Peu après la construction du chemin de fer reliant Puerto Octay à la capitale, il fit bâtir, avec un groupe d'amis, une grande maison sur la péninsule Centinela. Cette villa a été transformée en hôtel de bon confort.

Frutillar ⓳ (5 000 habitants), fondée en 1856 pour servir de port aux colons du lac, est ornée de belles

Sur le chemin de l'église pour la communion solennelle.

L'Église catholique, qui a dénoncé courageusement les abus contre les droits de la personne sous la dictature de Pinochet, ne s'en est pas moins toujours montrée assez conservatrice. Elle exerce une influence considérable dans les écoles, les universités et les réseaux de radio-diffusion qu'elle contrôle.

Carte p. 234

Échiquier géant à Frutillar.

La laguna Verde, dans le Parque Nacional Vicente Pérez Rosales. Ici aussi, les nuances émeraude des eaux du lago Todos los Santos, le joyau du parc, s'expliquent par la présence d'algues vertes.

demeures de style germanique, de jardins fleuris et de palmiers chiliens (les plus méridionaux du monde). La ville se divise en deux parties, le port et la ville résidentielle, qui s'enorgueillit d'une magnifique promenade plantée de bégonias. Son aspect propre et pimpant la fait apprécier de tous les vacanciers ; ses rues fleuries, ses églises aux murs couverts de galets figurent dans toutes les brochures touristiques. En été, un festival de musique réputé s'y déroule pendant plusieurs semaines : il réunit des artistes classiques chiliens et argentins.

Dans le **Museo Histórico Colonial Alemán**, on peut observer des outils, des machines et du mobilier ayant appartenu aux colons de la deuxième génération. Au milieu d'un grand jardin ont été reconstitués les différents types d'habitat des colons. Une promenade agréable mène au cimetière en passant par la réserve forestière et offre une très belle vue sur la baie.

En rejoignant Puerto Varas, la vue sur le lac et la péninsule est magnifique, avec les trois volcans en toile de fond. On peut s'arrêter devant le Monumento a los Antepasados (« monument aux ancêtres »). Sur un grand mur de pierre érigé en 1937 à la mémoire des premiers colons allemands, quatre-vingts noms gravés s'égrènent sur des plaques de bronze. C'est de là qu'on jouit du plus beau panorama.

L'ESTUAIRE DE RELONCAVÍ

Depuis Ensenada, une route mène vers le sud à l'estuaire de Reloncaví, bras de mer aux eaux saumâtres qui relie le río Petrohué à la baie de Reloncaví. Des années d'exploitation commerciale y ont modifié les conditions de pêche, mais on trouve encore de petites criques où il fait bon taquiner la truite, assis au fond d'une barque.

Cette zone est souvent surnommée « la Chiloé continentale » en raison

de ses similitudes avec cette île. Le long de la route qui serpente en bordure du río jusqu'à la rive orientale du golfe de Reloncaví, les constructions couvertes de *tejuelas*, caractéristiques de l'île, commencent à apparaître. Le río Petrohué traverse une vallée glaciaire encadrée de montagnes escarpées. Après avoir passé des thermes naturels et de curieuses formations de roche cristalline, le fleuve débouche dans l'estuaire à proximité d'un petit hameau aux maisons anciennes, Ralún.

Cochamó ⓴, dont le nom signifie « village sur l'estuaire », est la localité la plus importante de ce secteur, grâce à ses élevages de saumons. On peut y voir une belle chapelle en bois de style chilote (de l'île de Chiloé, toute proche). Plusieurs pensions, un restaurant, un camping et une plage permettent d'y séjourner. De Cochamó, on a une vue parfaite sur le volcan Yates (2 111 m). Plus au sud encore se trouve **Puelo** ⓴, dernier village avant le bac qui traverse l'estuaire.

LA FIN DE LA VALLÉE CENTRALE

Puerto Montt ⓴, à 160 km au sud d'Entre Lagos, sur la baie de Reloncaví, est, avec Osorno et Temuco, une des plus grandes villes de la région. À cet endroit, la vallée centrale se disloque en un véritable dédale de lacs, de canaux et de fjords.

Puerto Montt n'était à l'origine qu'un simple embarcadère accueillant les troncs de bois des exploitations forestières des alentours, car la région était autrefois couverte de forêts impénétrables. La loi de 1845 ouvrant le Sud à la colonisation, une piste est créée jusqu'au lago Llanquihue. Le village qui s'installe tire son nom de celui du président de la République alors en fonction, Manuel Montt. Cette région est principalement peuplée de descendants des immigrants allemands.

Ce port battu par les vents, relié en 1912 au reste du Chili par le chemin

Carte p. 234

L'église de Cochamó, recouverte de bardeaux de mélèze. Ce type d'église est très répandu dans l'île de Chiloé.

Carte
p. 234

À droite, port
d'Angelmó, près
de Puerto Montt ;
ci-dessous, un
« Araucaria
araucana »,
l'arbre symbolique
du sud du Chili.

de fer, est devenu la porte du Sud. C'est un important centre de pêche, comme en témoignent les nombreux restaurants de fruits de mer du port d'**Angelmó**, qui est aussi un centre artisanal. De **Tenglo**, la petite île qui lui fait face, on a une vue superbe sur le volcan Osorno. Les pêcheurs y ramassent des algues qu'ils vendent à des Japonais et qui seront notamment utilisées dans l'industrie des cosmétiques .

Puerto Montt conserve de très belles maisons datant de la colonisation. Quant au **Museo Juan Pablo II**, il est consacré aux souvenirs des pionniers et à la culture chilote. On lui a donné le nom de Jean-Paul II après la visite du pape en avril 1987, et une salle entière est consacrée au souverain pontife.

AUTOUR DE PUERTO MONTT

C'est de Puerto Montt que partent les bateaux qui effectuent la longue traversée des archipels. La rade est pro-tégéc par l'île de Tenglo et les eaux de la baie sont généralement calmes. Depuis Puerto Montt ou La Arena, à l'entrée de l'estuaire de Reloncaví, il est également possible de se rendre dans les îles du golfe de Reloncaví et à l'archipel de Chiloé.

Plus près de Puerto Montt se trouve le village de Chamiza, où l'on verra une intéressante église luthérienne flanquée de deux énormes araucarias. De là, on peut faire le tour du **volcan Calbuco**, et découvrir le **Parque Nacional Alerce Andino**, bien aménagé. L'*alerce* (*Fitzroya cupressoides*), sorte de mélèze andin, est un arbre que l'on ne trouve qu'au Chili et en Argentine. Son bois, très résistant à l'eau et aux intempéries, a toujours été très apprécié en construction, à tel point qu'il est en voie d'extinction. Malheureusement les coupes clandestines ne sont pas rares. Le petit lago Chapo, assez peu connu, se visite lui aussi.

À l'ouest du golfe de Reloncaví, à l'embouchure du río, le pittoresque village de **Maullín** (71 km) sert de port d'embarquement pour l'île de Chiloé. On traverse ensuite le village de pêcheurs de **Carelmapu** ㉓, fondé en 1602 par des Espagnols fuyant la ville d'Osorno dévastée par les Mapuches, pour arriver à Playa Brava, une plage sauvage, bordée de hautes falaises d'où l'on a une vue impressionnante sur le golfe de Coronados.

Sur les plages désolées de cette côte poussent des fraisiers sauvages, qui ont donné naissance aux fraises que l'on cultive maintenant dans le monde entier. Si on longe le golfe de Reloncaví vers le sud, on arrive à **Calbuco** ㉔ (71 km), ancien fortin espagnol perché sur une colline, à l'extrémité d'une île reliée au continent par une chaussée de pierre. Calbuco (« eau bleue ») fut longtemps le seul lieu habité par des Européens dans cette région couverte alors de forêts impénétrables. L'industrie de la pêche, qui avait fait ses belles heures au XXᵉ siècle, a été réduite à néant par la surexploitation de la mer.

Ce gigantesque conifère, au tronc et aux feuilles écailleuses, peut atteindre jusqu'à 50 m de haut et vivre plus de mille ans. C'est un arbre sacré pour les Indiens car ses pignons (« pehuenes », d'où le nom de la tribu Pehuenches), riches en protéines, sont une des bases de leur alimentation ; c'est pourquoi son exploitation intensive a été à l'origine de violents conflits.

CHILOÉ

Dans sa musique, son artisanat et ses légendes, cet archipel noyé dans la brume a gardé vivantes les traditions du passé. Il est composé d'une centaine d'îles, dont la principale, Isla Grande, est plus grande que la Corse. On s'y rend facilement en empruntant à Pargua – à 90 km au sud de Puerto Montt – le ferry qui traverse le canal de Chacao en une demi-heure.

Le climat de Chiloé, tempéré, et ses paysages de bocages verdoyants, conséquences des pluies fréquentes, évoquent ceux de la Normandie. La meilleure période pour visiter Chiloé va de décembre à février, à une saison où le climat, un peu moins humide, permet de se déplacer plus facilement entre les îles. Si l'on souhaite loger chez l'habitant, il convient de se munir d'un duvet : la température est généralement assez fraîche et les maisons sont peu chauffées. Depuis quelques années, l'archipel fait l'objet d'une sorte de pèlerinage aux sources pour les Chiliens : il faut donc s'attendre à y rencontrer un bon nombre d'habitants de Santiago, du moins dans les villes principales.

UN ARCHIPEL MYTHIQUE

Une vieille légende indienne raconte les origines de Chiloé, à l'époque où les Mapuches et les Chonos étaient encore les seuls habitants de la région. Elle dit que l'île naquit de la lutte entre deux serpents ennemis, le serpent des eaux Cai Cai (le méchant) et le serpent de la terre Ten Ten (le bon). Cette légende a sans doute pour fondement un tremblement de terre, accompagné d'un raz de marée et d'inondations, catastrophes naturelles assez fréquentes dans le sud du Chili. Pour leur part, les géologues expliquent la formation des quatre volcans, Hornopirén, Huequi, Michinmahuida et Corcovado, qui se dressent sur le continent, face à Chiloé, par la collision de deux plaques de l'écorce terrestre.

Il y a des millions d'années, les glaciers ont si fortement érodé la cordillère littorale que la mer a recouvert la vallée centrale. À la fonte des glaciers, l'océan s'engouffra par les larges brèches ouvertes au nord et au sud de ce qui est devenu la grande île de Chiloé, créant une mer intérieure et transformant la chaîne côtière en une mosaïque d'îles et de fjords.

UNE ÎLE EN SURSIS ?

Au centre de l'île principale (au niveau des lacs Huillinco et Cucao), l'altitude est proche de zéro et nombreux sont les insulaires qui redoutent que Chiloé soit un jour coupée en deux. Par sa taille, Isla Grande est la deuxième île d'Amérique latine après la Terre de Feu. Bordée de nombreuses îles plus petites (Chauques, Quenac, Quehui, Chaulinec et Desertores), elle ressemble à un grand navire amarré au large des côtes chiliennes. Certains de ces îlots sont à portée de voix les uns des autres (quand ils ne se rejoignent pas à marée basse !).

Carte
p. 262

Santiago

Pages précédentes : l'île des mythes et des légendes donne à voir un paysage majestueux ; à gauche, les étonnantes couleurs de la cathédrale de Castro ; ci-dessous, « palafitos » près de Castro.

Le long du fjord qui borde Castro, ainsi qu'à Quemchi et à Chonchi, on peut voir des « palafitos », ces maisons en bois sur pilotis, au pied desquelles les pêcheurs amarrent leurs barques. La hauteur des pilotis s'explique par l'importante amplitude des marées. Dans le centre-ville, d'autres « palafitos » ont été transformés en agréables restaurants.

Quoique peu élevées (leur altitude est inférieure à 1 000 m), les montagnes qui émaillent la côte occidentale d'Isla Grande suffisent à faire obstacle aux vents humides du Pacifique, ce qui génère un microclimat plus sec le long de la mer intérieure. C'est pourquoi la plupart des villages se trouvent concentrés sur la côte est de l'île.

Malgré son calme apparent, la mer intérieure réserve bien des difficultés, notamment aux nombreux Chilotes qui disposent seulement d'une barque ou d'un canot pour se déplacer. Lorsque la marée envahit l'étroit canal de Chacao, au nord, elle se heurte aux eaux qui s'engouffrent par le sud de l'île : ce choc provoque des vagues gigantesques et des courants violents. À Cucao, les marées de l'océan Pacifique atteignent 2,5 m, contre 7 m au niveau de Quemchi, au bord de la mer intérieure, pourtant peu profonde dans l'ensemble.

Deux fois par jour, malgré l'appauvrissement des ressources halieutiques, ces puissants mouvements océaniques déposent encore le long du littoral chilote leur contingent de poissons et de crustacés qui ont toujours été l'une des principales ressources de l'île.

L'HISTOIRE DES CHILOTES

Pour autant que l'on sache, les premiers habitants de Chiloé étaient les Chonos, rude peuple de marins à qui l'on doit l'invention de la *dalca*, petite embarcation en forme de canoë faite d'un assemblage de planches. Ce sont eux qui ont servi plus tard de guides aux Espagnols, dans l'enchevêtrement des canaux et des fjords méridionaux. Ils parlaient une langue différente de celle des Mapuches et des Huiliches (*voir p. 27*), qui commençaient à envahir l'archipel. Ces mouvements de population refoulèrent les Chonos vers le sud. À cette époque, Mapuches et Chonos vivaient au sein de petites communautés le long de la côte, à proximité d'une plage ou d'une forêt.

Chaque *cabí* (clan) était dirigé par un cacique et comptait jusqu'à quatre

Église de Vilopulli, près de Chonchi.

cents âmes. Les Indiens vivaient dans des *rucas* en paille (comme celles qui sont toujours en usage dans certaines réserves mapuches du continent). Ils cultivaient la pomme de terre et le maïs dans des champs protégés par des clôtures de branchages tressés, consommaient les crustacés ramassés sur le rivage et fabriquaient des ponchos et des couvertures en laine de lama. La mer jouait pour eux un rôle prédominant : elle était leur principale voie de communication, leur source d'alimentation et aussi le berceau des innombrables légendes qui émaillent la culture chilote.

L'ARRIVÉE DES ESPAGNOLS

C'est au navigateur Francisco de Ulloa que l'on doit la découverte officielle de Chiloé, en 1553. Quatorze ans plus tard, Martín Ruiz de Gamboa prit possession de l'archipel, le baptisa Nouvelle-Galice et fonda la ville de Santiago de Castro en 1567. Avec lui arrivèrent les premiers Jésuites. Durant

deux siècles, les Espagnols divisèrent les terres exploitables en domaines et soumirent les Chilotes au système de l'*encomienda*, forme de servage à peine déguisé. Les indigènes devaient payer tribut au roi d'Espagne en travaillant gratuitement dans les mines d'or de Cucao, en tissant de la laine ou en coupant du bois de mélèze, arbre dont l'espèce est aujourd'hui en voie de disparition.

Dès le début, les ressources naturelles de l'archipel firent la fortune des envahisseurs espagnols, tandis que les autochtones vivaient dans le plus extrême dénuement. En 1598, des Espagnols qui avaient survécu au soulèvement mapuche sur le continent vinrent se réfugier à Chiloé. Les colonisateurs durent ensuite attendre deux siècles et demi avant de pouvoir retourner au sud du río Bío-Bío sur le territoire farouchement défendu par les Mapuches. Pendant ce temps, Chiloé, totalement isolée, connut de nombreuses incursions ennemies, de pirates hollandais notamment.

Carte p. 262

Comme il pleut très souvent à Chiloé (trois jours sur cinq), les paysages sont très verdoyants. En 1834, Charles Darwin notait : « Le climat n'est pas favorable à toute production agricole qui requiert du soleil, et en conséquence les aliments de base sont les porcs, les pommes de terre et le poisson. »

La population hispanique et indienne de Chiloé vivait pauvrement très loin du pouvoir central, et il pouvait s'écouler trois ans sans que l'on reçoive la visite d'un navire espagnol en provenance de Lima. En 1646, les Espagnols de Chiloé demandèrent à leur gouvernement l'autorisation de quitter l'île, ce qui leur fut refusé pour des raisons stratégiques.

UNE INTÉGRATION RÉUSSIE

Les deux groupes ethniques, colonisateurs et colonisés, fusionnèrent donc peu à peu, mais conservèrent la langue, les coutumes et la tradition orale des Chilotes. En effet, ils étaient tous logés à la même enseigne : ces paysans misérables connaissaient les mêmes difficultés. C'est ainsi que se développa un sentiment d'égalité peu courant dans le reste de l'empire colonial espagnol. En 1834, Charles Darwin, au cours de son expédition scientifique à bord du *Beagle*, allait constater cette pauvreté

Maisons sur pilotis recouvertes de « tejuelas » de bois de mélèze.

et noter qu'aucun des habitants de Castro ne possédait d'horloge ni de montre.

Au début du XVIIIᵉ siècle, les Jésuites envoyèrent les Chonos et les Caucahues – autre groupe ethnique qui n'avait pas été intégré par les Mapuches – vivre dans de petites réserves, ou *reducciones*, sur l'île de Cailín (au sud de Quellón), puis sur les îles Chaulinec, où ils finirent par se mêler aux autres habitants. La mission jésuite de Cailín était alors le bastion le plus austral de la chrétienté dans le monde.

Le peuplement de Chiloé continua à se concentrer sur la côte orientale jusqu'à la fin du XIXᵉ siècle, époque où le gouvernement chilien accorda des terres situées à l'intérieur de l'île à des colons allemands, anglais, français et espagnols. Chiloé sortait enfin de son isolement. L'ouverture d'une ligne ferroviaire entre Ancud et Castro en 1912 permit pour la première fois aux deux villes de communiquer par voie terrestre.

Les Chilotes, qui sont au nombre de 140 000, sont restés un peuple fier et indépendant. Ils parlent encore l'espagnol de l'époque de la Conquête, émaillé d'expressions indiennes, leur musique s'inspire de celle qui leur vint d'Espagne au XVIIᵉ siècle et ils conservent de riches traditions très appréciées dans tout le pays. Ils maintiennent aussi entre eux un sens profond de l'entraide et de la solidarité. Par exemple, le transfert d'une maison ou d'un édifice est chose classique sur Chiloé : il suffit d'organiser une *minga*. Cette opération est préparée à l'avance par un groupe d'habitants, et la technique en est simple : on soulève la maison, on glisse plusieurs troncs d'arbres équarris en travers, puis deux ou trois troncs lisses en longueur sous les premiers. La maison est alors déplacée sur une voie de rondins au moyen de cordes tirées par des habitants, plusieurs équipages de bœufs ou un tracteur. La *minga* est une action communautaire bénévole.

Mais l'extrême pauvreté héritée des premières heures de la colonisation a laissé des traces profondes dans la société chilote. Dès le début du XIXᵉ siècle, la plupart des hommes jeunes se virent contraints d'aller chercher du travail dans les autres régions d'Amérique latine. Ils furent matelots, ouvriers des mines de salpêtre, puis péons dans les *estancias* des pampas argentines et de la région magellane. Conséquence de cette émigration forcée : la société chilote devint matriarcale. Restées seules, les femmes élèvent les enfants, s'occupent des animaux et des récoltes et garantissent la survie de l'île.

LE PAYS OÙ POUSSENT LES CHAPELLES

Les Jésuites profitèrent des deux siècles et demi d'isolement que connut l'île pendant la guerre contre les Mapuches pour évangéliser le peuple chilote ; leur passage a marqué aussi bien le contenu des légendes que l'aspect des villages de l'archipel. Ils ont en effet élevé plus d'une centaine

Ci-dessous, à gauche, concours de tonte de moutons lors d'une fête locale ; à droite, attraction foraine où l'on prédit l'avenir.

d'églises, et neuf d'entre elles sont classées monuments historiques au patrimoine mondial de l'Unesco.

Ces chapelles en bois, dont la plupart ont résisté aux assauts du temps, constituent l'un des traits les plus remarquables de l'architecture chilote. Les lieux de culte, construits le plus souvent sur la côte dans des endroits déserts, faisaient partie de la « mission itinérante » des Jésuites. Chaque année à la même date, deux membres de la Compagnie de Jésus faisaient le tour de l'île en bateau, en partant de Castro. Ils avaient à leur bord une étonnante cargaison d'objets pieux : trois autels portables, un christ destiné à être porté par les caciques durant les cérémonies, un sacré-cœur pour les enfants, un saint-jean pour les célibataires, un saint-isidore pour les hommes mariés, une notre-same-de-la-douleur pour les femmes célibataires et une sainte-notburga pour les femmes mariées...

Les églises illustrent parfaitement l'aptitude des Chilotes à assimiler des cultures venues d'ailleurs sans perdre leur identité. Elles s'inspirent de l'architecture allemande de l'époque, ce qui n'est guère étonnant lorsqu'on sait que nombre de jésuites étaient d'origine bavaroise. Les plus anciennes sont bâties entièrement en bois, sans un seul clou. Beaucoup sont peintes de couleurs vives.

De même, les bardeaux (*tejuelas*) en bois de mélèze utilisés pour couvrir les toits des églises et des maisons chilotes ont été introduits par des colons allemands établis à Llanquihue et à Puerto Montt, sur le continent. La partie visible de chaque *tejuela* correspond au tiers de sa surface totale ; ce large chevauchement est conçu pour résister aux trombes d'eau qui s'abattent fréquemment sur la région. Avant l'introduction de ces bardeaux, les maisons chilotes étaient coiffées de chaume, comme les *rucas* des Mapuches, également d'une grande étanchéité.

Les Chilotes sont très attachés à la religion catholique : lorsque les Jésuites furent expulsés d'Amérique en 1767, ils demandèrent aux Franciscains de leur envoyer des missions. En août, les habitants de l'archipel se rassemblent sur l'île de Caguache, en face de Castro, pour une grande célébration religieuse. Les cérémonies s'inspirent fortement des anciens rites jésuites et de ceux des missions catholiques qui s'installèrent ensuite sur l'île.

UN ARTISANAT TRÈS RICHE

Depuis des siècles, les femmes chilotes occupent les rudes hivers, toujours très pluvieux, à fabriquer la plupart des objets ménagers et des vêtements de la famille. Chaque partie de l'île a sa spécialité : par exemple, **Chonchi** est connue pour ses tissages. À **Quellón**, on trouve des ponchos très doux en laine non traitée, très résistante à la pluie. L'île de **Lingue**, en face d'Achao, est célèbre pour ses objets en vannerie réalisés avec des fibres végétales locales (*quiscal, ñocha*). Les objets décoratifs représentent fréquemment des oiseaux ou des personnages issus de la mythologie chilote, comme la Pincoya.

La plus grande foire artisanale chilote se tient sur le continent, à **Angel-**

Ce Chilote souriant porte un poncho confectionné dans l'île. La laine non traitée conserve ses huiles naturelles qui rendent le vêtement imperméable.

Le sens de l'hospitalité et la gentillesse des Chilotes envers leurs visiteurs n'ont pas changé depuis l'époque où Darwin écrivait qu'il n'avait jamais vu des gens « d'aussi obligeantes et humbles manières ».

mó, près de Puerto Montt. Mais la *feria* de **Dalcahue**, à 20 km de Castro, rassemble aussi le dimanche des centaines d'artisans venus de tout l'archipel pour vendre leur marchandise. Ils proposent également des plats traditionnels chilotes, tels que le *curanto*. Cette préparation à base de viande et de fruits de mer est cuite dans un trou creusé dans le sol (*voir p. 101*); on la sert accompagnée de *milcao*, pain plat fait de farine et de pommes de terre (*voir p. 100*).

Dans certaines parties de l'Isla Grande, on utilise encore des *cercos tejidos*, clôtures traditionnelles en branchages entrelacés, d'origine mapuche-chonos, pour tenir le bétail à l'écart des zones cultivées, et le *birloche*, ou *trineo*, remorque en forme de traîneau tirée par des bœufs, n'a pas disparu de certaines petites îles.

Dans les foires et marchés, on voit parfois des *almudes*, petites caisses en bois contenant des graines, des légumes ou des fruits de mer. D'origine espagnole, l'*almud* est un réci-

pient qui sert d'unité de mesure. Divisé en deux parties inégales par une sorte de fond surélevé, il contient d'un côté un *almud* et, lorsqu'on le renverse, un demi-*almud*.

Le métier à tisser traditionnel est horizontal et fixé à même le sol; on y travaille à genoux. On voit parfois aux fenêtres des maisons pendre des chaussettes en laine, des ponchos et d'autres objets faits à la main : cela signifie qu'ils sont à vendre. Les magnifiques pull-overs chilotes sont plus souvent en laine de mouton qu'en laine de lama. Les femmes font tout elles-mêmes : elles tondent les animaux, lavent la laine à la main, la teignent avec des couleurs naturelles obtenues par des décoctions d'herbes locales et la filent au moyen d'un simple fuseau qu'elles font tournoyer sur le sol.

UN ÉQUILIBRE MENACÉ

À de nombreux égards, l'archipel n'a rien perdu du charme et du mystère qui le caractérisent, mais il se pourrait bien

Carte p. 262

Maison de bois à Chonchi.

Chapelle à Aldachildo, un des exemples de l'architecture de bois de style bavarois du XVIIIe siècle.

Les Chilotes ont la réputation d'être sérieux et travailleurs. Mais leur faible pour le « truco » est aussi légendaire. Le « truco » (mot qui signifie ruse ou tricherie) se joue avec quarante cartes espagnoles. L'intérêt du jeu repose sur l'habileté des joueurs, qui bluffent en récitant des vers à double sens. On peut assister à une partie de « truco » dans les bars d'Ancud ou de Castro.

Commerçant à Ancud.

que cette harmonie soit menacée. Chiloé a toujours vécu de pêche, d'agriculture et d'exportation de bois. Cependant, si l'installation de pêcheries modernes a créé un certain nombre d'emplois, la pollution et la surexploitation de la zone littorale commencent à devenir inquiétantes. Les agences de développement ont mis sur pied des programmes destinés à améliorer l'agriculture, les techniques artisanales et la commercialisation des produits. Certains Chilotes tentent de vivre des produits de la pêche, mais leurs barques et leurs canots à moteur ne font pas le poids face aux gigantesques navires-usines battant pavillon étranger qui croisent en bordure des eaux territoriales chiliennes.

Le tourisme, industrie naissante à Chiloé, menace également l'identité de l'île à moyen terme. Les Chilotes ont tendance à adapter leur musique, leur poésie et leur mythologie aux goûts des étrangers. C'est ainsi que se développent des stéréotypes privés de leur signification initiale.

LE PORT D'ANCUD

On choisira de visiter l'archipel à partir d'Ancud ou de Castro, les deux principales agglomérations d'**Isla Grande**. Lorsqu'on vient de Puerto Montt, **Ancud ❶** (23 000 habitants), située à une trentaine de kilomètres du débarcadère, est la première étape sur la route qui traverse l'île dans le sens nord-sud. Cette ville, fondée en 1767 pour protéger les navires venant du détroit de Magellan, fut d'abord appelée San Carlos de Ancud en l'honneur du roi Charles III d'Espagne. À l'indépendance, elle fut utilisée comme base pour l'expansion du Chili vers le Pacifique Sud. Sa situation privilégiée disparut lorsque le chemin de fer arriva en 1912 à Puerto Montt, qui devint dès lors la capitale économique de la région. Ancud fut la capitale de Chiloé jusqu'en 1982.

La ville, l'une des rares agglomérations chiliennes où les rues ne se coupent pas à angle droit, forme une

étrange mosaïque de docks, de places et de maisons de bois aux couleurs franches, le tout ponctué de constructions plus modernes.

Comme dans la plupart des cités d'origine espagnole, la **plaza de Armas** est entourée par la cathédrale, les bâtiments administratifs et le **Museo Regional Aurelio Bórquez Canobra**, où sont exposés, dans une nouvelle présentation interactive, de nombreux objets qui racontent l'histoire de la ville, ainsi qu'une série de gravures sur bois illustrant la mythologie chilote (*voir p. 273*). Une promenade en voiture sur la **Costanera** (route de la côte) offre une belle vue sur le Pacifique.

En remontant vers le nord (dans la direction de Bellavista), on arrive au **fuerte San Antonio**, édifié en 1770. C'est ici que, huit ans après l'indépendance du Chili, la dernière garnison espagnole se rendit, le 19 janvier 1826. Les Chilotes, fidèles à la couronne espagnole, refusèrent longtemps toute idée de sécession. Ils allèrent même jusqu'à proposer leur île à l'Angleterre, qui fit la sourde oreille.

Par la suite, le port d'Ancud servit de base pour la colonisation du Chili méridional. C'est de là que partit l'expédition de 1843 vers le détroit de Magellan (on peut voir au musée une réplique de la goélette qui y conduisit les premiers colons). Au début du siècle, Ancud était une ville prospère, grâce au commerce du bois, aux baleiniers et à l'arrivée de nouveaux immigrants européens, pour la plupart d'origine germanique. Mais elle perdit de son importance lorsque le chemin de fer arriva jusqu'à Puerto Montt, en 1912, et c'est Castro qui devint la capitale de l'île.

Sur le marché alternent des petits restaurants de fruits de mer et des éventaires d'artisans (voir aussi sur la place centrale, en bord de mer). Du haut du **mirador Cerro Huaihuén**, on a une superbe vue sur la ville et, si le temps est clair, sur les sommets enneigés des Andes, au-delà du canal de Chacao.

Carte p. 262

Il est possible de louer des barques à moteur à Castro ou encore les services d'une « lancha », barque de pêche assez incommode mais qui vous fera réaliser un voyage inoubliable dans un dédale incroyable d'îles, de bras de mer et de fjords.

Bateaux de pêche dans le port d'Ancud.

Dans les environs d'Ancud, on peut aller visiter les parcs à huîtres de **Caulín**, sur la route qui mène au ferry. La route de Chepu, au sud-ouest d'Ancud, conduit au refuge de pêche d'**Anguay** et dessert plusieurs aires de pique-nique.

CASTRO, CAPITALE AUX COULEURS VIVES

On pêche le congre, la sardine, le bar, les bivalves, huîtres, praires, moules géantes, séchées et vendues en colliers. Les éponges sont ramenées à la surface par des plongeurs en scaphandre. En raison de surexploitation de la mer, des bassins de salmoniculture sont installés dans les îles.

À 90 km au sud d'Ancud, la ville de **Castro** ❷ (20 000 habitants), a repris son rang de capitale. Fondée en 1567 (ce qui en fait l'une des cités les plus anciennes du Chili), elle fut victime de tant d'attaques de pirates qu'elle conserve finalement peu de traces de son passé. C'est à pied qu'on en a le meilleur aperçu. On peut partir de la *plaza*, poursuivre en direction de la mer et passer entre les étals bigarrés de la *feria artesanal*, et enfin escalader la colline qui domine la ville en longeant les rue bordées de maisons aux couleurs vives. Le **mirador**, couronné d'une statue de la

Vierge, domine le cimetière, mélange de pierres tombales conventionnelles et de curieux édifices semblables à de petites maisons.

Le plus étonnant monument de la ville est sans doute la **cathédrale San Francisco**, sur la **plaza de Armas**. Construite en 1906 par un architecte italien, elle est peinte de couleurs originales, orange, lilas et blanc. Bien que ses côtés soient recouverts de tôle ondulée, à cause des intempéries, tout le reste est en bois et témoigne d'une belle maîtrise de l'ébénisterie. Tout près se trouve le **Museo Regional**, qui expose une intéressante collection d'objets et de photographies chilotes. Le **Museo de Arte Moderno** conserve une excellente collection d'art chilien contemporain. Enfin, si on se trouve à Castro la deuxième semaine de février, il ne faut pas manquer le Festival Costumbrista, où des habitants venus de toute l'île donnent un aperçu de leurs danses, de leurs chants et aussi de leur gastronomie.

ÎLES ET VILLAGES SUR LA MER INTÉRIEURE

La route qui longe la mer intérieure vers le nord offre de superbes vues sur les îles et permet de découvrir les villages qui renferment les plus belles églises de l'île, toutes du XVIIIᵉ siècle. On peut voir, entre autres, celle de **Llaullau**, à 5 km, et celle de **Dalcahue** ❸ (20 km), joli port de pêche où l'on fabrique encore des *dalcas*. Sur l'île de **Quinchao**, à **Achao** ❹, s'élève l'église **Santa Maria,** la plus ancienne de Chiloé, dont les belles sculptures baroques sont en bois de cyprès et de mélèze, et celle de **Quinchao**, la plus grande de toutes, qui a été restaurée dans le style néoclassique. Toujours sur cette île, on visitera aussi le charmant village de **Curaco de Vélez**, entre Dalcahue et Achao, aux très anciennes maisons et aux moulins à eau récemment restaurés.

Au sud de Castro, la route mène à **Chonchi** ❺ (24 km), un village étagé sur une colline, qui semble tout droit sorti d'un conte pour enfants, avec ses maisons aux couleurs gaies accrochées à la pente. L'église **San Carlos**, bleu et jaune, et le quartier qui l'entoure sont classés monuments historiques. Dans le port, une coopérative commercialise les produits fabriqués par les artisans du cru. À quelques kilomètres de Chonchi, un ferry dessert l'**isla Lemuy** ❻, dont les maisons sont couvertes de chaume. La route continue en longeant des lacs, des plages ou des fjords vers **Quellón**, à 74 km de Castro, la ville la plus au sud de Chiloé, petit port de pêche d'où on s'embarque pour Puerto Aisén, sur le continent. Le très récent **Museo Inchin Cuivi Ant** expose et explique les ingénieux dispositifs relevant de la technologie chilote.

LA CÔTE PACIFIQUE

Sur cette côte, la seule ville est **Cucao**, à 58 km de Castro, dont la belle plage de sable blanc est ourlée de gigantesques rouleaux. De là, on part visiter le **Parque Nacional de Chiloé**, paradis des campeurs et des randonneurs.

Cette réserve de 43 000 ha permet de découvrir, à cheval ou par des sentiers balisés qui traversent la forêt et longent les lacs et les plages, la faune et la flore particulières à Chiloé. La végétation est composée d'oliviers nains, de cyprès, de bambous, d'ormes et de mélèzes où vivent le renard chilote (*Dulsicyon fulvipes*), le petit cerf appelé *pudu* et des marsupiaux étranges, comme le tout petit *monito del monte (Dromiciops australis)*, qui se nourrit pendant son hibernation de la graisse qu'il a accumulée dans sa queue.

Chaque ville, chaque village, chaque île de Chiloé a un charme bien particulier. L'archipel dispose d'un excellent réseau de transport (autocars, ferries desservent la plupart des îles). Pour visiter les plus petites, il est également possible de louer une barque de pêche (*lancha*), un bateau à moteur ou même un avion. Partout, on sera frappé par la courtoisie des Chilotes et la chaleur de leur accueil.

Carte p. 262

Une des plus anciennes églises de Chiloé.

Boutique de village à Chonchi.

Chonchi, petite ville au sud de Castro, est célèbre pour ses couvertures et ses ponchos en laine tissée, ses gants, ses chaussettes et ses écharpes, et aussi son « licor de oro », un breuvage à base de safran. On notera les « tejuelas » de bois en forme d'écailles de poisson.

UNE ÎLE SOUS INFLUENCE...

Chiloé vit sous le signe de la magie. Les divinités, les vaisseaux fantômes et la Cité des Césars font partie intégrante de la vie quotidienne dans l'archipel. Le Trauco, la Pincoya, le Caleuche et les autres créatures mythiques qui peuplent les champs et les forêts de l'île occupent une place de choix dans la musique, la danse et les croyances populaires chilotes. De leur côté, les *brujos* (sorciers dotés de pouvoirs extraordinaires) tentent de maîtriser les forces mystérieuses toujours très présentes dans la vie des insulaires.

LE TRAUCO, DANGEREUX SÉDUCTEUR

Le **Trauco** est un vilain personnage qui hante les forêts de Chiloé. D'apparence humaine, mais difforme (ses jambes se terminent par des moignons) et haut comme trois pommes, il vit généralement dans une grotte ou dans les branches d'un arbre. Il est vêtu de fibres végétales et se déplace toujours avec un bâton dont il frappe le sol ou le tronc des arbres. Un seul de ses regards peut tuer ou, au mieux, rendre muet ou condamner à l'hébétude, et nombreux sont ceux qui se sont retrouvés bossus après avoir croisé son chemin. En dépit de sa laideur, le Trauco a énormément de succès auprès des jeunes femmes qu'il séduit de son regard hypnotique. Pour lui échapper, il suffit de lui jeter une poignée de sable : on peut alors s'éclipser pendant qu'il est occupé à compter les grains.

Comme la plupart des autres personnages mythiques, le Trauco a une fonction sociale : il permet notamment d'expliquer les grossesses d'adolescentes et, dans certains cas, de dissimuler des pratiques incestueuses dont la mise au jour aurait de graves conséquences dans une communauté aussi restreinte que celle qui vit à Chiloé.

LA PINCOYA, CHARMEUSE DE COQUILLAGES

La **Pincoya** (nom d'origine quechua ou aymara, langues parlées par deux peuples indiens des Andes) surgit de l'écume au lever du soleil et vient virevolter sur le rivage. Lorsque cette jolie blonde interrompt sa danse en se tournant vers l'océan, on sait que la plage se couvrira de nombreux mollusques. En revanche, lorsqu'elle regarde vers l'intérieur de l'île, cela signifie qu'elle va les conduire vers d'autres lieux où l'on a davantage besoin d'eux. Si l'on reste trop longtemps au même endroit pour pêcher, la Pincoya en prend ombrage et s'en va, emportant à jamais poissons et coquillages. On raconte aussi qu'il lui arrive parfois de déposer sur la grève le corps de marins qu'elle vient de sauver.

À l'heure où les richesses maritimes de l'île sont surexploitées, la Pincoya, à l'instar d'autres divinités à visage humain, semble rappeler

Carte p. 262

Santiago

À gauche, le tricot est une des activités féminines traditionnelles ; ci-dessous, une des innombrables représentations de la Pincoya.

La Pincoya est une divinité très présente dans la vie quotidienne de l'archipel. Elle fait l'objet d'une iconographie très variée : dessins, peintures, enseignes ou sculptures sur bois, sous la forme d'une sirène ou d'une jeune femme blonde.

qu'on ne peut pas menacer impunément l'équilibre écologique que les anciens peuples avaient si bien su préserver.

LE CALEUCHE, VAISSEAU HANTÉ

Comme tout peuple de marins qui se respecte, les Chilotes ont leur vaisseau fantôme. Chargé d'invités forcés condamnés à une fête éternelle, le **Caleuche** diffuse par-delà les vagues les accents entêtants d'un accordéon et repêche le corps de ceux qui ont péri en mer. Son équipage se compose de *brujos*.

Le *Caleuche* se déplace la nuit, nimbé d'un voile de brume. Il navigue parfois sous l'eau et disparaît brusquement quand on s'approche trop près de lui. Il lui arrive aussi de se transformer en tronc d'arbre ou en rocher pour dérouter ses poursuivants. Gare à celui qui surprend du regard le vaisseau fantôme : s'il ne succombe pas sur-le-champ, sa bouche ou sa tête seront distordues à jamais !

On prétend que, de temps à autre, le *Caleuche* fait escale à Llicaldac, Tren-Tren ou Quicaví (principal lieu de rassemblement des *brujos*). On raconte l'histoire d'un élégant sloop piloté par un jeune homme de Chonchi, qui disparut lors de son premier voyage. Jamais son père ne pleura sa mort, car il le savait sain et sauf à bord du *Caleuche*. Il avait sans doute raison : la famille se trouva mystérieusement enrichie, grâce, dit-on, aux inestimables marchandises transportées par le vaisseau mythique.

UNE VILLE ENCHANTÉE AUX IMMENSES RICHESSES

Les rares voyageurs qui ont traversé la « **Cité enchantée des Césars** » ont oublié à quoi elle ressemblait. Une brume épaisse la soustrait constamment aux regards, et sa rivière, le río Diamante, détourne son cours lorsqu'un bateau s'en approche. La ville d'où l'on revient amnésique ne se livrera qu'à la fin du monde,

Mur peint à thème mythologique.

pour prouver son existence à tous les sceptiques.

Au fil des siècles, la cité aux immenses richesses (rues pavées d'or et d'argent, portes des palais serties de pierres précieuses, etc.) a fait rêver plus d'un explorateur intrépide. En 1528, quatorze hommes, dits les « Césars », rassemblés sous le commandement du capitaine Francisco César, partirent explorer les jungles du cône sud. À leur retour, ils rapportèrent l'existence de fabuleux trésors qui, selon eux, pouvaient avoir appartenu à l'Empire inca.

Suivirent de nombreuses expéditions organisées par les Espagnols, puis par leurs descendants (la deuxième, dirigée par Juan Tao, partit de Castro en 1620 et ne revint jamais). Le Conseil espagnol des Indes et l'Audience royale de Santiago donnèrent leur aval pour qu'on recherche la cité mystérieuse.

Aujourd'hui encore, la chaîne montagneuse qui se dresse au sud du Chili est si impénétrable qu'elle pourrait très bien abriter une ancienne cité inca, lovée au pied d'un volcan et perdue au milieu des nuages.

LE POUVOIR EFFRAYANT DES SORCIERS

La *brujería* est une confrérie de sorciers, organisée en comités secrets qui se réunissent dans des grottes soigneusement camouflées. La plus grande se trouve vers Quicaví, dans le nord-est d'Isla Grande. Les « **brujos** », qui arrivent parfois déguisés en oiseaux, arborent le *macuñ* lumineux qui leur confère le pouvoir de voler. Cet objet serait fabriqué avec la peau d'une vierge morte, et l'huile qui le fait briller prélevée sur les dépouilles de chrétiens.

Dès leur plus jeune âge, les futurs *brujos* subissent des épreuves initiatiques de plus en plus difficiles. L'une d'elles consiste à passer quarante nuits sous le jet d'une cascade afin d'éliminer toute trace de baptême.

L'apprenti sorcier doit aussi attraper d'une manière particulière un crâne

Carte
p. 262

Groupe de musiciens. Dans l'archipel, on danse une « cueca » particulière, accompagnée au violon et à l'accordéon.

« Centolla » (araignée de mer ou crabe royal) et poisson sur le marché de Chonchi.

La sculpture sur bois est l'un des artisanats répandus à Chiloé.

lancé par l'instructeur à l'aide d'un tricorne. Pour prouver son endurance morale, il est censé assassiner son meilleur ami. Enfin, il faut qu'il déterre un cadavre fraîchement inhumé pour ôter la peau de sa poitrine : une fois sèche, elle sera cousue sur le gilet du *brujo* et sa phosphorescence le guidera dans ses missions nocturnes. Celui qui révèle son appartenance à la *brujería* est condamné à mourir dans l'année qui suit. Les *brujos* ne doivent ni voler ni violer, et ils n'ont pas le droit de manger du sel. Enfin, pour être un sorcier accompli, il faut sauter du haut d'une falaise, porter un lézard cousu sur le front (le reptile est supposé transmettre la sagesse) et passer plusieurs nuits allongé sur une tombe au cimetière. Il faut aussi être capable de se servir du *macuñ* et de se métamorphoser en animal ou en oiseau...

Les *brujos* ont, paraît-il, le pouvoir d'ouvrir toutes les portes, de propager des maladies, de faire tomber les cheveux, de dévier le cours des

Depuis toujours, le bois tient une place prépondérante dans l'archipel : les Chilotes fabriquaient tous leurs outils en bois et ils étaient parvenus à une grande maîtrise dans la fabrication des métiers à tisser, des ancres de marine, qu'ils construisaient avec une pierre et deux planches, et naturellement des bateaux.

rivières et de jeter le « mauvais œil » (*llancazo*) à distance. Grâce au *challanco*, un cristal en forme de boule ou de miroir circulaire, ils peuvent connaître tous les détails de la vie d'une personne.

DES PRATIQUES DIABOLIQUES

La grotte des sorciers est protégée par l'« **invunche** », créature monstrueuse soumise dès sa naissance à de douloureuses transformations. On raconte que, pour « fabriquer » un *invunche*, les *brujos* doivent enlever un premier-né de sexe masculin âgé de moins de neuf jours. Ils le conduisent dans leur grotte et ont recours à la magie noire pour annihiler, le cas échéant, les effets du baptême. Puis ils désarticulent sa jambe droite et la lui retournent le long du dos. Lorsqu'il a trois mois, ils lui fendent la langue en deux et enduisent tous les jours sa peau d'une mixture spéciale. Ils le nourrissent de lait de chatte noire, puis de chair humaine qu'ils se procurent dans les cimetières.

L'écrivain Narciso García Barría voit un parallèle entre ce mythe macabre et certaines pratiques des Incas, qui avaient coutume de confier la garde de leurs temples à des infirmes.

Quelques femmes participent à la *brujería* en tant que *voladoras* (femmes volantes), mais elles n'ont jamais accès à la plupart des pratiques secrètes de la secte. La *voladora* se métamorphose en *bauda*, oiseau qui pousse des cris perçants et sert de messager aux *brujos*. Elle doit au préalable vomir ses viscères et les déposer dans un arbre ; s'ils disparaissent, elle meurt rapidement.

Le *camahueto* est indispensable au *machi*, l'herboriste de la secte. C'est une sorte de vache géante à une ou deux cornes, enfantée par la terre avec une telle violence qu'il se forme un petit cratère à l'endroit de sa naissance. Le *machi* doit attraper la corne du *camahueto* au moment même où l'animal sort de terre, avant qu'il ne coure vers une falaise, d'où il se jette dans l'océan pour mourir.

En principe, il faut que le *machi* procède de la façon suivante : d'abord, il plante quelques morceaux de corne dans le sol pour faire pousser d'autres *camahuetos* (il faut compter trente ans par génération). Puis il fait soigneusement bouillir le reste, pour que l'animal ne se développe pas dans les entrailles de celui qui boira la potion. Ensuite, il pile les cornes pour les transformer en une poudre censée communiquer une force phénoménale à ceux qui l'ingèrent. Les *camahuetos* permettent également de traiter une très grande variété de maladies.

QUELQUES PRÉCAUTIONS INDISPENSABLES

On peut reconnaître un *brujo* en lançant une poignée de son sur le feu : cela le fera éternuer. Pour l'empêcher de sortir, il suffit de disposer deux aiguilles en croix au-dessus de la porte. Les *brujos* se promènent le mardi et le vendredi ; ces soirs-là, les Chilotes chantent des mélopées pour les faire fuir. D'après Narciso García, qui connaît parfaitement Chiloé, les *brujos* sont presque toujours des descendants d'Indiens, et il est très difficile d'entrer dans la *brujería* lorsqu'on est blanc. Il pense que la secte pourrait descendre d'une organisation de résistance aux Espagnols, thèse plausible quand on sait que les Chilotes ont participé activement aux attaques des corsaires. García Barría critique sévèrement une série de procès de *brujos*, menés il y a quelques décennies, car il y voit « une grande croisade dirigée contre les descendants des peuples indigènes ».

À Chiloé comme dans d'autres cultures où existent des communautés de sorciers, la *brujería* constitue une précieuse source d'informations sur les herbes et les remèdes toujours en usage sur les îles. Les sociologues ont constaté que la tradition combine des éléments de sorcellerie européens introduits par les Espagnols avec les croyances des anciens Chilotes.

Carte
p. 262

Tressage de paniers en fibre végétale locale.

AISÉN

On dit que le nom de la province d'Aisén vient de l'expression anglaise « ice end », qui désignait la région des glaciers. Anglais, Allemands, Suédois, Espagnols, Argentins et Chiliens se sont succédé pour explorer et peupler cette région de montagnes, de fjords et de glaciers, d'une exceptionnelle beauté. Elle était autrefois couverte de forêts denses où s'élevaient des arbres géants. Aujourd'hui, on ne voit plus, dans le nord de la Patagonie, que leurs silhouettes calcinées ; d'avion, on a l'impression que quelqu'un a renversé le contenu d'une gigantesque boîte d'allumettes. À l'origine de ce désastre, une loi qui, en 1937, ouvrait officiellement la région à la colonisation. Chaque colon pouvait obtenir un lopin de terre à condition qu'il soit « propre », c'est-à-dire apte à la culture et à l'élevage. Pour nettoyer cette région couverte de forêts denses, les colons brûlent la forêt. Les incendies deviennent vite incontrôlables. Les trois millions d'hectares de forêt brûlés ont laissé derrière eux des cimetières de troncs épars où, plusieurs décennies plus tard, la nature n'est pas encore parvenue à reprendre ses droits. Ce fut une catastrophe écologique sans précédent.

LE « DÉSERT VERT » DE DARWIN

À l'origine, la Patagonie était peuplée par les Tehuelches, nomades qui chassaient les guanacos, les nandous et les *huemules* (daims), et les Alakalufs, pêcheurs qui parcouraient les canaux dans leurs canoës. Vers le milieu du XVIe siècle, les conquistadors organisèrent deux ou trois expéditions pour explorer la région et vérifier que les Anglais ne s'y établissaient pas ; les jésuites en profitèrent pour évangéliser quelques indigènes, que nul ne songea à dénombrer et qui furent ensuite décimés par les maladies importées par les colons, quand ils n'étaient pas tout simplement massacrés.

Ce qui intéressait les explorateurs, c'était la légendaire « Cité des Césars »,

enfouie au cœur de la forêt et censée receler d'immenses richesses. Il fallut attendre 1831, année où Charles Darwin et le capitaine Robert Fitzroy entamèrent leur fameux voyage sur le *Beagle*, pour que soit dressée une carte précise du littoral ; mais l'intérieur de la région resta inexploré durant une grande partie du XIXe siècle.

Le gouvernement chilien commença à s'intéresser à l'Aisén à l'époque des conflits frontaliers avec l'Argentine. Les premières tentatives de peuplement de la région se soldèrent par des échecs. Au début du XXe siècle, les premiers immigrants arrivèrent par la frontière argentine. En 1907, on comptait environ 200 colons et leurs familles, et quelque 500 employés des sociétés anglaises d'élevage ovin installées dans la région. La vie y était dure.

Dans les années 1920, un fonctionnaire écrivait à propos de la Patagonie : « On vit ici dans la solitude la plus totale, à l'écart de toute autorité et de toute justice. Nul n'est à l'abri de la faim, et tous livrent un combat perma-

Carte p. 282

Santiago

Pages précédentes : le lac Vichuquén ; à gauche, une fenêtre donnant sur l'immensité déserte ; ci-dessous, un « huemul ».

Le « huemul », ou cerf guémal, est un petit cervidé craintif, rare et protégé, qui vit en altitude dans les vallées isolées et dans des réserves naturelles. Il figure sur les armoiries du Chili.

nent et sans merci à la nature. » Il remarqua cependant que ces colons avaient un sens aigu de l'hospitalité. « Mets pied à terre, desselle ton cheval », ces quelques mots de bienvenue signifiaient à tout étranger qu'on lui offrait le gîte et le couvert. En guise de remerciement, on attendait de lui un récit détaillé de tout ce qui était survenu dans le monde, car c'était le seul moyen d'information.

À l'heure actuelle, l'Aisén compte environ 95 000 habitants (soit moins de un habitant au kilomètre carré) et, si fonctionnent la radio et la télévision, la région reste étrangement à l'écart des événements nationaux et internationaux. La meilleure saison pour visiter la Patagonie est l'été, entre décembre et mars, mais il faut néanmoins s'attendre à des pluies fréquentes.

LA ROUTE DU SUD

Dans l'ensemble, les choses n'ont pas beaucoup évolué en l'espace de quelques décennies. Écoles, médecins et hôpitaux sont toujours rares. Certains habitants possèdent une voiture ou un camion, et le bus passe de temps en temps, mais la charrette tirée par des bœufs reste le moyen de transport le plus répandu. Le long des côtes, la navigation continue à jouer un rôle essentiel.

La construction de la **carretera Austral Longitudinal** (route australe) a marqué le début d'un changement. Elle va de Puerto Montt à Cochrane (880 km) et devrait être prolongée jusqu'à Villa O'Higgins, 220 km plus au sud. Des tronçons entiers ne sont pas encore goudronnés. Ce projet, lancé en 1976, avait pour objectif de relier les différentes parties de la région par un axe unique nord-sud (partiellement achevé au début de 1988).

Pinochet, qui prétendait être à l'origine de cette décision, a voulu que cette route porte son nom. Il semblerait qu'il ait soutenu cette entreprise contre l'avis de ses ministres des Finances et qu'il se soit battu pour en imposer le financement. La gestion du projet et une partie de la construction incombèrent à des ingénieurs de l'armée. Pour les militaires, cette route jouait un rôle stratégique : en reliant l'ensemble du pays du nord au sud, elle leur assurait le contrôle du territoire en le préservant d'éventuelles ambitions argentines. D'autre part, l'amélioration des infrastructures de communication était censée encourager le peuplement. Cette route a permis aux habitants de l'Aisén d'établir un véritable contact avec le reste de la région.

La route australe attire également les touristes les plus aventureux. L'office national de tourisme chilien, Sernatur, distribue des brochures présentant l'itinéraire, les principales étapes et les points les plus remarquables du parcours. Une carte précise les possibilités d'hébergement, l'emplacement des téléphones publics et celui des postes de secours et de police. Il est essentiel de bien préparer son voyage dans cette région : pas question de s'y aventurer en auto-stop à moins d'avoir vraiment beaucoup de temps devant soi !

DE COIHAIQUE À CHAITÉN

Excellent point de départ pour explorer la région de l'Aisén, Coihaique est accessible en avion à partir de Puerto Montt, ou en voiture par la route australe. On peut aussi passer par Chiloé et prendre le ferry de nuit qui part de Chonchi plusieurs fois par semaine.

Coihaique ❶ est une ville agreable, la plus grande ville de la région, avec près de 40 000 habitants. On pourra faire un tour dans la calle Arturo Prat, où se concentrent les restaurants de fruits de mer et les agences de voyages, et visiter le **Museo Regional de la Patagonia** pour en savoir un peu plus sur la vie des anciens colons. Mais le véritable intérêt de la ville est de se situer au centre d'une région superbe, riche en lacs et en glaciers que protègent divers parcs nationaux.

Si on est arrivé à Coihaique par avion, on peut choisir de remonter vers le nord en empruntant la route australe qui traverse des forêts de *mañíos* et de *coigües* d'un vert éclatant. On peut faire un détour vers la belle plage de **Puerto Cisnes ❷** (84 km), petit village longtemps dirigé par une énergique Italienne, amie du général Pinochet (elle avait l'habitude de faire son horo-

scope). Elle a consacré sa vie à embellir et moderniser son village, créant en particulier une école d'agriculture qui draine tous les jeunes de la région.

Puyuhuapi ❸, à 222 km de Coihaique, est une jolie station thermale sur la rive d'un fjord où abordent les grands bateaux de croisière. Le village a été fondé juste avant la Seconde Guerre mondiale par quatre Allemands, qui avaient fui la région des Sudètes au moment de l'occupation allemande. D'autres colons allemands les rejoignirent et fondèrent une fabrique de tapis artisanaux qui fonctionne toujours. On peut y voir de vieilles photos datant de l'époque de leur arrivée. Tout près de Puyuhuapi, le **Parque Nacional Queulat** offre l'occasion de promenades à cheval ou de parties de pêche au milieu de magnifiques paysages de fjord, de forêt et de glacier.

La Junta ❹, situé à 43 km au nord, au confluent des ríos Palena et Rosselot, constitue le point de départ d'où les navigateurs chevronnés descendent le Palena au milieu de la forêt vierge jus-

Carte p. 282

Habitat traditionnel en bois.

Village de pêcheurs.

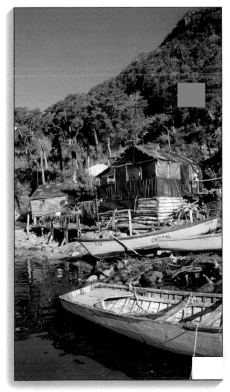

Ces pêcheurs ne peuvent rivaliser avec la pêche industrialisée des gros bateaux, d'autant qu'ils sont, eux aussi, victimes de la dépopulation des mers. Bien que théoriquement protégés, de nombreux animaux marins subissent, en effet, une chasse frénétique qui met en danger la survie de plusieurs espèces.

qu'aux larges plages de l'estuaire de **Puerto Raúl Marín Balmaceda ❺**. Un tel voyage dure environ six heures. Au-dessus de La Junta, on peut s'arrêter à Puente Ventisquero (70 km), pour escalader le mont Yelcho, qui surplombe un lac, un des plus beaux du Chili, dont les eaux vertes sont entourées d'une végétation luxuriante. Le petit port de **Chaitén ❻** (78 km), d'où part un ferry pour l'île de Chiloé, présente peu d'intérêt touristique. Il marque la frontière nord de l'Aisén, de même que Cochrane en limite le sud ; ce sont deux ternes bourgades qui n'ont comme avantages que d'être la porte d'entrée de quelques-uns des plus sublimes paysages de notre planète. Au nord de la ville s'étend le **Parque Natural Pumalín**, parc privé fondé par un couple d'industriels nord-américains qui ont acheté des hectares de forêt en vue de les soustraire aux entreprises d'extraction massive du bois ; leur geste n'a guère été apprécié par ces entrepreneurs. L'accueil et les visites sont très bien organisés : centre d'infor-

mation, expositions, trajets (ou petits voyages) en barque permettant d'approcher des colonies de phoques, restaurant proposant une cuisine à base de produits naturels… Plusieurs bungalows et des campings offrent la possibilité d'effectuer ici un séjour de plusieurs jours fort recommandable.

À l'est de Chaitén, on pourra se baigner dans les eaux chaudes des **Termas El Amarillo ❼**, au cœur d'un paysage magnifique.

TOUT PRÈS DES GLACIERS

Le lieu le plus visité de la région est sans conteste le **Parque Nacional Laguna San Rafael ❽** (1,7 million d'hectares), à 225 km au sud de Puerto Chacabuco. Il renferme une vingtaine de glaciers ; l'un d'eux, celui du mont **San Valentín** mesure 40 km de long et 70 m de haut. En 1831, l'endroit inspira à Charles Darwin des sentiments confus, où se mêlaient l'admiration, la crainte et la mélancolie. Il y vit « de vastes solitudes d'où émane une infinie tristesse, et où la mort est omniprésente ». Mais, quand le soleil brille, le spectacle est grandiose : la lumière se reflète sur les formes étranges de cette immense surface bleutée, dont les seuls habitants sont les albatros et les manchots.

Un canot transporte les visiteurs jusqu'au pied du glacier, à l'endroit où il plonge dans la mer. D'énormes icebergs flottent lentement à quelques mètres à peine du rivage. À la fin de la visite est servie une boisson rafraîchie par de petits éclats d'un glacier vieux de plus de trente millénaires ! La visite du parc se fait à bord de toutes sortes de bateaux, qui vont du plus rudimentaire au plus confortable. Il n'est pas nécessaire de passer par Coihaique pour cette excursion. Plusieurs compagnies maritimes (dont Navimag et Transmarchilay) proposent des croisières de 3 à 7 jours au départ de Puerto Montt et de Chiloé.

Tous les lacs et cours d'eau d'Aisén regorgent de poissons, surtout de saumons et de truites arc-en-ciel. Il est possible d'organiser des expéditions en bateau sur certains lacs, à partir de

Chute d'eau dans le Parque Nacional Queulat.

À mi-chemin entre Chaitén et Coihaique, le Parque Nacional Queulat, qui s'étend sur 154 000 ha, déroule de magnifiques paysages : murailles glaciaires, hauts pics volcaniques, chutes d'eau, et notamment la chute du Condor qui se déverse de 40 m de hauteur, rivières… et une forêt native impénétrable, en grande partie inexplorée.

Coihaique, pour un ou plusieurs jours (dans ce cas, on dormira si on le souhaite dans l'une des nombreuses cabanes de pêcheurs de la région).

AU SUD DE COIHAIQUE

Les skieurs trouveront leur bonheur à **El Fraile**, station située à 30 km au sud-est de Coihaique, à 1 000 m d'altitude. Le domaine compte cinq pistes destinées aux débutants et aux skieurs chevronnés, mais l'équipement du centre de ski est assez rudimentaire.

Le trajet qui sépare Coihaique de Cochrane (350 km) s'effectue en une journée par la route, à travers le paysage montagneux et granitique du **cerro Castillo** (2 675 m). À **Villa Cerro Castillo ❾**, on peut voir des peintures rupestres datant de six mille ans au **Monumento Nacional Manos de Cerro Castillo**. En passant par **Bahía Murta ❿** vous arriverez à Puerto Sánchez, ancien village minier, où des barques mènent à la Catedral de Mármol (« cathédrale de marbre ») sculptée par les eaux dans des falaises de marbre et aux grottes des îles Panichine. Puis on longera les eaux bleutées du splendide lac General Carrera, le deuxième d'Amérique du Sud après le Titicaca. Il fut découvert en 1880 et sa partie orientale appartient à l'Argentine.

On a le choix entre en faire le tour en voiture ou le parcourir en bateau. On peut envisager de faire une halte à **Chile Chico ⓫**, agréable village frontière bâti de l'autre côté du lac. Grâce à un microclimat chaud et sec, on y cultive de nombreuses variétés de fruits et de légumes, mais la commercialisation de ces produits demeure problématique. Toute cette région, jadis prospère grâce aux mines de cuivre, est à la recherche d'une autre activité, mais elle a été durement touchée par l'éruption du mont Hudson en 1991.

De Coihaique, un voyage en bateau de six jours, de **Puerto Bertrand ⓬** à **Caleta Tortel ⓭**, peut être organisé sur le río Baker. Ses remous et tourbillons turquoise fascineront les voyageurs les plus blasés.

Carte
p. 282

Maison de guingois à Puerto Aisén.

BALADES DANS LES MERS AUSTRALES

Au sud de la région des lacs, le Chili se fragmente en une kyrielle d'îles. Le bateau seul permet alors d'atteindre ces bouts de terre splendides et inviolés. De même, plus au sud, la côte est entaillée de fjords, anciennes vallées glaciaires envahies par la mer, formant un paysage aussi grandiose qu'inhospitalier où les bateaux règnent en maîtres ! Indispensables à la survie des villages de pêcheurs isolés durant le terrible hiver, ils permettent en été l'existence d'une activité touristique florissante. La principale attraction est le glacier San Rafael, à deux jours de navigation de Puerto Montt.

Une autre excursion mène de Puerto Montt (point de départ de tout voyage vers les fjords, y compris l'île de Chiloé) à Puerto Natales, au sud, porte du Parque Nacional Torres del Paine. Les cabines sont modestes, mais les paysages extraordinaires. Cependant, si les étroits passages entre les îles s'étendent comme de calmes miroirs, le golfe de Corcovado ou, plus au sud, celui de Penas, peuvent mettre à l'épreuve le marin le plus endurci.

Plusieurs croisières partent de Punta Arenas vers l'extrémité sud de la Terre de Feu. La meilleure – mais aussi la plus coûteuse – est la prestigieuse Terra Australis, d'une durée d'une semaine. Enfin, de nombreuses excursions permettent de découvrir la région des lacs au fil de l'eau. L'une d'elles part de Petrohué, sur le lac Todos los Santos, et s'achève en Argentine, à San Carlos de Bariloche, après douze heures enchanteresses.

◄ *Les pélicans bruns, à l'affût du moindre déchet de poisson, sont des compagnons permanents des pêcheurs chiliens.*

▼ *Peu de bateaux de croisière rallient l'île de Pâques en raison de son éloignement mais quelques yachts s'y rendent à l'occasion.*

◄ *Marché d'Angelmó. Ici, les restaurants sont rustiques, mais la fraîcheur du poisson est garantie.*

◀ *La salinité de l'eau de la laguna San Rafael est atténuée par la fonte progressive du glacier du même nom, dont la formation remonte à 30 000 ans environ.*

▲ *Passage mythique, le détroit de Magellan est sillonné de bateaux de croisière reliant Punta Arenas et Puerto Williams, le port le plus austral du globe.*

▲ *Le lac Todos los Santos, ou lac Émeraude, peut se visiter lors d'une excursion d'une journée ou à l'occasion d'une liaison vers l'Argentine.*

▶ *Au printemps, des milliers de manchots de Magellan, identifiables à leurs deux bandes pectorales noires, vont nidifier dans la baie d'Otway.*

LA FAUNE DES FJORDS

Les mammifères marins tels les phoques et les lions de mer sont faciles à observer dans les fjords isolés du Sud. Comme les Alaskalufs qui y pêchaient jadis, les gens du cru continuent à chasser les bébés phoques (pour leur chair). L'été, dans les zones les plus tranquilles, on aperçoit parfois des baleines bleues. Enfin, la *tonina*, ou dauphin du Chili, est le compagnon assuré de toute sortie en bateau au sud de Puerto Montt. Sur les pentes abruptes des fjords, les nombreux arbres indigènes (notamment de la famille des cyprès, *lahuanes*) et variétés de fougères forment un couvert dense. Y vivent une grande variété d'oiseaux (pics colorés, colibris…) ainsi que, bien que plus délicats à observer du rivage, renards (culpeos et renards gris de Patagonie), belettes de Patagonie, chats sauvages (*colocolos*, kodkods, chats de Geoffroy) et le discret puma.

MAGALLANES

À la pointe sud du continent, constamment balayée par des vents violents, la province de Magallanes est complètement à l'écart du reste du Chili. À moins de prendre un vol direct, il faut plusieurs jours pour aller de Santiago à Punta Arenas. Par la route, on traverse les étendues infinies de la Patagonie argentine ; par la mer, on atteint le Sud au terme d'une longue croisière dans un labyrinthe d'îles et de fjords aux eaux glacées. En outre, la topographie de la province de Magallanes est particulièrement accidentée.

Mais ses barrières montagneuses et ses steppes arides ont forgé des caractères exceptionnels : pour l'écrivain Francisco Coloane (1910-2002), principal chroniqueur de la vie magellane, « face à d'aussi rudes conditions de vie, les Magellanais ont appris à se serrer les coudes. La solidarité et le sens de l'honneur ont pris pour eux une autre dimension que pour leurs compatriotes ».

La région magellane a toujours été à l'écart du pouvoir central. D'abord exploitée par les sociétés d'élevage ovin, britanniques pour la plupart, qui avaient des intérêts de part et d'autre de la frontière avec l'Argentine, Magallanes avait plus de points communs avec la Patagonie argentine qu'avec le reste du Chili, et l'anglais y était plus largement répandu que l'espagnol. Les émigrés qui arrivèrent ensuite étaient européens : yougoslaves, russes ou italiens.

Aussi la province a-t-elle développé ses propres traditions politiques : à l'instar des villes minières du Nord, Magallanes a toujours offert un terrain favorable à l'activisme de gauche. Elle a été le théâtre de quelques-uns des plus graves conflits sociaux de l'histoire chilienne, et c'est là que le dirigeant socialiste Salvador Allende exerça son premier mandat de député. Aujourd'hui encore, la région affiche une certaine indépendance, d'autant plus que les Magellanais reprochent au gouvernement de négliger complètement leur province.

Mais ce qui attire la plupart des voyageurs dans cette région perdue aux confins du monde, c'est justement son caractère vierge. La majeure partie de Magallanes se résume à une mosaïque de chenaux et d'îles inhabitées, que ne dessert aucun service de transport régulier. Ces îles, qui forment la partie émergée de l'extrémité de la chaîne andine, ne sont visibles que du ciel ou de bateau. En se rapprochant de cette côte déchiquetée, on aperçoit des colonies de manchots, des lacs aux eaux cristallines, des arbres rabougris par le vent implacable de la Patagonie, et certains des plus fantastiques paysages de montagne d'Amérique du Sud.

UNE COLONISATION DIFFICILE

La province doit son nom au célèbre explorateur portugais Magellan. Au service de la couronne d'Espagne, il fut le premier Européen à découvrir cette étrange contrée, en 1520. Poussés

Pages précédentes : le glacier Grey ; à gauche, les « torres » (tours) du Parque Nacional Torres del Paine ; ci-dessous, figure de proue du « Lonsdale », échoué près de Punta Arenas.

Le Museo Naval y Marítimo de Punta Arenas expose une collection de bateaux de toutes les époques, depuis les canoës indiens jusqu'à une réplique de paquebot du XXᵉ siècle. Il relate les grands épisodes maritimes historiques du Sud chilien.

*Dans le port
de Punta Arenas.*

par un vent infernal, les fragiles voi-liers de Magellan embouquèrent le détroit qui porte son nom, et parvin-rent en dix jours à l'océan qui fut bap-tisé, par contraste, « pacifique ». Un détachement d'hommes envoyé à terre ne trouva qu'une baleine échouée et deux cents cadavres d'Indiens dressés sur des pieux, non loin du site actuel de Punta Arenas. Épouvanté par cette vision, le navigateur se hâta de mettre le cap à l'ouest. Par la suite, rares furent les contacts des Espagnols avec cette région. En 1584, un groupe de trois cents conquistadors commandé par Pedro Sarmiento de Gamboa entreprit de fonder un village au bord du détroit, baptisé Puerto de Hambre (« port famine »). En effet, la faim et les rigueurs du climat austral les déci-mèrent rapidement. Trois ans plus tard, le pirate anglais Thomas Cavendish retrouva un seul rescapé, qui avait sur-vécu en partageant la vie des Indiens.

Durant les deux siècles et demi qui suivirent, la région vit défiler un certain nombre d'explorateurs, de cartographes et de naturalistes, mais personne ne songeait à s'y établir durablement. D'après la première Constitution chilienne, la Terre de Feu, le sud de la Patagonie et les régions situées le long du détroit faisaient par-tie du territoire national, mais il fallut attendre le XIXᵉ siècle pour que le gou-vernement chilien parvienne à s'y installer. L'occupation des îles Ma-louines par l'Angleterre en 1832, et les voyages de Darwin dans la région (entre 1832 et 1834) le décidèrent à manifester ses droits de propriétaire.

En 1843, le président Manuel Bulnes décida d'organiser une expédi-tion pour coloniser la pointe australe. Elle échoua, mais cinq ans plus tard, une autre expédition fonda Punta Arenas.

En dépit de fréquentes incursions d'Indiens Tehuelches, cette nouvelle colonie, qui fut d'abord utilisée comme bagne, prit peu à peu les pro-portions d'une ville et devint une étape vitale pour les baleiniers. En 1867, elle fut ouverte à tous les pionniers et

Magallanes
et la Terre de Feu

0   100 km

déclarée port franc. La découverte de filons d'or en Terre de Feu y attira également de nombreux aventuriers.

Mais le Chili dut renoncer à une bonne partie de la Patagonie : l'Argentine avait en effet profité de la guerre qu'il avait engagée contre le Pérou et la Bolivie (1879-1884) pour se réserver la part du lion dans les régions australes. Les frontières actuelles de la province datent de cette époque.

LE BOUT DU MONDE

Punta Arenas ❶ (120 000 habitants), capitale de la province de Magallanes, est pour beaucoup de matelots la première escale après un long voyage. Coincée entre les dernières hauteurs des Andes et le détroit, émaillée de bâtiments rouillés couverts de tôle ondulée, de maisons de bois aux couleurs pastel et de splendides demeures datant de la fin du XIXᵉ siècle, cette ville semble sortie d'un roman de Dickens. Des salons au charme désuet où l'on sirote du thé y côtoient des

bars miteux, où se pressent des marins recroquevillés sur leur verre de pisco ou de whisky, bien à l'abri du vent cinglant avec leurs bonnets de laine et leurs cabans boutonnés jusqu'au menton. Bien que située à 53° de latitude sud, la ville ne connaît jamais de froids extrêmes, mais le climat y est très changeant. Même en été, lorsque le soleil brille et que la température est clémente, le vent et la pluie peuvent rapidement transformer Punta Arenas en une ville lugubre.

Elle conserve de nombreux vestiges du passé, car son histoire est aussi celle de l'extrême Sud. Au milieu du XIXᵉ siècle, une série de bouleversements ont contribué à la faire sortir de l'ombre. En Europe et aux États-Unis, la révolution industrielle avait entraîné le développement du commerce maritime. Pour faire le tour du monde, les clippers et, plus tard, les cargos à vapeur, devaient faire escale à Punta Arenas (à cette époque, le canal de Panamá n'était même pas encore à l'état de projet).

Cartes pp. 292 et 294

L'eau de Punta Arenas, particulièrement dure, produit quelques-unes des meilleures bières du Chili.

Punta Arenas en hiver.

DES ALLIANCES FRUCTUEUSES

Cet essor ouvrit de nouvelles perspectives aux éleveurs de moutons de Patagonie. La nécessité de s'implanter dans la région poussa le gouvernement à mettre en adjudication d'énormes lots de terres, qui étaient les territoires de chasse des Onas. En 1877, le négociant anglais Henry Reynart acheta trois cents moutons ramenés des Malouines et les installa sur l'île Isabel, dans le détroit de Magellan. Cette initiative, couronnée de succès, fut bientôt imitée par de nombreux étrangers, comme le Portugais José Nogueira. Un Espagnol, José Menéndez, fonda une société d'élevage qui s'étendait sur 3 millions d'hectares et amassa une fortune colossale. Un autre immigrant, d'origine russe, Moritz Braun, d'abord son rival, s'associa avec lui : les deux familles s'allièrent par des mariages et fondèrent une véritable dynastie qui régna sur le Sud pendant plusieurs décennies. Ils détenaient plus d'un milliard d'hectares répartis sur toute la Patagonie. La constitution de ces immenses domaines se fit au prix d'un véritable génocide des Indiens Onas (*voir p. 308*).

QUAND LES ANGLAIS S'EN MÊLENT...

Sous l'influence d'administrateurs d'estancias écossais, anglais, australiens et néo-zélandais, Magallanes finit par ressembler à un avant-poste de l'Empire britannique, comme le note Bruce Chatwin dans son roman *En Patagonie*. Mais les péons qui s'éreintaient sur ces terres inhospitalières étaient chiliens et venaient pour la plupart des fermes surpeuplées de Chiloé. L'ouverture du canal de Panamá, en 1914, mit fin à l'âge d'or de Punta Arenas, offrant aux navires la possibilité de passer d'un océan à l'autre sans contourner la pointe sud.

L'élevage de moutons (2 millions de têtes au début du siècle) continua

Le glacier Serrano, au pied du mont Balmaceda, est une gigantesque montagne de glace aux subtils dégradés de bleu et aux formes diverses (pics, coulées) fondant dans l'eau. De temps à autre, la chute de blocs de glace secoue les eaux du fjord de formidables convulsions, tandis que le vent s'engouffre avec violence dans l'étroit corridor.

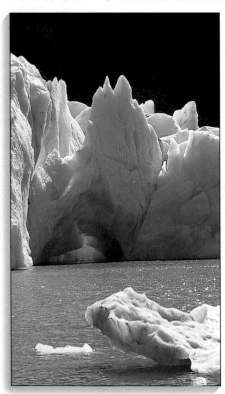

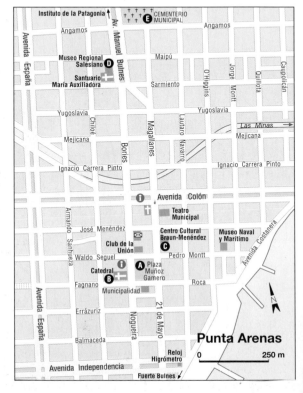

Punta Arenas

Plan
p. 294

d'assurer la prospérité de Magallanes jusqu'à la grande crise des années 1930, mais la concurrence des autres grands producteurs de laine (Australie, Nouvelle-Zélande, Canada) écarta le Chili et l'Argentine des principaux marchés mondiaux. La plupart des régisseurs anglais rentrèrent dans leur pays tandis que la réforme agraire morcelait les grandes estancias du sud. José Menéndez lui-même quitta Magallanes pour Buenos Aires.

En 1945, la découverte de pétrole et de gaz naturel donna un nouveau souffle à l'économie régionale. Depuis cette date, les compagnies pétrolières n'ont cessé de prospecter dans le détroit. À l'heure actuelle, la production magellane couvre une bonne partie des besoins énergétiques nationaux. Les salaires, plus avantageux que dans le reste du pays, attirent des travailleurs venus du Nord. D'autre part, la pêche connaît un regain d'activité. Magallanes peut faire état du plus haut revenu par

habitant de tout le Chili… mais le coût de la vie y est nettement supérieur à la moyenne nationale. L'isolement géographique de la plupart des habitants a entraîné, en 1992, la création de centres d'enseignement par radio, dont les programmes sont adaptés à la culture magellane.

UNE SPLENDEUR RÉVOLUE

Comme par le passé, la vie de Punta Arenas reste centrée autour de la **plaza Muñoz Gamero Ⓐ**, entourée de pelouses et d'arbres centenaires. Elle est ornée d'une statue en bronze de Magellan soumettant des Indiens fuégiens. En été, tout le monde se donne rendez-vous sur la place et une fanfare militaire joue des classiques latino-américains tous les dimanches matin. Autour de la place se dressent la **Catedral Ⓑ** et l'imposant **Club de la Unión** (ou palais Sara Braun). Construit par un des grands noms de l'élevage ovin, il fut le premier édifice en brique de Punta Arenas. Il abrite un

Un vent incessant souffle sur la Patagonie.

club que l'on peut visiter et dont la décoration intérieure est somptueuse. Il est fréquenté par les notables de la ville et par les officiers de marine. On peut y déjeuner dans le charmant jardin d'hiver.

Tout près, calle Magallanes, s'élève le luxueux **Centro Cultural Braun-Menéndez** ◉, ex-palais de cette famille, bâti en 1906 par un architecte français pour rivaliser avec les plus belles demeures de Santiago. La maison était la résidence de Moritz Braun et de Josefina Menéndez. On a utilisé des matériaux de luxe : marbre italien, bois belge, papiers peints français et meubles anglais. Des fresques ornent le plafond du vaste hall. La chambre du maître renferme un imposant lit à baldaquin Louis XV, tandis qu'une gigantesque table de billard et des meubles Art nouveau décorent la salle de jeux. Le salon est meublé de tables et de chaises dorées, et un immense lustre en cristal éclaire une série d'austères portraits de famille.

Au moment de la réforme agraire, avant de quitter la ville, les deux familles ont fait don de l'édifice à la municipalité, sans y enlever un seul objet. Au rez-de-chaussée, le **Museo Regional de Magallanes** retrace l'histoire de la région depuis la fondation de Punta Arenas jusqu'au milieu des années 1920. Le premier étage abrite la bibliothèque et d'importantes archives.

La calle Roca, l'une des plus anciennes de la ville, mène à l'ancienne zone portuaire, bordée de bars et d'asiles de nuit assez délabrés. Les maisons de bois donnent une idée de l'ambiance du port au début du XXᵉ siècle, de même que les nombreux bateaux, cargos, chalutiers et voiliers venus du monde entier. On y trouve aussi certains des meilleurs restaurants de fruits de mer de la ville.

LES INDIENS, GRANDS ABSENTS

Dans le nord de la ville, le **Museo Regional Salesiano** ◉ (*avenida Burnes 374*) est l'un des plus étonnants d'Amérique latine. L'ordre des Salésiens avait entrepris de « sauver » les Indiens de la région de l'extermination en créant des réserves. Malheureusement les rares indigènes qui avaient échappé aux balles des colons blancs succombèrent aux maladies transmises par les vêtements européens. Le musée fournit une mine d'informations sur ces civilisations aujourd'hui disparues. Tissus, bijoux, vêtements de fourrure, harpons et pirogues donnent une image vivante des quatre grands groupes ethniques qui occupaient autrefois les environs du détroit.

Les Tehuelches (Aonikenks) habitaient les steppes désolées de la Patagonie, où ils chassaient le guanaco et le nandou sur des chevaux sauvages. Les Tehuelches disparurent au fur et à mesure de l'extension de la colonisation. Devant leur impressionnante stature (plus de 1,80 m) et leurs immenses mocassins, Magellan se serait exclamé « ¡ *Patagón !* » (« grand pied »), d'où le nom de la région mythique... L'écrivain Bruce Chatwin propose une explication

Cargo au mouillage.

Parmi les cargos qui circulent dans les eaux australes, une vingtaine environ sont accessibles aux voyageurs. Certains, parmi les plus gros, dévient leur route vers des sites touristiques et proposent des services élaborés, des cabines aux couchettes confortables et un service de restauration.

plus plausible : le nom viendrait d'un roman de chevalerie du XVIᵉ siècle, mettant en scène un monstre appelé le « Grand Patagon ».

Équipés de canoës en écorce de hêtre, les Alakalufs (Qawasqars) formaient une tribu de nomades marins ayant pour territoire les milliers d'îles désolées du Pacifique. Ils chassaient le phoque et le lion de mer, et plongeaient dans les eaux glacées pour pêcher la langouste, après s'être enduit le corps de graisse. Les derniers descendants des Alakalufs vivent dans le village de pêcheurs de Puerto Edén, l'un des lieux les plus reculés que l'on puisse imaginer.

Les Onas (Selknams) chassaient le guanaco dans les pampas de la Terre de Feu, tandis que les Yaghans (Yamanas) faisaient glisser leurs pirogues à travers les îles boisées au sud du canal de Beagle. Les Onas et les Yaghans ont disparu, décimés par les maladies et l'alcoolisme importés par les baleiniers au cours de la première moitié du XXᵉ siècle. Ainsi ont péri ces malheureux Patagons, dont Orélie-Antoine de Tounens voulait devenir le roi (*voir p. 41*).

À l'Exposition universelle de Paris, en 1878, un « explorateur » dénué de scrupules alla même jusqu'à présenter une famille d'Alakalufs, sous l'étiquette de « sauvages anthropophages de la Terre de Feu », les affamant pour les obliger à manger de la viande crue devant le public, alors qu'elle était bannie de leur alimentation.

Une vingtaine de crânes d'Indiens rappellent la terrible chasse primée, pratiquée par les éleveurs contre les Indiens qui, privés de territoires de chasse, en étaient réduits à tuer les moutons, qu'ils appelaient « guanacos blancs ». Sur des clichés datant de la fin du XIXᵉ siècle, on peut voir les indigènes survivants de ces massacres, parqués dans l'île Dawson par les Salésiens, mal à l'aise dans des vêtements européens et pas du tout préparés à la vie sédentaire qu'on voulait leur imposer.

Plan
p. 294

*Le cimetière
de Punta Arenas.*

*À l'approche
de Noël, c'est sur
la plaza de Armas
que le Père Noël
et ses deux lamas
tiennent conseil.*

Le fuerte Bulnes, fondé en 1843, a été reconstitué en 1943 pour son centenaire avec les matériaux de l'époque, le bois et la terre. Tel un décor de western, entouré d'une palissade de pieux effilés, il est entretenu par l'armée et permet de se faire une idée de l'extrême rudesse de la vie de ces pionniers du bout du monde.

UN ÉTONNANT CIMETIÈRE

Au-delà du musée salésien, la calle Bories mène au **Cementerio municipal ⓔ**. C'est ici que reposent, près des luxueux et souvent extravagants mausolées des grandes familles de l'élevage, les colons du monde entier qui ont contribué à bâtir leur fortune. On a édifié aussi de nombreux monuments aux victimes de naufrages. La tombe de l'Indien inconnu, édifiée en 1969 par la Croix-Rouge locale à la mémoire des victimes de l'ethnocide, fait l'objet d'un véritable culte de la part des habitants de Punta Arenas.

L'avenida Bulnes conduit à l'**Instituto de la Patagonia**. Dans ses jardins, machines agricoles, wagons et tracteurs à vapeur évoquent le passé des pionniers, ainsi qu'une ancienne maison de colons de 1880, entièrement reconstituée. L'institut abrite aussi un jardin botanique qui permet de se familiariser avec la flore patagonne. De l'autre côté de la route, la **Zona Franca** propose toutes sortes de marchandises détaxées (mais les prix sont comparables aux prix moyens européens ou américains).

AUTOUR DE PUNTA ARENAS

Los Pingüineros (colonies de manchots) de la baie d'Otway sont situés à 55 km au nord-ouest de Punta Arenas et se visitent en bateau. C'est sans doute ici que les Européens aperçurent des manchots pour la première fois. Dans sa narration du premier tour du monde de Magellan, l'Italien Antonio Pigafetta les décrit ainsi : « Ces oisons sont noirs et ont des plumes de taille égale sur tout le corps, ils ne volent point et vivent de poisson. [...] Leur bec est comme celui d'un corbeau. » L'espèce que l'on peut observer est le manchot de Magellan (*Spheniscus magellanicus*), de très petite taille.

Entre avril et août, les manchots passent le plus clair de leur temps en mer ; ils remontent en direction du

nord, vers des eaux plus chaudes. De septembre à mars, ils se rassemblent dans les parages du détroit pour leur nidification et creusent des terriers dans les sables du littoral. Il est préférable de leur rendre visite en petit comité, car la vue de la foule les effraie et ils s'enfuient aussitôt en ouvrant leurs ailes atrophiées.

À 54 km au sud de Punta Arenas, au bord des eaux sombres du détroit, on a reconstruit le **fuerte Bulnes ❷**. À la sortie de la ville, la route côtoie l'épave d'un vaisseau naufragé, le *Lonsdale*, et traverse quelques paysages caractéristiques de la Patagonie. Au retour, on peut faire une halte à Puerto de Hambre (« port famine »), où Pedro de Gamboa tenta vainement de fonder la première colonie il y a plus de quatre cents ans.

Au large, on aperçoit la sinistre île Dawson, ancienne réserve des Salésiens, qui fut aussi une prison sous la dictature.

VERS L'ARGENTINE

L'**estancia San Gregorio ❸**, construite en 1878 à 150 km au nord-est de Punta Arenas, le long du détroit, a été la première exploitation ovine de la région (si l'on excepte les initiatives d'éleveurs sur les îles du détroit). Pour la visiter, il faut demander l'autorisation au propriétaire actuel, mais de la route on en aperçoit déjà une bonne partie. Comme la plupart des grandes estancias créées au XIXᵉ siècle, San Gregorio formait une petite ville autonome. Elle possédait son propre bateau à vapeur. Le domaine renferme plusieurs grands hangars de tonte (où sont accrochés les trophées des concours agricoles), des boutiques, une chapelle, un théâtre pour les propriétaires et des bars pour les péons.

La maison de maître est une grande et belle demeure, où l'on trouve encore de vieux Gramophone et quelques vestiges du passé, mais on est bien loin de la splendeur qui y régnait jusqu'au début des années 1970, lorsque la réforme agraire

redistribua les grands domaines aux ouvriers. Après des années d'oppression, les péons, tout d'abord décontenancés par cette nouvelle liberté, finirent par prendre d'assaut la maison de leur ancien maître pour s'y livrer à une véritable razzia. Le domaine est aujourd'hui une coopérative.

À quelques kilomètres de San Gregorio, un embranchement mène à la **cueva de Fell**, dans le Parque Nacional Pali-Aike, où l'on a retrouvé quelques-uns des plus vieux ossements humains des deux Amériques (10 000 ans). Pour la visiter, il faut s'adresser à l'Instituto de la Patagonia, à Punta Arenas.

PUERTO NATALES

Au nord de Punta Arenas, la route longe le canal Fitzroy (du nom du capitaine du *Beagle*) jusqu'à Río Verde, à 88 km. De là, on peut prendre le ferry pour l'île Riesco, très appréciée des campeurs et des pêcheurs. Si l'on continue vers le

Carte p. 292

Un pingouin dans la baie d'Otway.

Guanacos dans le Parque Nacional Torres del Paine.

Le guanaco est un des animaux caractéristiques de la Patagonie. Il fait partie de la famille des lamas, a un long cou, une petite tête et fait preuve d'une agilité remarquable. Pour se défendre de ses attaquants, il souffle de son nez un liquide gluant. Il vit en troupeaux dans les plaines ou les montagnes en été et se laisse facilement approcher et photographier.

*Le « ñandú »
(nandou), sorte
d'autruche jadis
chassée pour
ses plumes
ravissantes,
est une espèce
protégée ;
on le voit assez
couramment
autour de Torres
del Paine.
Le puma, félin
carnivore, chassé
parce qu'il
s'attaque aux
moutons, est une
espèce en voie de
disparition qui vit
dans les régions
montagneuses.*

Le glacier Grey.

nord, on traverse d'abord de vastes pampas, où paissent de grands troupeaux de moutons gardés par des *huasos*, gardiens de bétail à cheval. Puis la route contourne des marais où vivent des flamants roses et des canards sauvages.

Puerto Natales ➍, à 240 km de Punta Arenas, est une grosse bourgade de 18 000 habitants, fondée en 1911 au bord du fjord d'Última Esperanza et dominée par de grands glaciers. Un service de bateaux la relie à Puerto Montt et Punta Arenas. Le chemin qui escalade le **cerro Dorotea** offre des points de vue splendides sur le golfe Amiral Montt, qui s'étend telle une mer intérieure.

Puerto Natales a été un grand port d'exportation de laine et de viande et on peut encore y voir, à 4 km du centre, les structures métalliques de style victorien des abattoirs et des entrepôts frigorifiques de la société Bories, rachetée par les Anglais après la Première Guerre mondiale. L'entreprise connut des jours très prospères : certaines semaines, on y traitait des milliers de moutons destinés aux tables européennes, et on avait même construit une voie de chemin de fer pour transporter la main-d'œuvre. Témoin de cette prospérité, l'ancienne locomotive à vapeur repeinte en rouge décore la place centrale.

Cette forte concentration d'ouvriers fit de Puerto Natales une ville « rouge ». Une émeute éclata en 1919 ; les travailleurs chilotes tuèrent le sous-directeur anglais, lynchèrent trois policiers et mirent à sac les entrepôts. Mais le gouvernement ne tarda pas à envoyer l'armée, qui procéda à l'arrestation d'une trentaine de meneurs, dont une poignée de « bolcheviques ».

À Puerto Natales, on peut visiter le **Museo Histórico Municipal**, consacré aux cultures indiennes, et le **Museo Colegio Salesiano**. Mais le principal attrait touristique du lieu est la découverte de l'un des plus fantastiques paysages patagons.

Une croisière d'une journée conduit dans le Parque Nacional O'Higgins, au pied du **mont Balmaceda** (2 035 m), immense coulée bleutée qui plonge dans la mer. La plupart des bateaux débarquent leurs passagers sur une petite jetée au pied du glacier Serrano. Des passerelles aménagées permettent de se promener en toute sécurité le long de ce fleuve de glace, animé par d'extraordinaires jeux de lumière. Par temps clair, on aperçoit les Torres del Paine et les nombreuses cascades qui jalonnent la côte du canal. Des phoques et des lions de mer se prélassent sur des affleurements rocheux, tandis que les marsouins, les cormorans, les canards vapeur et les cygnes à cou noir viennent parfois troubler la surface des eaux glacées.

DES VESTIGES PRÉHISTORIQUES

De Puerto Natales une petite route côtière conduit au nord vers Puerto Pratt et l'immense **cueva del Milodón** (25 km), qui vit défiler d'innombrables expéditions scientifiques et éveilla une vocation de voyageur chez l'écrivain Bruce Chatwin. En 1895, Herman Eberhard, propriétaire terrien d'origine allemande, y découvrit des fragments de peau et des ossements ayant appartenu à un quadrupède géant. Peu de temps après, un savant argentin annonça que la peau était celle d'une sorte de paresseux géant d'Amérique du Sud. On avait déjà trouvé des ossements de ce type mais, d'après le savant, la peau était si bien conservée que l'animal ne pouvait être mort que depuis peu de temps. Il pensait qu'un autre spécimen vivait dans les parages.

Cette révélation reçut un accueil très mitigé : beaucoup n'y virent qu'un canular mais d'autres la prirent très au sérieux. Dans les estancias de la région, de nombreux témoins prétendirent avoir aperçu d'immenses créatures poilues. Un journal anglais, le *Daily Express*, alla jusqu'à organiser une expédition pour capturer un milodón vivant. Mais les chercheurs ne rapportèrent que quelques histoires abracadabrantes influencées par les légendes indiennes. Le responsable de l'expédition, Hesketh Prichard, en tira un livre, *Through the Heart of Patagonia*, dont Arthur Conan Doyle s'inspira pour écrire *Le Monde perdu*.

La datation au carbone 14 permit de rétablir la vérité : le fragment de peau datait en fait de 10 000 ans et il avait été parfaitement conservé dans l'atmosphère exceptionnelle de la grotte, située à 200 m de profondeur. On y a trouvé également des excréments de l'animal et des traces d'occupation humaine remontant à cinq millénaires. Des fragments de peau et des excréments ont été transférés au Museo Salesiano de Punta Arenas, ainsi qu'au British Museum, à Londres.

UNE NATURE PRODIGIEUSE

À 120 km au nord de Puerto Natales, le **Parque Nacional Torres del Paine ❺**, à l'extrémité sud de la chaîne andine, renferme certains des

La cueva del Milodón, près de Puerto Natales.

La cueva del Milodón est devenue un lieu de pique-nique très fréquenté. Devant l'entrée se dresse une effigie grandeur nature en fibre de verre de l'animal, debout sur ses pattes de derrière, mais rien d'autre n'éclaire le visiteur sur la vie de ce géant herbivore disparu.

Carte p. 292

plus beaux paysages de la pointe australe. Créé en 1959, il fut agrandi à sa taille actuelle (181 000 ha) au début des années 1970, et l'Unesco l'a déclaré réserve de la biosphère en 1978. Dans ces solitudes vivent de nombreuses variétés d'oiseaux et de mammifères : aigles, condors, ibis, flamants roses, nandous, guanacos, pudus, renards, loups, pumas et chats sauvages.

Tous les matins en été et plusieurs fois par semaine le reste de l'année, des bus et des camionnettes empruntent le chemin cahoteux qui relie Puerto Natales à Torres del Paine, à trois ou quatre heures de là. Plusieurs cols jalonnent la piste. En redescendant vers les contreforts de la cordillère, on aperçoit d'abord les Cuernos del Paine (« cornes du Paine »), pointes de granite gris saupoudrées de neige et coiffées d'une éternelle couronne de nuages. Lorsque le temps le permet, les fameuses Torres del Paine, trois « tours » déchiquetées de granite bleu et gris (le mot *paine* signifie bleu

Cascade dans le Parque Nacional Torres del Paine.

Le Parque Nacional Torres del Paine se caractérise par une grande variété d'altitudes (du niveau de la mer jusqu'à 3 000 m), qui permet l'existence d'une faune et d'une flore très diversifiées. Fjords, steppes, forêts de conifères, fougères géantes, arbres torturés par le vent (en tout plus de deux cents espèces de plantes), glaciers géants, lacs et cascades se succèdent de l'ouest à l'est.

foncé en langue tehuelche), offrent un spectacle encore plus extraordinaire.

Comme dans toute la région, le climat est extrêmement changeant. La meilleure période pour visiter le parc va de janvier à avril mais, même alors, le ciel peut s'obscurcir en quelques minutes. La température descend en hiver jusqu'à – 15 °C et atteint en été des pointes de 30 °C. Le vent, qui souffle en bourrasques vers l'ouest, est l'une des constantes de cet univers glacé.

DÉCOUVERTE DU PAINE

Tous les visiteurs doivent se faire enregistrer auprès de l'administration du parc et y laisser leur passeport. Sur place, les gardes forestiers leur fourniront les conseils nécessaires. Les treks en solitaire sont interdits et les alpinistes devront se munir d'une autorisation du Club andin.

La plupart des sites du parc sont accessibles en voiture, et des agences de Puerto Natales y organisent des excursions d'une journée. On peut loger au **Refugio Lago Pehoé** ou à la **Posada Río Serrano**, estancia transformée en hôtel, ou encore choisir l'un des nombreux refuges au confort rudimentaire.

Ces deux bases sont le point de départ de plusieurs randonnées (de un à dix jours). Le parc totalise plus de 250 km de sentiers pédestres, ponctués de refuges sommaires en bois et tôle ondulée où les marcheurs peuvent passer la nuit. Sac de couchage, vêtements chauds et imperméables, matériel de cuisine et carte sont indispensables. Pour les circuits de plusieurs jours, il vaut mieux se munir d'une tente car l'affluence oblige parfois à dormir à l'extérieur des abris. L'eau des ruisseaux est potable, mais il faut prévoir des vivres : les points de ravitaillement sont peu nombreux et chers.

Un circuit de sept jours qui part des locaux de l'administration, à l'extrémité sud du **lago Pehoé**, offre de multiples points de vue sur les Cuernos. Cette excursion est assez éprouvante (l'étape la plus longue fait 30 km), et la plupart des randonneurs préfèrent effectuer des boucles de deux ou trois jours plutôt que le circuit complet. On peut par exemple marcher jusqu'au refuge du bord du lac Grey, y passer la nuit, continuer jusqu'au **glacier Grey** et regagner la *posada* de l'administration le lendemain. Une autre randonnée conduit jusqu'au **glacier Francés** ou au río Pingo, où l'on trouve les refuges les moins fréquentés. On peut aussi, avec une autorisation, escalader les gigantesques glaciers Grey et Dickson. Enfin, il est possible de visiter le parc à cheval (location dans les hôtels) ou de le survoler en avion.

Les plus courageux seront récompensés de leurs efforts par la beauté des pics enneigés, des lacs aux eaux turquoise et des vallées verdoyantes. Les sentiers, bordés de fleurs aux couleurs éclatantes, traversent de vastes prairies ou longent d'impressionnants versants rocailleux. La majeure partie du parc est couverte de forêts denses. Le temps instable ne nuit pas à l'enchantement produit par ce parc, qui reste l'un des sanctuaires les plus sauvages du globe.

L'ARCHIPEL LE PLUS AUSTRAL

Carte
p. 292

La carte de Magallanes fait apparaître une multitude d'îles, pour la plupart inhabitées. Toute une partie de la région est occupée par le **Parque Nacional Bernardo O'Higgins** et par des réserves forestières. Une seule solution pour visiter ces étendues sauvages : louer un bateau à Punta Arenas ou à Puerto Natales.

Le ferry de la compagnie Navimag qui relie Puerto Natales à Puerto Montt côtoie bon nombre de ces îles, de part et d'autre des détroits Smith et Esteban. Le voyage, qui dure au moins trois jours, n'est pas particulièrement confortable (on peut louer une cabine, mais alors il devient bien plus avantageux de prendre l'avion). Toutefois, beaucoup apprécieront les charmes du voyage en bateau et la beauté sauvage de ces milliers d'îles noyées dans la brume.

Au bord de la carretera Austral, un avion accidenté a été transformé en habitation.

Vue de Punta Arenas à vol d'oiseau.

D'UN PARC NATIONAL À L'AUTRE

La population étant essentiellement concentrée autour de Santiago et de Concepción, le reste du Chili offre de vastes étendues sauvages à visiter. Près du cinquième du Chili est protégé, à des degrés divers, par des parcs nationaux ou des réserves. La Commission forestière nationale, ou Conaf, gère désormais trente et un parcs nationaux, quarante-huit réserves nationales et quinze monuments naturels. Le parc Vicente Pérez Rosales, premier parc national créé au Chili, l'a été en 1926 dans la région des lacs. Les droits d'entrée contribuent au financement de la gestion et de l'entretien.

L'étirement longitudinal du pays explique la grande variété de la nature chilienne. Au nord, le désert brûlant n'attire qu'un petit nombre de randonneurs, mais les parcs comme ceux de Lauca ou de Volcán Isluga abritent une faune intéressante et de splendides paysages qu'on découvre à bord de véhicules tout-terrain (et de préférence en compagnie d'un guide). Plus au sud, les parcs côtiers comme celui du Pan de Azúcar assurent la protection de la vie marine.

D'autres parcs, comme ceux de Nahuelbuta, d'Alerce Andino et de Conguillío, ont été aménagés afin de sauvegarder la forêt primaire. Malheureusement, le succès même du Parque Conguillío a entraîné une importante érosion, liée à une fréquentation excessive.

Tout au sud, les parcs comme ceux de San Rafael ou de Bernardo O'Higgins protègent des lacs et des glaciers, tandis que le magnifique Parque Nacional Torres del Paine, dans la province de Magallanes, passe pour l'un des meilleurs sites de randonnée.

Enfin, certains parcs peuvent avoir vocation à protéger des richesses archéologiques, tel celui de Rapa Nui, sur l'île de Pâques.

▲ *Le Parque Nacional de Nahuelbuta porte le nom local du puma mais a été créé (en 1939) pour protéger les araucarias chiliens menacés.*

▶ *Ce parc a été créé en 1982 pour sauvegarder le mélèze, dont le bois sert à fabriquer les fameuses tuiles de Chiloé.*

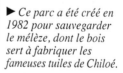

◀ *Le « copihue », fleur nationale du Chili, pousse sur une sorte de lierre de la vallée centrale et des régions du Sud.*

▲ *Le Parque Nacional Torres del Paine est un sanctuaire pour les rapaces comme le caracara huppé.*

TERRES SAUVAGES DU PAINE

Le parc des Torres del Paine, dans la province de Magallanes, couvre plus de 180 000 ha. Créé en 1959, il reçut le statut de réserve de la biosphère en 1978. En dépit d'une météo souvent défavorable, c'est l'une des grandes attractions touristiques chiliennes. Il doit sa réputation aux immenses *torres* (« tours ») et *cuernos* (« cornes », *photo ci-dessus*), que forment les pics de granite bleu et gris du massif du Paine. La chaîne se poursuit vers le parc argentin de los Glaciares, où le mont Fitzroy attire les alpinistes. Le parc est aussi le refuge du *ñandú* (« nandou ») et du guanaco, que les colons européens ont presque fait disparaître au profit de leur bétail. On peut aussi y voir des flamants, des condors et, avec de la chance, le *huemul*, ou cerf guémal.

▲ *Dans le parc Vicente Pérez Rosales, plusieurs pistes mènent aux chutes de Petrohué. Le río du même nom est apprécié des amateurs de rafting.*

◀ *Dans la région des lacs, le volcan actif Llaima domine le parc de Conguillío.*

▶ *Chez les nandous, c'est le mâle qui couve les œufs pondus par la femelle et qui élève ensuite les poussins. Dérangés, ces volatiles prennent la fuite d'une course rapide et affolée.*

LA TERRE DE FEU

Sur la rive sud du détroit de Magellan, l'archipel de la Terre de Feu, dont la superficie est égale à celle de l'Irlande, livré aux vents cinglants et aux océans rugissants, a toujours exercé une étrange fascination sur les voyageurs. Au-delà du cap Horn, à un millier de kilomètres, il n'y a plus que les étendues glacées de l'Antarctique.

L'archipel doit son nom à Magellan, qui, en 1520, alors qu'il cherchait une route vers les Moluques, aperçut les colonnes de fumée des campements indiens, et surnomma l'endroit « terre des feux ». Il fallut plus d'un mois à l'explorateur pour se frayer un passage à travers les eaux sombres du détroit. Après sa mort, survenue aux Philippines en 1521, ses hommes refusèrent catégoriquement de rebrousser chemin et de s'engager une deuxième fois dans ce redoutable corridor et ils firent ainsi le premier tour du monde de l'histoire.

Pendant les siècles suivants, l'idée d'emprunter le détroit ou de contourner la Terre de Feu terrifiait tous les marins du monde, comme en témoignent les aventures décrites dans les romans de Jules Verne, d'Herman Melville ou d'Edgar Allan Poe. Et pourtant, explorateurs, scientifiques, aventuriers, baleiniers ou pirates, ils furent des milliers à naviguer sur ces eaux glaciales. Ils s'appelaient Fitzroy, Darwin, Drake, Hawkins, Cook, Sarmiento de Gamboa, La Pérouse ou Bougainville…

Au cours de son exploration sur le *Beagle*, Darwin apporta une ombre supplémentaire au tableau. Les Indiens fuégiens lui inspirèrent des commentaires peu élogieux : « Je n'avais certainement jamais vu créatures plus abjectes et plus misérables… Ces malheureux sauvages ont la taille rabougrie, le visage hideux, couvert de peinture blanche, la peau sale et graisseuse, les cheveux mêlés, la voix discordante et les gestes violents. Quand on voit ces hommes, c'est à peine si l'on peut croire que ce soient des créatures humaines, des habitants du même monde que le nôtre. » Les premiers colons de la Terre de Feu partageaient sans doute cet avis, car ils exterminèrent ces « primitifs » jusqu'au dernier.

UNE INVASION TARDIVE

Si les explorateurs et, plus tard, les baleiniers, suivirent les traces de Magellan, la colonisation de la Terre de Feu prit beaucoup de temps. Depuis longtemps, les Espagnols prévoyaient d'y installer une base navale pour contrecarrer les plans des pirates anglais et hollandais, mais les conditions climatiques peu favorables les en découragèrent.

Le Chili et l'Argentine n'ont revendiqué ces contrées désolées qu'au début des années 1840, et il fallut attendre quelques décennies de plus pour trouver des candidats à l'émigration. Une frontière fut tracée dans le sens nord-sud, quelques missionnaires vinrent prêcher l'Évangile et les premiers chercheurs d'or firent leur apparition dans la sierra Boquerón, vers 1880.

Carte p. 292

Santiago

À gauche, le détroit de Magellan ; ci-dessous, ferry entre Punta Arenas et Porvenir, en Terre de Feu.

Les voyageurs en provenance du nord du Chili arrivent par le ferry qui part tous les matins de Punta Arenas. La traversée du détroit de Magellan, qui dure deux heures et demie, est souvent mouvementée, mais il arrive aussi qu'elle s'effectue sur une mer d'huile. Les réservations sont obligatoires pour les véhicules.

LES PREMIERS HABITANTS

Lors du voyage de Darwin, quatre groupes ethniques peuplaient la Terre de Feu. Les plus nombreux étaient les Onas (Selknams), tribu nomade qui chassait le guanaco dans les steppes, au moyen d'arcs et de flèches. À l'extrémité orientale de l'Isla Grande, les Indiens Haushs vivaient dans des huttes de branchages et de peaux de phoque. Les îles du sud, de part et d'autre du canal Beagle, étaient le territoire des Yaghans (Yamanas). Enfin, les Alakalufs (Qawascars) sillonnaient les fjords du Chili méridional sur leurs frêles mais résistants esquifs.

Ces Indiens n'auraient pratiqué aucune religion ni connu aucune forme de gouvernement. Un missionnaire anglican, Thomas Bridges, vécut avec sa famille pendant des années parmi les Yaghans dans la seconde moitié du XIXe siècle. Il rédigea un dictionnaire anglais-yaghan qui mit en relief la complexité de leur culture et il fut avec son fils Lucas l'une des rares personnes à avoir défendu la cause des Indiens.

Les vrais problèmes commencèrent lorsqu'on s'aperçut que les « pampas » situées au nord de l'île feraient d'excellents pâturages pour les moutons. En 1893, la Sociedad Explotadora de Tierra del Fuego y installa la première estancia. Moritz Braun, qui possédait déjà d'immenses estancias en Patagonie, prit la tête de l'exploitation.

Les Indiens Onas, habitués à courir après le guanaco, accueillirent avec satisfaction l'arrivée des moutons, plus faciles à capturer. Or les fermiers ne l'entendaient pas de cette oreille : ils tuèrent quelques Onas « pour l'exemple ». Mais, pour leur malheur, les Indiens étaient rétifs à la notion de propriété ; ils continuèrent à ignorer les barrières qui clôturaient leurs terres ancestrales. Les *estancieros* firent appel à des tueurs qui touchaient une livre sterling par Indien abattu (à condition de rapporter les oreilles). Les paysans, eux, recevaient deux moutons par tête d'Indien.

Des missionnaires salésiens entreprirent de sauver les Onas en les transférant sur l'île Dawson. Selon la version officielle, la plupart des Indiens ont succombé à des épidémies dans cette mission, mais le souvenir des massacres et des rébellions est encore présent dans les esprits. On parle encore de personnages terrifiants comme Alexander McLennan, qui, en leur promettant de la nourriture, attirait des familles entières dans des traquenards où ses tireurs embusqués les abattaient. On allait jusqu'à empoisonner les ruisseaux et les baleines échouées qui permettaient aux Onas de survivre.

Les Argentins continuèrent le carnage de l'autre côté de la frontière mais, au Chili, les consciences commençaient à s'alarmer. Le bruit que les tueurs s'attaquaient surtout aux femmes et aux enfants échauffa l'opinion. Après la découverte d'un véritable charnier, la police chilienne décida de poursuivre les propriétaires des estancias. Mais les Indiens se mirent eux-mêmes à riposter, et la mort de quelques Blancs (on en dénombra sept en dix ans) fit taire les défenseurs des Indiens : le « nettoyage » de l'île se poursuivit donc sans le moindre obstacle. À la mission, les épidémies décimèrent ce qui restait des Indiens. En 1925, on ne comptait plus un seul Ona vivant sur les quatre mille estimés à l'arrivée des Blancs, et les autres groupes ethniques ne tardèrent pas à connaître le même sort.

Chassés comme du gibier, décimés par les maladies, parqués dans des réserves, les Indiens Onas ainsi que les autres groupes ethniques se sont éteints, emportant avec eux la riche histoire de leur peuple.

L'élevage ovin se développa à une vitesse prodigieuse, grâce à d'énormes exploitations qui rapportent des sommes colossales aux sociétés d'élevage, britanniques pour la plupart. Comme dans le reste de la Patagonie, des immigrants (parmi lesquels on comptait beaucoup d'exilés et d'aventuriers) affluèrent du monde entier, en grande majorité de Yougoslavie. La découverte de pétrole, de gaz naturel et de charbon, en 1945, entraîna une troisième vague d'immigration. La population reste cependant très clairsemée. Si l'Argentine a fait d'Ushuaia un port franc et un lieu de vacances très fréquenté, en revanche l'ouest de l'île demeure une région presque sous-développée.

DÉCOUVERTE DE LA GRANDE ÎLE

La Tierra del Fuego recouvre en fait tout un archipel, mais, comme à Chiloé, ce nom fait souvent référence à l'île principale, **Isla Grande de Tierra del Fuego**. L'Argentine en possède les deux tiers et le Chili un tiers. Au nord et à l'ouest s'étend la pampa patagonne, dépourvue d'arbres ; la zone méridionale, montagneuse, est couverte de marécages et de forêts luxuriantes. La partie chilienne est la moins spectaculaire des deux, et ceux qui font le voyage jusque-là souhaitent généralement visiter l'île tout entière.

Grâce aux courants océaniques relativement chauds, la Terre de Feu bénéficie d'un climat moins rude que certaines régions de l'Alaska ou de la Norvège situées à une latitude équivalente (autour de 55°), mais les tempêtes s'y succèdent sans relâche et le vent souffle constamment par rafales. La meilleure période pour découvrir l'île va de novembre à mars, car les jours sont longs (vingt heures) et le soleil est presque chaud. Le temps est sujet à des changements soudains : on peut passer d'un soleil radieux à un crachin ou à un véritable déluge, puis retrouver un ciel d'azur

Carte p. 292

Dans l'extrême Sud, on voit couramment des arbres calcinés par un incendie.

L'œuvre colonisatrice consista ici à remplacer les Indiens par des... moutons.

*Les castors,
importés
du Canada, sont
devenus un
véritable fléau
en Terre de Feu,
dégradant
les rivières
et saccageant
les forêts.*

*Quartier sud
de Porvenir.
Les constructions
de tôle ondulée
et les rues non
goudronnées
peuvent donner
l'impression
d'une ville
fantôme.*

en l'espace de quelques minutes. C'est pourquoi il faut prévoir des vêtements adaptés à tous les caprices de la météo.

De Punta Arenas, on traverse le détroit jusqu'à **Porvenir** ❻ (« avenir »), port fondé au début du XXᵉ siècle. Il a d'abord eu une fonction de poste de police destiné à régler les différends entre chercheurs d'or. Puis le développement de l'élevage et de l'industrie du pétrole l'ont transformé en une petite ville de 4 000 habitants, poste de ravitaillement des *estancias* de l'île. Sur la coquette plaza de Armas, le **Museo de Tierra del Fuego** expose, entre autres, une collection de photos d'Onas, une momie indienne découverte dans la campagne environnante, et passe d'intéressants films documentaires montrant la région au début de la colonisation. Une promenade le long de la côte mène à un mirador, au sud de la baie, d'où l'on domine toute la ville. Les eaux du port sont remplies de bateaux de

pêche et un panneau indique les distances entre la Terre de Feu et toutes les grandes villes du Chili.

LE DOMAINE DE LA PAMPA

Tout autour de la ville, on peut voir les anciennes estancias, maintenant disloquées. Au nord, une route poussiéreuse longe la **bahía Inútil** (« baie inutile ») jusqu'à la plus ancienne estancia de la Terre de Feu, Caleta Josefina, à **Onaisin** ❼ (100 km). Le **Cementerio de los Gigantes** (« cimetière des géants ») est un ensemble d'énormes pierres aux formes régulières, dispersées dans la pampa. Tout près, le **Cementerio Inglés** (« cimetière anglais ») abrite les tombes du personnel anglais qui travaillait dans les grandes exploitations. C'est ici également que reposent les quelques colons blancs transpercés par les flèches des Indiens vers la fin du siècle dernier.

À cinquante kilomètres de là s'étend l'**estancia Camerón** ❽,

Carte p. 292

fondée en 1904. Construits dans une ravine à l'abri du vent, les bâtiments bleus semblent n'avoir pas changé depuis cette date, pas plus que les méthodes de travail : une fois l'an, en décembre, les tondeurs itinérants se donnent rendez-vous dans un hangar en bois pour débarrasser les moutons de leur laine. Les locaux de l'administrateur sont toujours séparés de ceux des péons, bien que l'estancia soit désormais une coopérative. Les visiteurs peuvent partager le repas des tondeurs dans un réfectoire à la Dickens. Mais le menu réserve peu de surprises : 364 jours par an, on a droit à du mouton, matin, midi et soir. À Noël cependant, les repas se composent de poulet.

Si on dispose d'une voiture, on en profitera pour s'aventurer dans la région montagneuse et très arrosée située à l'intérieur des terres. Il faut se munir de matériel de camping et de vivres et, surtout, faire le plein d'essence. Près de Camerón, subsistent d'anciens campements de cher-cheurs d'or et un petit lac, curieuse-ment habité par des castors importés du Canada. Dominé par les cimes enneigées de la cordillère Darwin (2 500 m), le **lago Blanco**, à 265 km de Porvenir, le plus beau lac de l'extrême Sud, est un paradis pour les pêcheurs. Si l'on suit la route jusqu'au bout, on arrive au portail de l'estancia **Vicuña** ❾, fondée en 1915 et dotée d'un très beau bâtiment administratif. De là, on ne peut que remonter vers le nord en longeant la frontière argentine.

USHUAIA ET LA PARTIE ARGENTINE

Pour passer en territoire argentin, le plus simple est de se rendre directement au poste frontière de **San Sebastián**, à l'est de Porvenir, et de continuer vers **Río Grande**. Ancrée sur la côte atlantique, cette ville pétrolière un peu banale n'est qu'une étape vers les autres destinations du Sud. Ce détour est nécessaire

Porvenir était à l'origine un simple poste de police pendant la ruée vers l'or des années 1880. Aujourd'hui, des flamants roses et des cygnes à cou noir nagent sur le front de mer.

Une grande partie des Fuégiens descendent d'immigrés yougoslaves (essentiellement croates).

*Maison
Ramshackle
à Porvenir.*

*La « centolla »,
l'un des mets
les plus raffinés
du Chili,
est capturée
en Patagonie
et en Terre de Feu
à l'aide de grandes
nasses en osier.*

en effet pour atteindre la côte méridionale de la Tierra del Fuego et la ville la plus mythique de l'île, à 475 km de Porvenir : **Ushuaia ❿** (12 000 habitants). De hautes falaises de granite dominent cet ancien port baleinier, bâti sur les bords du canal de Beagle. En dépit de son climat rigoureux, Ushuaia est une station estivale très fréquentée et un point de départ pour l'exploration de la région. C'est aussi une ville en pleine expansion : la rue principale regorge de boutiques qui vendent du matériel électronique détaxé, en provenance des usines récemment installées à la périphérie de la ville. Pour retrouver le charme de l'ancienne Ushuaia, il faut aller faire un tour au **Café Ideal**, dont le comptoir s'agrémente d'une énorme vertèbre de baleine.

Des excursions en bateau sur le canal de Beagle permettent d'apercevoir des îles peuplées de manchots et de lions de mer, ou jonchées de morceaux d'épaves. Au sud d'Ushuaia, à une vingtaine de kilomètres, s'étend

« Lithodes antarcticus » est une araignée de mer écarlate, dont la pêche est devenue intensive en raison de la forte demande. Une réglementation a été imposée, mais elle ne semble guère respectée. Ici, conserverie à Puerto Williams, qui envoie sa production dans les grandes villes du Chili mais l'exporte aussi aux États-Unis et en Europe.

le **Parque Nacional Tierra del Fuego**, destiné à protéger un écosystème particulier. Pas de doute, on est bien au bout du monde : des chemins serpentent entre des mousses spongieuses qui baignent dans une vase glaciale. Au milieu d'arbustes et de buissons épineux, quelques arbres rabougris ont poussé à angle droit sous l'effet des vents incessants.

Il ne faut pas manquer une visite à l'**estancia Harberton ⓫**, à 80 km à l'est d'Ushuaia, paisible oasis d'arbres et de fleurs au bord du canal de Beagle. C'est la ferme fondée en 1888 par le révérend Thomas Bridges qui vécut avec les Indiens Yaghans. Les propriétaires organisent des visites en anglais et en espagnol, et l'on appréciera d'y prendre une boisson chaude en admirant la vue sur le canal.

L'ÎLE NAVARINO ET L'ANTARCTIQUE

Navarino est l'une des deux principales îles chiliennes au sud du canal de Beagle. En 1978, un grave différend opposa le Chili à l'Argentine au sujet des îles Hoste et Navarino ; seule l'intervention du pape Jean-Paul II permit de régler le litige de manière pacifique. Si Ushuaia est la ville la plus australe du globe, la ville de **Puerto Williams ⓬**, fondée en 1866 et devenue une base navale en 1953, est bien la dernière zone d'habitation permanente avant les territoires antarctiques, à 80 milles marins du cap Horn. On peut s'y rendre en bateau à partir d'Ushuaia ou en avion depuis Punta Arenas.

Territoire des Yaghans, l'île Navarino reçut la visite du *Beagle* vers 1826. Le capitaine Robert Fitzroy repartit en Angleterre avec quatre jeunes Yaghans à qui il souhaitait donner une éducation. Il les ramena lors de son voyage suivant, deux ans plus tard. L'un d'eux, baptisé « Jimmy Button » par les membres de l'équipage, s'empressa d'oublier, dès son retour sur l'île, ses bonnes manières et de reprendre son ancien style de vie. Vingt ans plus tard, il mena des attaques contre les premiers colons européens de l'île ; les Yaghans massacrèrent sept missionnaires anglicans installés sur l'île Picton, puis quatre autres sur Navarino.

On peut voir à Puerto Williams l'intéressant **Museo Martin Gusinde**, du nom d'un anthropologue, consacré aux Yaghans. Il expose des photos, quelques souvenirs de cette ethnie, ainsi que des objets de leur vie quotidienne. Aujourd'hui, seuls quelques métis yaghans vivent en communauté à **Ukika**. Puerto Williams ne manque pas de charme avec ses maisons de bois colorées et ses bars remplis d'aventuriers de la mer. On peut aussi voir l'épave du *Micalvi*, navire allemand de la dernière guerre, récupéré par la marine chilienne, échoué à l'entrée d'une petite anse face à la capitainerie. Il a été aménagé en club nautique. De nombreuses sorties en mer sont possibles sur le canal de Beagle (dans la baie Windhond, sur une plage de sable noir, se trouve le plus grand cimetière de baleines du monde) ou vers le redoutable cap Horn (qu'on peut aussi survoler).

À 1 000 km de là, l'immense continent de l'Antarctique (14 millions de kilomètres carrés) a de quoi faire rêver. Baptisé *Terra Australis* en 1605 par le Portugais Quiros, but jamais atteint des expéditions de Cook, il fut finalement abordé en 1820 par un baleinier américain, Nathaniel Palmer, mais il fallut attendre 1911 pour que le Norvégien Amundsen parvienne au pôle Sud. Ce continent unique est protégé par un traité ratifié par quarante nations : seules des bases scientifiques y sont autorisées. On peut découvrir le continent blanc à la base chilienne de l'île Rey Jorge (Shetland) ; ons'y rend par avion au départ de Punta Arenas, ou par bateau, depuis Punta Arenas et Puerto Williams : logement sur place, promenades en Zodiac ou en bateau amphibie, treks, survols en hélicoptère (voir les différentes agences et la compagnie maritime Terra Australis).

Carte p. 292

Pour développer une nouvelle forme de tourisme, on a transformé certaines estancias en infrastructures dédiées à la pêche.

Bateau abandonné sur le canal de Beagle.

L'ÎLE DE PÂQUES

L'île díe Pâques est l'endroit le plus isolé du monde, à 3 700 km des côtes chiliennes et 2 000 km de la petite île polynésienne de Pitcairn. Ses premiers habitants la nommaient Te Pito o Te Henua (le nombril du monde). C'est l'un des lieux qui ont le plus excité l'imagination des hommes, car certains aspects mystérieux de sa culture n'ont toujours pas été clairement expliqués et ne le seront peut-être jamais.

La formation de cette île volcanique de 24 km sur 12 km a commencé il y a plus de deux millions d'années, lorsque surgit le cratère du Poike. Un million d'années plus tard émergea un autre volcan, le Rano Kao. Enfin, il y a 240 000 ans, apparut le Maunga Teravaka. Ces trois sommets, qui formaient un triangle au milieu de l'océan, ont dessiné les contours de l'île actuelle, au centre de laquelle soixante-dix autres volcans éteints plus récents, notamment le Rano Aroi, composent un paysage vallonné et aride. Le sommet le plus élevé est celui du Teravaka (509 m), au nord de l'île. Les côtes rocheuses offrent très peu de plages ou de baies abritées. Le sous-sol est percé d'un véritable labyrinthe de cavernes et de grottes. Au sud-ouest émergent trois îlots, Motu Kao Kao, Motu Iti et Motu Nui.

Le climat maritime présente des caractéristiques subtropicales ; la température moyenne varie entre 18 °C et 24 °C. Les précipitations, relativement faibles, se répartissent sur toute l'année. Malgré la présence fréquente de nuages, les journées sont généralement lumineuses. La végétation se compose surtout d'herbe et d'eucalyptus, sauf dans la région de Hanga Roa, où on a importé au XXe siècle quelques variétés d'arbres (bananiers, mûriers, figuiers, etc.). Malgré l'absence totale de cours d'eau, l'île n'a pas toujours présenté cet aspect pelé et des fouilles archéologiques ont montré qu'à l'époque des premiers immigrants, elle était plantée d'arbres et d'arbustes : palmiers, cocotiers, acacias et une espèce ligneuse, le *Triumfetta*, qui servait en particulier à confectionner des cordes.

Il n'y a pas d'animaux autochtones ; les seules espèces présentes (poules, rats, moutons et vaches) ont été introduites par l'homme. Les oiseaux migrateurs, autrefois nombreux, n'y font plus guère escale. En revanche, les eaux du littoral sont très poissonneuses.

Les 3 000 habitants de l'île de Pâques (dont le nom indigène est Rapa Nui), vivent regroupés dans le village de Hanga Roa. Pour 70 % ils sont originaires de l'île, les autres sont principalement des Chiliens du continent. Depuis la construction de l'aéroport, les Pascuans sont reliés à la métropole, à Tahiti et à l'Australie et approvisionnés par des vols hebdomadaires. La plupart des ressources proviennent du tourisme et de la pêche. Une grande partie de l'île (environ 60 %) est constituée en parc naturel ; la modique somme perçue pour visiter le site cérémoniel d'Orongo est le seul droit d'entrée demandé et il donne accès à l'ensemble du parc.

Carte p. 318

Pages précédentes, « moai » à Rano Raraku ; à gauche, « moai » Ko Te Riku avec sa coiffe, Ahu Tahai ; ci-dessous, pour les besoins d'un film, un acteur figure un Pascuan de l'époque préhispanique.

Les Pascuans étaient abondamment tatoués ; les dessins, très sophistiqués, différaient en fonction du statut social et du sexe. Ils avaient le goût de la parure ; les hommes se relevaient les cheveux en un gros chignon orné d'un diadème de plumes, tandis que les femmes portaient des chapeaux en roseau imitant la forme des radeaux pascuans.

D'OÙ VIENNENT-ILS ?

Les origines des Pascuans sont demeurées longtemps une véritable énigme. En effet, s'il est indubitable que cette île a été peuplée assez récemment par des migrants (ce que relatent aussi les légendes locales), les rares éléments dont on dispose sur l'histoire des premiers habitants sont si contradictoires qu'il est difficile d'en tirer des conclusions.

En dépit de la thèse du Norvégien Thor Heyerdahl, qui tenta par son expédition du *Kon-Tiki* de démontrer que les Pascuans venaient des côtes de l'Amérique du Sud, la théorie la plus généralement acceptée est celle d'une origine polynésienne. Des peuples de navigateurs auraient commencé à sillonner l'océan Pacifique depuis les côtes asiatiques jusqu'en Nouvelle-Calédonie, vers 5500 avant J.-C. Beaucoup plus tard, au 1er siècle avant J.-C., ils atteignirent Hawaï, puis l'île de Pâques, vers l'an 400 ou 500. Des astrophysiciens ont par ailleurs

Un conseil : il vaut mieux apporter toutes les pellicules ou films qui semblent nécessaires car on trouvera difficilement à s'approvisionner sur place.

démontré qu'une supernova aurait pu surgir au-dessus des îles Marquises en 386 et indiquer aux marins la direction de l'île de Pâques.

La ressemblance entre les anciens Pascuans et les habitants des îles du Pacifique ne fait pas de doute. L'aspect physique, la religion, les coutumes, l'outillage, la langue même révèlent une parenté ethnique indubitable, récemment confirmée par la génétique. Les premiers missionnaires européens qui arrivèrent à Rapa Nui purent communiquer en tahitien avec les habitants.

DES MYTHES CONFIRMÉS

Pour retracer l'histoire de l'île, les spécialistes ont dû se fonder sur les légendes qui ont été transmises et qui, pour beaucoup, ont été corroborées par les découvertes archéologiques. Selon la légende, le premier roi s'appelait Hotu Matua. Les historiens situent son arrivée dans l'île entre le XIIe et le XVe siècle. Ils pensent que

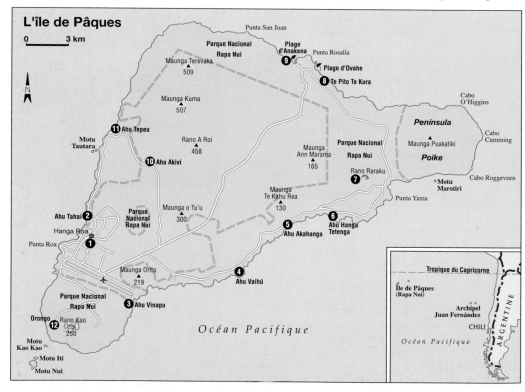

L'île de Pâques

Carte
p. 318

Hotu Matua et ses sujets, vaincus au cours de quelque guerre polynésienne, avaient fui vers l'est dans des pirogues contenant des graines, des plantes et de la volaille, pour aller s'installer sur des terres vierges.

Une autre légende relate la guerre qui opposa au XVIIe siècle deux groupes sociaux, les Longues-Oreilles et les Petites-Oreilles. Ces derniers, peut-être des arrivants tardifs, semblent avoir tenu un rôle subalterne dans la société pascuane. Ils se rebellèrent et massacrèrent presque tous les Longues-Oreilles, qui étaient sans doute les descendants de la dynastie originelle, et ainsi nommés à cause de la déformation volontaire de leurs lobes. L'expédition Heyerdahl a exhumé un très grand nombre d'ossements calcinés dans la partie de l'île où cette guerre est censée s'être déroulée.

Quoi qu'il en soit, cette population diminua progressivement. Les estimations sont très variables ; les plus élevées font état de 15 000 à 20 000 personnes à l'apogée de la civilisation pascuane, entre le XIVe et le XVIIe siècle. L'anthropologue français Alfred Métraux pensait que la population de l'île avait atteint 4 000 habitants environ vers 1800 (7 000 selon l'ethnologue anglaise Katherine Routledge) et 8 200 en 1850. En revanche, il ne restait plus qu'une centaine de Pascuans au début du XXe siècle. Les guerres tribales, causées par la surpopulation et la raréfaction des ressources, constituèrent la première cause de ce dépeuplement. La seconde fut une série de raids menés par des marchands d'esclaves. Ainsi, en 1862, les Péruviens vinrent enlever plus de mille hommes valides, parmi lesquels firuraient en particullier la totalité des chefs et des lettrés, pour les emmener travailler dans les exploitations de guano. Neuf cents d'entre eux moururent à cause des conditions de travail atroces ; sur les cent qui furent rapatriés sur des pressions internationales, 85 décédèrent de la variole ou de la tuberculose pendant le voyage. Les survivants contaminèrent une partie de

Fondations d'un « hare paenga », maison en forme de bateau, à Ahu Tahai.

Ce dessin de 1786 montre un Européen mesurant une statue au milieu de femmes pascuanes.

la population de l'île. Ce génocide marqua la disparition de toutes les traditions orales.

LES PREMIERS EUROPÉENS

Ce sont des marins tahitiens qui donnèrent à l'île de Pâques le nom de « Rapa Nui » (« Rapa la grande ») vers les années 1860, car elle leur rappelait une île de leur archipel appelée Rapa, qui désormais porte le nom de « Rapa Iti » (« Rapa la petite »).

Rapa Nui fut découverte en avril 1722, le jour de Pâques, par l'amiral hollandais Jacob Roggeveen, qui la nomma Paasch Eylandt (île de Pâques). L'expédition ne resta que quelques jours, le temps de repérer les géants de pierre que les indigènes appellent *moai*. Roggeveen raconta avoir eu d'abord des contacts amicaux avec les habitants de l'île, dont la haute taille et le teint clair le surprirent et qui se montrèrent ouverts et confiants envers les visiteurs. L'île fut à nouveau visitée cinquante ans plus tard, lors du voyage de Felipe González y Haedo ; ce dernier en établit la première carte et en prit possession au nom du roi d'Espagne, Charles III. Elle fut alors baptisée Isla San Carlos. Les chefs apposèrent leur « signature » au bas du document officiel, sous la forme de certains signes

Fouilles archéologiques à Anakena.

Les fouilles stratigraphiques, délaissées dans un premier temps par les chercheurs, qui les imaginaient inutiles à cause de la trop grande proximité de la couche volcanique, les amenèrent, en permettant la mise au jour des végétaux ou des os, à réviser leurs conceptions sur la faune et la flore locales.

que l'on retrouve sur les *rongo rongo*, ces tablettes de bois à la signification encore mystérieuse.

En 1774, les deux vaisseaux du capitaine Cook, le *Resolution* et l'*Adventure*, mouillèrent au large de l'île pour s'y ravitailler en eau potable et en vivres. N'en trouvant pas, Cook repartit au bout de trois jours, mais les descriptions qu'il fit commencèrent à enflammer l'imagination des explorateurs. Douze ans plus tard, l'expédition française de La Pérouse abordait Rapa Nui. Les contacts des marins avec les insulaires furent tout à fait pacifiques, mais la manie pascuane de chaparder chiffons et chapeaux étonna fortement le capitaine. Au cours de leur visite, les Français étudièrent la végétation et effectuèrent des relevés des monuments ; ils semèrent aussi plusieurs variétés de graines (choux, carottes, coton, maïs, betteraves et citrons) et offrirent des chèvres, des cochons et des brebis à leurs hôtes.

Les voyageurs qui se sont arrêtés ensuite à l'île de Pâques étaient malheureusement moins amicaux. De loin en loin, aventuriers, baleiniers, marchands d'esclaves faisaient escale à Rapa Nui, capturant hommes et femmes pour leurs divers besoins. Bien entendu, cela n'allait pas sans opposition de la part des Pascuans, et des morts s'ajoutèrent souvent aux enlèvements. En 1816, une expédition scientifique russe ne put même pas mettre pied à terre tant l'hostilité des insulaires était devenue grande. En revanche, le frère Eugène Eyraud, de la congrégation du Sacré-Cœur, qui avait accompagné les rescapés des exploitations de guano en 1864, revint sur l'île en 1866. Après de grandes difficultés, il fut rejoint par d'autres missionnaires, avec lesquels il évangélisa la population.

LE PILLAGE DE RAPA NUI

En 1868, les marins d'un bâtiment militaire britannique, le *Topaz*, détruisirent le site cérémoniel d'Orongo et emportèrent une grande statue très vénérée appelée la Briseuse de Vagues, qui se trouve maintenant au

British Museum de Londres. La même année, un aventurier français, Jean-Baptiste Dutroux-Bornier, s'installait dans l'île pour y faire de l'élevage. Il s'attira rapidement l'antipathie de la population et des missionnaires en s'appropriant la plupart des terres fertiles et en détruisant les villages de Hanga Roa et Vaihu. La situation devint si insupportable que les missionnaires durent évacuer Rapa Nui. Lorsque Brander, l'associé de Dutroux-Bornier qui avait élu domicile à Tahiti, envoya chercher de la main-d'œuvre, presque tous les Pascuans demandèrent à partir pour échapper à cette tyrannie. Une centaine d'entre eux, contraints de rester, finirent par assassiner Dutroux-Bornier en 1877. Brander le remplaça par Alexandre Salmon, fils d'un négociant tahitien et d'une fille du roi de Tahiti. Pendant vingt ans, Salmon contribua largement à la mise en valeur de l'île et à l'amélioration des conditions de vie de ses habitants, en particulier par l'introduction de l'élevage ovin.

En 1872, l'officier de marine et écrivain Pierre Loti se trouvait sur la frégate *La Flore*, qui mouilla quelques jours au large de l'île de Pâques. Il fit de nombreux croquis et décrivit le mode de vie et le comportement des autochtones. Il rapporta une tête de *moai*, que l'on peut admirer au musée de l'Homme, à Paris.

En 1886, l'Américain William Thomson effectua les premières recherches archéologiques et ethnographiques. À cette occasion, on détruisit une habitation du site d'Orongo pour en extraire des dalles peintes. La même année, la marine chilienne prit le contrôle de la majeure partie de l'île, à l'exception de Hanga Roa et de ses environs. Pendant un demi-siècle, ces terres furent louées à la société anglaise d'élevage ovin Williamson-Balfour, qui parqua les habitants dans l'enclave de Hanga Roa. Les Pascuans ne sont devenus chiliens à part entière qu'en 1966.

En 1914, une ethnologue britannique, Katherine Routledge, séjourna

Carte
p. 318

Chaque année, fin janvier-début février, le festival Tapati Rapa Nui de musique, danse et autres événements culturels, rassemble tous les Pascuans pendant quinze jours.

Il ne reste que peu d'arbres sur l'île. Dans les années 1960, on planta des cocotiers à Anakena et des eucalyptus à Poike, à Rano Kao et dans le centre de l'île.

pendant seize mois dans l'île, où elle recueillit les légendes des Pascuans et étudia les *moai* et des statuettes. La plupart de ses écrits ont été perdus, mais la mission franco-belge menée par Alfred Métraux et Henri Lavachery, en 1934-1935, vint étayer une bonne partie de ses conclusions. Les deux anthropologues passèrent près d'un an sur l'île et publièrent des ouvrages qui constituent encore les meilleures sources pour l'étude de la culture pascuane.

UNE SOCIÉTÉ FÉODALE

Avant de mourir, Hotu Matua, fondateur de la dynastie, avait partagé son royaume entre ses fils et divisé l'île en six districts, les *mata*. Chacun regroupait plusieurs familles ou clans, avec leur ancêtre tutélaire (souvent représenté par un *moai*) et leur *ahu*, à la fois sépulture et sanctuaire. Chaque clan possédait une *kainga*, parcelle du domaine héréditaire, composée d'une étroite bande de terre qui s'étendait de la côte vers l'intérieur de l'île : ainsi la famille pouvait-elle profiter des différentes sources d'approvisionnement. Les terrains qui offraient des ressources particulières étaient également répartis entre les clans : chacun avait accès aux cratères des volcans, qui fournissaient les roseaux pour les toitures, au mont Orito, d'où l'on tirait l'obsidienne, et au volcan Rano Raraku, où l'on fabriquait les *moai*.

Le roi, ou *ariki manu*, était toujours un membre du clan des Honga, descendant du fils aîné de Hotu Matua. Son autorité lui était conférée par le *mana*, la puissance divine, qui lui permettait de protéger l'île des catastrophes, de faire venir la pluie ou d'accroître le volume des récoltes. Le pouvoir politique, en revanche, était l'apanage des chefs de guerre, les *mata toa*.

La société était relativement hiérarchisée. Le clergé avait un statut social équivalent à celui de la noblesse ; les *maori* (savants) et les artisans bénéficiaient d'avantages particuliers. Le reste de la population cultivait la terre

Jeu de ficelle qui sert à raconter des légendes.

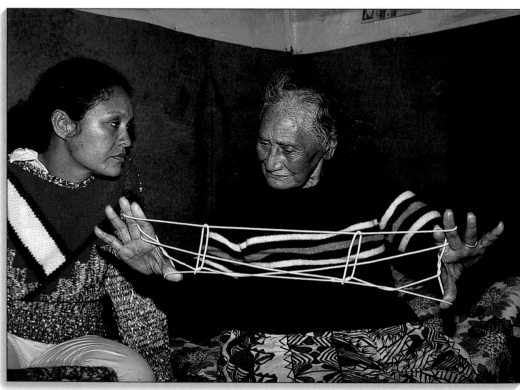

et participait aux grands travaux. Lorsque des combats avaient lieu entre des familles, on capturait des esclaves qui étaient ensuite affectés aux travaux forcés et parfois sacrifiés et mangés par leurs maîtres.

LA VIE QUOTIDIENNE

L'habitat se composait principalement de maisons de forme elliptique, semblables à des barques retournées, les *hare paenga*. De dimensions variables, elles pouvaient abriter plusieurs dizaines de personnes et s'ouvraient par une porte étroite et basse, garnie d'un filet destiné à empêcher la volaille d'envahir la maison ; la charpente était couverte de feuillage et de joncs. Devant la maison s'étendait un terre-plein sur lequel les membres de la famille travaillaient et prenaient leurs repas. D'autres demeures étaient aménagées dans des cavités naturelles ; si l'entrée de la grotte était trop grande, on en murait une partie pour garder un étroit passage. Ces abris étaient utilisés comme habitations temporaires ou comme refuges en temps de guerre. Leurs parois s'ornaient parfois de pétroglyphes.

Les Pascuans possédaient très peu d'animaux domestiques ; la viande n'était fournie que par les poules, les rats et les oiseaux marins. Seuls les chefs et les guerriers pratiquaient le cannibalisme. La population vivait donc surtout de la pêche (crabes, langoustes, poulpes), de l'élevage des poules et de la culture des fruits et légumes, parmi lesquels le *kumara* (patate douce), le *maika* (bananier), l'igname, l'arrow-root, le taro et le *toa* (canne à sucre).

Les cultures se faisaient dans des *manavai*, petits jardins entourés de murs servant à retenir l'humidité et à protéger les plantes du vent et de l'ardeur du soleil. On cultivait aussi des parcelles rectangulaires, dépourvues de murs, où les plantes étaient recouvertes d'une couche d'herbe protectrice qui faisait office d'engrais.

Avec l'écorce du *mahute* (mûrier), ou *tapa*, les femmes tissaient les vêtements, qui se réduisaient au *kahu*, sorte de châle dont la longueur variait selon le rang de la personne. En dehors du *kahu*, les Pascuans ne portaient qu'une ceinture en *tapa* ou un cache-sexe fait d'une touffe d'herbe retenue par une cordelette.

UNE ÉCRITURE PICTOGRAPHIQUE

Contrairement aux peuples polynésiens, les anciens Pascuans auraient possédé un système scriptural, composé d'une centaine de pétroglyphes représentant des humains, des animaux, des objets usuels ou des formes géométriques. Il ne reste qu'une vingtaine d'échantillons de cette écriture, qui avait pour support des tablettes de bois poli, de forme irrégulière, appelées *kohau motu mo rongo rongo*, les « lignes d'écriture pour la récitation ». Au milieu du XIXe siècle, le frère Eyraud remarquait que chaque case de l'île possédait encore un *rongo rongo*, mais personne ne pouvait les déchiffrer depuis la mort des lettrés enlevés par l'expédition péruvienne. Et comme ces

*Jour de fête
à Hanga Roa.*

*Un figurant
de la production
hollywoodienne
de Kevin Reynolds,
« Rapa Nui ».*

*Sorti en 1994,
ce film
médiocre,
d'après les
critiques
de cinéma,
est très
controversé.
L'argent a
bouleversé
la vie locale,
jeeps
et bulldozers
ont dégradé
certains sites
archéologiques.
De plus,
il donne
une idée
dénaturée
et souvent
erronée
de la culture
pascuane.*

Carte p. 318

tablettes étaient liées à des rites païens, les missionnaires les firent brûler. Il semble que, chez les anciens Pascuans, seuls les chefs et les prêtres savaient les lire. Apparemment, elles contenaient toutes le même texte, dont la signification avait déjà été perdue lorsque les chercheurs commencèrent à s'y intéresser.

Les spécialistes qui étudient les *rongo rongo* pensent qu'elles constituaient une méthode mnémotechnique destinée à faciliter la transmission des traditions et des légendes. Ils savent que le texte se lisait alternativement de gauche à droite, puis de droite à gauche, mais ils n'ont pu mettre en évidence l'existence d'une grammaire, ni même de phrases à proprement parler. Pour certains, il s'agit simplement de séries d'indices visuels destinés à faciliter la récitation des poèmes. Quant à l'origine de ce système scriptural, les hypothèses les plus diverses ont été avancées, entre autres une analogie avec l'écriture antique de la vallée de l'Indus. Certains cher-

cheurs, se fondant sur le fait qu'aucun autre exemple de ces pétroglyphes ne se retrouve sur les ouvrages de pierre, pensent même qu'il peut s'agir d'une imitation de l'écriture européenne. Les chefs pascuans avaient eu en effet l'occasion de l'observer lors de l'annexion de l'île par les Espagnols.

LE CULTE DE L'HOMME-OISEAU

On a peu d'informations sur les dieux que vénéraient les premiers habitants. Mais la vie religieuse et politique connut un tournant, vraisemblablement vers la fin du XIIᵉ siècle, à l'époque où se produisirent de sanglantes luttes tribales qui décimèrent la population et provoquèrent la destruction de centaines de *moai*. Le pouvoir du roi déclina et les chefs militaires commencèrent à assurer les fonctions royales à tour de rôle. La passation de pouvoir s'accompagnait de rites religieux liés au culte du dieu Make Make, créateur de la Terre, de la

Marché à Hanga Roa. L'économie de l'île repose essentiellement sur le tourisme, mais aussi sur la pêche, l'élevage et les cultures fruitières et maraîchères pratiquées autour de la petite ville.

Lune, du Soleil et des étoiles. Il était censé faire venir chaque année les seuls visiteurs de Rapa Nui pendant des siècles, les *manutara*, les hirondelles de mer qui venaient pondre leurs œufs sur les îlots de la pointe sud-ouest de l'île.

Ces cérémonies sont assez bien connues des ethnologues car elles étaient encore pratiquées dans la seconde moitié du XIXᵉ siècle et elles ont été décrites par les missionnaires (qui les interdirent par la suite). Chaque année, au mois de juillet, les seigneurs et leurs familles allaient s'installer dans le village de Mataveri, dans le sud-ouest de l'île. Ils se préparaient pendant plusieurs semaines à une compétition dont le but était de rapporter de l'îlot de Motu Nui le premier œuf de *manutara*, puis se dirigeaient vers le village d'Orongo, en bordure de l'océan.

Chaque chef désignait un serviteur, un *hopu*, pour traverser à la nage les deux kilomètres infestés de requins qui séparaient la côte de l'îlot et y attendre l'arrivée du premier *manutara*. Le premier qui avait réussi à s'emparer d'un œuf le fixait sur son front, puis montait sur un sommet d'où il criait sa victoire à son maître. À Orongo, ce dernier se faisait raser la tête et peindre le visage en rouge et noir. Lorsque son *hopu* avait fait la traversée en sens inverse, le chef recevait l'œuf dans la main droite et devenait le *tangata manu*, « l'homme désigné par l'oiseau », seul interlocuteur entre les dieux et les humains. Il regagnait Mataveri en psalmodiant des chants généalogiques.

Venaient ensuite des festivités, au cours desquelles des sacrifices humains étaient perpétrés en l'honneur du dieu Make Make et suivis de banquets cannibales. Puis le nouvel homme-oiseau se retirait dans une case au pied d'un *ahu* sélectionné parmi les plus importants de l'île. On vidait alors l'œuf sacré, symbole d'abondance, on le remplissait de *tapa* et on le suspendait dans la case. L'élu donnait à la nouvelle année un nom que les dieux lui avaient communiqué en rêve.

Pendant un an, il suivait des règles très strictes : il ne devait ni se laver, ni se couper les ongles ou les cheveux, ni avoir de relations sexuelles, et ne pouvait manger que des aliments fournis par les différentes tribus et préparés dans un four spécial par un unique serviteur. Les avantages économiques qu'il retirait de sa situation prenaient fin au bout de son règne d'un an, mais il jouissait d'une considération particulière jusqu'à sa mort, après quoi il était enterré dans un lieu spécial avec les autres hommes-oiseaux.

UN ART DU GIGANTISME

Dès la découverte de l'île, tous les voyageurs furent intrigués par les innombrables *moai*, statues géantes au visage énigmatique tourné vers le ciel. Ils sont de taille variée et se présentent debout, accroupies ou encore à demi enterrées. Leur réalisation s'est échelonnée sans doute entre le XIIᵉ et le XVIIᵉ siècle, les plus grandes étant les plus récentes.

« *Moai kava kava* »
(*image côtelée*).

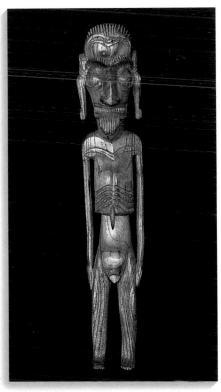

À l'origine, ces statuettes reproduisaient les traits d'un défunt et étaient destinées à protéger des mauvais esprits. Les deux premiers « moai kava kava » seraient dus à Tuu-Ko-Ihu. S'étant endormi au pied d'une falaise, ce roi vit apparaître en rêve deux de ses ancêtres qui lui demandèrent de ne pas les oublier. Il tint compte de cette injonction en sculptant leur image.

La plupart se dressaient à l'origine sur les plates-formes monumentales des *ahu*, qui étaient les lieux sacrés des Pascuans. Chaque famille avait le sien, et, lorsqu'elle s'éteignait, les pierres étaient réutilisées pour l'édification d'un autre sanctuaire. Les blocs étaient assemblés sans mortier, technique qui fit l'admiration du capitaine Cook. Les *ahu* se trouvent presque tous sur la côte, disposés parallèlement au rivage ou orientés selon des critères astronomiques. Certains sont de forme pyramidale, d'autres ressemblent à une embarcation, d'où leur nom d'*ahu poepoe*.

Les *moai* représentaient des divinités tutélaires. Leurs yeux de corail blanc et d'obsidienne transmettaient au chef de famille le *mana*, censé assurer la prospérité de la lignée. Les *moai* n'étaient jamais identiques ; chacun était le portrait d'un ancêtre et portait un nom, parfois un surnom dérivé d'une caractéristique (Cou Tordu, le Tatoué, etc.). À l'exception de ceux qui veillaient sur l'immense

atelier du Rano Raraku, les *moai* étaient toujours dressés sur un *ahu*, souvent par groupes de quatre ou cinq. Ils tournaient le dos au rivage, faisant face aux maisons du clan et à l'esplanade où se déroulaient les assemblées et les cérémonies religieuses.

Les premiers navigateurs qui s'arrêtèrent à l'île de Pâques virent les *moai* debout, mais, lorsque les missionnaires arrivèrent, en 1866, ils ne trouvèrent que des statues couchées, voire brisées. La plupart furent mises à bas au cours des guerres tribales, d'autres par les expéditions occidentales. Celles qui sont debout (une trentaine) ont été redressées au cours du XXe siècle ; certaines ont retrouvé leur *pukao*, énorme coiffure cylindrique de couleur rouge, qui représentait vraisemblablement le chignon enduit de terre, apanage des membres les plus éminents de la société.

Trois cents *moai* environ sont encore couchés sur la pente du volcan Rano Raraku, où s'ouvrent plusieurs carrières d'une pierre tendre qui se

Le cratère du Rano Kao, à l'extrémité ouest de l'île. Jusqu'en 1973, les habitants de Hanga Roa venaient y puiser de l'eau.

prête bien à la sculpture. Ils ont été abandonnés à différentes étapes de leur fabrication, certains prêts à être détachés du sol, d'autres à peine ébauchés. Ces carrières permettent de comprendre comment les statues étaient fabriquées et prouvent aussi que les plus grands *moai* sont les plus récents : l'un de ces « gisants » abandonnés mesure une vingtaine de mètres de long. S'il avait été érigé, il aurait été, de loin, le plus haut de l'île.

L'une des énigmes posées par ces statues est la technique utilisée pour les transporter des carrières aux *ahu*. Selon la légende, les statues marchaient jusqu'à leur destination. L'une des explications les plus plausibles est qu'elles étaient hissées en position verticale, puis tirées à l'aide de cordes. On les déplaçait par à-coups, en les faisant pivoter sur leur base. Ce procédé semble plus vraisemblable que l'hypothèse selon laquelle les géants de pierre auraient été transportés horizontalement sur des rondins. En effet, à l'époque où furent sculptés la plupart des *moai*, il n'y avait déjà presque plus d'arbres sur l'île.

Quoi qu'il en soit, la difficulté du transport ne résidait sans doute pas tant dans le poids des *moai*, qui sont moins lourds qu'on pourrait le penser (la statue la plus lourde pèse cependant 80 tonnes), mais dans leur fragilité. Les carrières abritent d'ailleurs de nombreuses statues brisées, ce qui prouve que l'opération qui consistait à les détacher du flanc du volcan, à les redresser et à les transporter était très délicate. Une fois amenés à destination, ils étaient peints en rouge et blanc et décorés, sans doute pour imiter les tatouages des humains. On leur fabriquait des yeux, dont le blanc était fait de corail blanc et la pupille d'obsidienne ou de morceaux de tuf rouge, de la même matière que le *pukao* dont on les coiffait ensuite. Comme l'écrivit Métraux au moment où il vit les *moai* pour la première fois, « ce vertige du colossal dans un univers minuscule, chez des hommes aux ressources limitées, voilà tout le mystère de l'île de Pâques ».

HANGA ROA

L'île de Pâques est dotée d'un aéroport international, construit en 1967 avec l'aide des Américains pour pouvoir accueillir la navette spatiale en cas d'urgence. C'est là qu'arrivent la plupart des voyageurs. LanChile propose plusieurs vols hebdomadaires à partir de Santiago. Les touristes sont encore assez peu nombreux (la capacité hôtelière n'est que de quelques centaines de lits). Beaucoup viennent pour trois jours, mais il est préférable de rester une semaine.

La saison la plus touristique est janvier-février : à cette époque, les vols sont toujours complets, aussi a-t-on intérêt à bien confirmer les réservations. Selon les Pascuans, les mois les plus agréables sont plutôt octobre et mars.

À l'aéroport, on est accueilli par des insulaires qui proposent leurs maisons. Ces *residenciales* (« pensions ») sont modestes mais entourées d'agréables jardins. Elles constituent un mode

Carte p. 318

« Moai » à Rano Raraku.

Fillette d'origine pascuane.

Ce qui a le plus étonné tous les explorateurs, c'est la couleur claire de la peau des indigènes, les traits de leur visage, qui se rapprochent du type européen, leurs cheveux châtain clair tendant parfois vers le roux et leur haute taille. Était ainsi posée la question de leurs origines, qui donna lieu à des débats dans la communauté scientifique et qui n'a toujours pas trouvé de réponse.

d'hébergement avantageux, les hôtels de l'île étant peu nombreux et onéreux. L'aéroport Mataveri ne se trouve qu'à cinq minutes de marche de **Hanga Roa ❶**, l'unique agglomération de l'île, où vivent la totalité de ses habitants. L'atmosphère rappelle celle de la Polynésie. Les rues, non goudronnées, sont bordées de maisons basses entourées de palmiers exubérants. Les visages, la langue, la musique et le style de vie sont caractéristiques du Pacifique Sud. Le village possède quelques restaurants, bars et boîtes de nuit. Mais, si on veut découvrir l'identité de Rapa Nui, le mieux est de se rendre à la messe dominicale, où l'office est chanté en pascuan sur des rythmes polynésiens...

Les Pascuans, qui ne reçoivent des touristes que depuis 1968, sont par nature ouverts et souvent facétieux. Une grande partie des habitants fabriquent des « antiquités » et des objets d'artisanat qu'ils vendent aux touristes. Les plus courants sont des statuettes appelées *moai kava kava*, qui représentent des hommes décharnés, à la cage thoracique saillante, aux lobes d'oreille très allongés et aux pupilles en obsidienne noire.

À LA DÉCOUVERTE DE RAPA NUI

L'île forme un triangle de 180 km² dont chaque pointe est marquée par un volcan éteint, au cratère parfois rempli d'eau. Le sol, très pauvre, est presque partout constitué de lave ; les versants de certains volcans sont couverts d'herbages, et les seuls arbres sont des palmiers, bananiers et eucalyptus d'introduction récente. Le long de la côte s'égrènent des centaines de grottes, utilisées par les anciens Pascuans comme chambres funéraires et abris en temps de guerre.

Quelques sites archéologiques sont accessibles à pied, mais les moyens de locomotion les plus efficaces sont le véhicule 4 x 4, que l'on peut louer, la moto et le cheval. Il est important de se munir de crème solaire et d'une bonne

« Moai » à Ahu Tongariki. Entre 1992 et 1995, une compagnie japonaise fit relever les « moai » qui avaient été dispersés par un puissant raz de marée en 1960. Un seul d'entre eux a retrouvé sa coiffure d'origine.

provision d'eau, en particulier pendant les mois d'été, car le soleil est ardent et il y a peu d'endroits ombragés.

Une promenade à pied dans le village permet d'avoir un avant-goût du patrimoine archéologique de l'île. Au bout de la calle Te Pito o Te Henua, la silhouette de l'Ahu Tautira domine la baie : ses deux *moai* ont été redressés au XXe siècle. De là, on peut prendre la route qui longe le petit môle où sont amarrées les barques des pêcheurs.

Après le cimetière apparaît l'un des sites les plus célèbres de l'île, le village d'**Ahu Tahai ❷**. Au centre, face à l'esplanade qui servait aux cérémonies religieuses, un premier groupe de cinq *moai* domine le temple d'Ahu Vaiuri. Il a été restauré en 1967 par William Mulloy, qui a relevé les statues renversées et à demi enterrées. On peut aussi visiter différents types d'habitations, où logeaient les chefs, les prêtres et les personnes de haut rang, et en particulier une maison en forme de bateau, à la structure en ellipse caractéristique. Au nord du village,

l'Ahu Tahai est surmonté d'un *moai* isolé. Plus loin s'élève un autre solitaire, le Ko Te Riku, coiffé de son *pukao* rouge et auquel on a rendu ses yeux. C'est l'un des plus beaux sites à contempler au soleil couchant.

À une centaine de mètres de Tahai, on peut visiter le **Museo Antropológico Sebastián Englert**, où une collection de cartes, de photographies anciennes, de croquis de plantes et d'animaux, et surtout de certains objets retrouvés sur place (statuettes traditionnelles, outils, ustensiles et embarcations typiques), constitue une bonne initiation à la découverte de Rapa Nui. Si on ne dispose pas de beaucoup de temps, un circuit d'une journée permet de faire le tour de l'île, en passant par les sites les plus intéressants.

LA CÔTE SUD

En quittant Hanga Roa par le sud, il faut prendre la route qui longe la piste d'atterrissage ; à 5 km, au bord de

Carte p. 318

Le volcan Rano Raraku. C'est la fabrique des « moai », taillés à même le tuf. Près de trois cents d'entre eux, à différentes étapes de leur fabrication, sont dispersés sur les pentes et dans le cratère du volcan.

l'océan, apparaît l'**Ahu Vinapu** ❸, qui a joué un grand rôle dans l'élaboration de la chronologie pascuane. Il comporte deux *ahu* dont les *moai* ont été renversés et brisés. Le plus remarquable (Vinapu 1), est constitué d'un assemblage de blocs de pierre cyclopéens, parfaitement taillés et imbriqués, qui ressemble étonnamment à certains murs des villes incas du Pérou. Cet *ahu* était l'un des éléments clés de la théorie de Thor Heyerdahl sur l'origine américaine des habitants de l'île de Pâques.

L'expédition menée par Heyerdahl soumit à l'analyse du carbone 14 des résidus de divers matériaux découverts à proximité, ce qui permit d'élaborer une chronologie : période initiale (400 avant J.-C.-1100 après J.-C.), période intermédiaire (1100-1680) et période tardive (1680-1868). Un petit nombre d'*ahu* ont été aménagés pendant la période initiale mais on ne connaît pas exactement leur fonction à cette époque. La plupart des monuments datent de la période intermédiaire ;

Acteur du film « Rapa Nui » devant un « moai » fabriqué pour la circonstance. On peut en voir de semblables dans des rues de Hanga Roa.

enfin, la période tardive correspond à celle des guerres tribales, donc à l'arrêt de la production de statues.

Selon Heyerdahl, l'*ahu* aux *moai* finement façonnés de Vinapu (Vinapu 1) est en réalité plus ancien que son pendant, moins élaboré. Il en déduisit que les premiers habitants de l'île étaient des sculpteurs originaires d'Amérique du Sud, dont les techniques se sont perdues peu à peu. D'autres archéologues ont, par la suite, réinterprété ses découvertes ; l'*ahu* Vinapu 2 serait au contraire antérieur à Vinapu 1 et il reprendrait le modèle des *marae*, ces plates-formes que l'on trouve sur les îles polynésiennes. On pense donc désormais que l'art de la maçonnerie s'est développé sur l'île de Pâques indépendamment des progrès réalisés au Pérou ou en Bolivie (si tant est qu'il y ait effectivement un rapport entre les deux civilisations).

En remontant la côte vers le nord à partir de Vinapu, on peut observer les conséquences des guerres tribales de la période tardive, au moment même

où les Européens découvraient l'île. L'**Ahu Vaihú ❹** est sans doute à cet égard le site le plus extraordinaire de cette côte. Huit statues gigantesques y ont été renversées et gisent face contre terre, leurs *pukao* éparpillés autour d'elles en bordure de l'océan. L'une d'elles est complètement démantelée.

Au-dessus de l'Ahu Vaihú s'élève le mont Orito, d'où était extraite l'obsidienne noire qui servait à fabriquer les outils et les armes ; parmi ces dernières, l'une des plus courantes était une lame grossière appelée *mataa*, que les Pascuans utilisaient comme lance.

À 3 km de l'Ahu Vaihú, l'**Ahu Akahanga ❺** se compose de deux groupes de sanctuaires, répartis de chaque côté de la baie ; douze *moai* de tailles variées gisent à leur pied. C'est là que, selon la légende, fut inhumé le premier roi Hotu Matua. Akahanga est l'un des lieux les plus étudiés par les archéologues car on y a découvert les fondations de plusieurs habitations en forme de bateau ainsi que quelques maisons circulaires.

Un autre site distant d'environ 2 km, **Ahu Hanga Tetenga ❻**, a été presque entièrement détruit, et ses deux *moai* sont brisés.

RANO RARAKU

Une route de terre conduit vers l'intérieur de l'île et le cratère du **Rano Raraku ❼**. Ce chemin, appelé la **route des Moai,** est bordé de statues renversées ; juste avant l'arrivée au volcan, une pancarte explique comment les *moai* étaient redressés et emportés.

Les statues les plus célèbres et les plus impressionnantes sont sans conteste les soixante-dix sentinelles de pierre qui se dressent sur le versant méridional du volcan, enfouies dans l'herbe jusqu'aux épaules. Elles forment un chemin qui conduit au cratère, où des statues inachevées sont comme les témoins muets des événements inconnus qui ont fait cesser toute activité dans la carrière.

Un sentier mène au plus grand *moai* jamais sculpté, un monolithe de 21 m

Carte p. 318

Les sentinelles de pierre d'Anakena ont presque toutes retrouvé leur « pukao » de pierre rouge.

Christ en bois sculpté, église de Hanga Roa.

« Moai » redressés à Ahu Tahai.

de long. Si l'on continue vers la droite, on arrive à deux autres énormes statues encore intégrées à la roche, tandis qu'une vingtaine d'autres tapissent l'intérieur du cratère. Au total, environ trois cents géants de pierre attendent toujours d'être transportés vers leur *ahu*.

Les statues du Rano Raraku présentent de nombreuses différences avec les autres statues de l'île. Un petit nombre d'entre elles représentent des femmes ; certaines sont décorées d'étranges sculptures sur le dos ou les flancs. Un trois-mâts avec ses voiles est gravé sur la poitrine de l'une d'entre elles. Un trait le rattache à une silhouette ronde qui pourrait être une ancre ou une tortue de mer au bout d'une chaîne à pêche. Pour certains observateurs, ce bateau représente un bâtiment européen ; pour d'autres, il s'agit d'une grande barque en *totora* (roseau) semblable à celles qu'utilisent les habitants de la région du lac Titicaca, à la frontière du Pérou et de la Bolivie.

Au temps de leur construction, on a peut-être relevé les « moai » après les avoir sculptés à plat dans une carrière en les soulevant progressivement, et en utilisant des cales de pierre de plus en plus grosses. Thor Heyerdahl en fit la démonstration avec une équipe de Pascuans. Il leur fallut presque un mois d'un travail intense, mais le résultat fut probant.

Sur la face droite du cratère se trouve aussi l'unique statue agenouillée, haute d'un peu moins de 4 m ; elle se nomme Tukuriti et offre un aspect typiquement polynésien (visage rond, oreilles courtes et barbe).

La carrière du Rano Raraku permet d'imaginer comment les *moai* étaient réalisés. On creusait des tranchées dans lesquelles prenaient place les tailleurs de pierre. Ils évidaient peu à peu le pourtour de la statue, en la laissant soudée au fond de la tranchée par une sorte de quille. On pratiquait ensuite des brèches de plus en plus grosses dans cette épine dorsale, jusqu'à ce qu'elle disparaisse entièrement. La statue était alors acheminée, au moyen de cordes, jusqu'au bas de la pente du volcan où l'on procédait à sa finition. Les ouvriers utilisaient de petits pics en basalte appelés *toki*, dont on a retrouvé des milliers d'exemplaires dans la carrière. Selon une expérience menée par l'expédition Heyerdahl, deux équipes de sculpteurs se relayant pouvaient mettre entre douze et quinze mois à réaliser un *moai* de 4 m de long.

LA CÔTE NORD

Au pied du Rano Raraku, vers la péninsule de Poike, l'**Ahu Tongariki**, en cours de restauration, a été détruit vers 1960 par un raz de marée. C'était l'un des plus vastes sanctuaires de l'île, et il abritait une quinzaine de *moai*. De gros blocs de pierre affleurant au ras du sol sont ornés de pétroglyphes représentant une tortue à visage humain, un thon, un homme-oiseau, des baleines, des araignées, des lézards, des symboles inclassables, etc.

À l'est du Rano Raraku, la **péninsule de Poike** est l'un des hauts lieux de l'histoire légendaire de Rapa Nui : c'est là que se retranchèrent les Longues-Oreilles lorsqu'ils furent attaqués par les Petites-Oreilles. Ils creusèrent ou, du moins, élargirent le fossé qui sépare la péninsule du reste de l'île et le remplirent de troncs et de branchages, auxquels ils comptaient mettre le feu dès que leurs ennemis tenteraient d'approcher. Mais un traître permit aux assaillants de s'infiltrer dans le retranchement. Les Longues-Oreilles furent précipités dans le piège qu'ils avaient eux-mêmes conçu, et tous périrent à l'exception du traître. Cette légende paraît corroborée par la découverte faite par l'expédition norvégienne d'épaisses couches de cendres et de charbon à cet endroit. Un grand feu aurait donc bien été allumé dans le fossé, probablement vers 1640 ou 1680. La péninsule de Poike a peut-être été aussi un lieu d'observation astronomique, comme semblent en témoigner les pétroglyphes de Papa ui Hetu'u.

Entre la péninsule et la plage d'Anakena, la route côtoie de nombreux sanctuaires, notamment celui de **Te Pito Te Kura** ❽ (le nombril de la lumière), où se trouve le plus grand *moai* jamais transporté par les Pascuans. Sa hauteur totale, couvre-chef compris, avoisine 12 m. William Mulloy a calculé qu'il avait fallu trente personnes pour le tailler, quatre-vingt-dix pour effectuer, en deux mois, le trajet de 6 km depuis la carrière, et encore quatre-vingt-dix hommes pendant trois mois pour l'ériger.

L'équipe norvégienne de Thor Heyerdahl mena sur l'île plusieurs expériences ; l'une d'elles consista à remettre pour la première fois une statue debout, à l'aide des seuls matériaux dont disposaient les anciens Pascuans. On glissa d'abord de gros bâtons de bois sous le ventre de la statue. Pendant que quatre ou cinq hommes faisaient levier sur ces bâtons, un autre disposait des cailloux sous la tête du *moai* pour le soulever. La statue se détacha peu à peu du sol. Il leur fallut neuf jours pour la mettre à 45° et neuf autres pour qu'elle soit presque debout. On acheva de la redresser à l'aide de cordes. Cette statue orne l'**Ahu Ature Huki**, sur la petite presqu'île située entre Ovahe et **Anakena** ❾. Depuis, de nombreux autres *moai* ont été remis en position verticale.

La petite crique d'**Ovahe**, nichée au pied d'une falaise, offre le cadre idéal

Carte p. 318

Au fond du volcan Rano Kao, toutes les nuances de vert des petits lacs couverts de « totora » (roseaux). Au niveau de l'eau règne un microclimat.

pour se baigner après une journée passée en visites. Son sable fin et doré et son eau d'une incroyable transparence en font l'égale des plages les plus réputées du Pacifique Sud.

Toute proche, la plage d'Anakena, ombragée de cocotiers, est l'endroit où, selon la légende, accosta Hotu Matua, le fondateur de la civilisation pascuane. Il se serait abrité dans les grottes qui bordent la grève pendant qu'on construisait sa maison en forme de bateau. C'est à Anakena que se trouvait la résidence royale et que les spécialistes des *kokau motu mo rongo rongo* et leurs disciples se réunissaient pour lire les tablettes et psalmodier chants et prières. Chaque année avait lieu une grande cérémonie au cours de laquelle les experts rivalisaient dans des épreuves de récitation et présentaient leurs meilleurs élèves au roi.

L'**Ahu Nau Nau** et ses sept *moai* dominent la plage. C'est en restaurant ce site, en 1978, que les chercheurs découvrirent que les statues avaient eu des yeux, grâce aux morceaux de corail retrouvés au pied de l'*ahu*. L'une des parois du sanctuaire est ornée d'intéressants pétroglyphes et d'une tête de statue encore intégrée à l'appareillage.

UNE MINE DE CHAPEAUX

La route qui mène d'Ovahe à Hanga Roa en traversant le centre de l'île longe les anciens locaux de l'estancia Vaitea, consacrée à l'élevage des moutons au début du XXᵉ siècle. Quelques kilomètres plus loin s'élève le volcan Puna Pau, d'où l'on extrayait la pierre volcanique rouge des *pukao*. Une vingtaine de ces chapeaux jonchent encore les abords de la carrière. Près de Puna Pau on voit un *moai* très original doté de quatre mains. L'Ahu Huri a Urenga, qui lui sert de base, orienté en fonction du solstice d'été, était utilisé en tant qu'observatoire solaire.

Une bifurcation à droite mène vers la côte occidentale ; cette route passe par le site d'**Ahu Akivi ❿**. Il s'agit du seul sanctuaire à avoir été érigé à l'intérieur des terres et à ne pas comporter de sépultures ; de plus, ses sept *moai* sont aussi les seuls qui regardent vers l'océan, peut-être parce que le village auquel ils appartenaient se trouvait sur la côte. Lorsqu'on leur tourne le dos, on aperçoit, à quelques centaines de mètres, deux bornes de pierre entre lesquelles le soleil se couche au moment du solstice d'été. La plate-forme inclinée de l'*ahu* est décorée de pierres provenant du lest d'un navire échoué au XIXᵉ siècle. Non loin de là, un bouquet de bananiers signale l'entrée d'une grotte, Ana Te Pahu. Il s'agit d'un ensemble d'habitations souterraines que l'on peut traverser (si on s'est muni d'une lampe de poche).

Au bord de la mer, un autre sanctuaire, l'**Ahu Tepeu ⓫**, est remarquable par la dimension et l'appareillage des blocs de pierre qui en constituent la plate-forme. Ses *moai* n'ont pas encore été redressés. À proximité on remarque aussi de nombreux vestiges d'habitations de type *hare paenga* (voir p. 323).

Pétroglyphe de l'homme-oiseau à Orongo.

En 1934, les deux chercheurs Alfred Métraux et Henri Lavachery recensèrent les pétroglyphes gravés sur les rochers de l'île, qui n'avaient encore fait l'objet d'aucun inventaire systématique. Mettant en lumière cet aspect méconnu de l'art pascuan, leurs travaux montrent que les motifs rupestres sont très variés.

ORONGO

À 4 km au sud de Hanga Roa, après l'aéroport, on atteint par un chemin escarpé la grotte d'Ana Kai Tongata, qui s'ouvre sur la mer. Cette cavité, où l'on voit encore quelques vestiges de fresques rupestres (certaines sont désormais visibles au musée), aurait abrité des cérémonies cannibales.

Un peu plus loin s'élève le **Rano Kao**, dont le cratère, profond de 200 m, est rempli par un petit lac. Sur le versant du volcan s'étend le site cérémoniel d'**Orongo** ⓬. L'ancien village domine l'océan et les trois îlots Motu Nui, Motu Iti et Motu Kao Kao. Les maisons en pierre sèche étagées au flanc du volcan ont été restaurées en 1974. Murs et toits étaient constitués de dalles superposées ; l'entrée se faisait par un long tunnel dans lequel on ne pouvait avancer que courbé. À l'origine, les parois intérieures étaient peintes et ornées de différents objets sacrés, comme le *moko*, figurine de bois représentant un lézard. On voit encore quelques pierres sculptées à l'entrée, mais la plupart des éléments décoratifs ont été pillés par les différentes expéditions européennes des siècles passés.

L'enceinte sacrée de Mata Ngarau renferme plusieurs centaines de pétroglyphes qui représentent surtout le dieu Make Make, le *komari* (symbole du sexe féminin) et l'homme-oiseau tenant un œuf dans la main. C'est là que se tenaient les prêtres qui présidaient à la cérémonie d'investiture. Ces gravures éparses, parfois maladroites, seraient des sortes d'ex-voto tracés par les fidèles pour demander la protection du dieu ou l'en remercier. Le culte de l'homme-oiseau, dont on ne trouve pas d'équivalent en Polynésie, semble se rapprocher des grands rites de fertilité, destinés à établir un contact entre la divinité et un humain choisi comme intercesseur.

On peut aller en bateau, depuis Hanga Roa, sur l'îlot sacré de Motu Nui, où les *manutara* venaient pondre leurs œufs.

Carte p. 318

L'un des géants de l'île.

Ci-dessous, Te Pito o Te Henua, le « nombril du monde » ; page suivante, Ahu Tahai au couchant.

INFORMATIONS PRATIQUES

AVANT LE DÉPART

PASSEPORT

Les ressortissants de l'Union européenne n'ont besoin que d'un passeport pour entrer au Chili, de même que les citoyens canadiens et suisses.

À l'arrivée au Chili, les visiteurs se voient remettre une fiche d'entrée (*tarjeta de turismo*) valable 90 jours, mais dont la validité peut être prorogée de 90 jours ; la demande doit en être faite auprès du Departamento de Extranjería (*Moneda 1342, Santiago*, *tél. (02) 672 53 20*, du lundi au vendredi de 8 h 30 à 15 h 30). Cette fiche doit être conservée précieusement et rendue aux autorités lors du départ.

AMBASSADES ET CONSULATS DU CHILI

BELGIQUE
Ambassade
40, rue Montoyer, 1000 Bruxelles,
tél. (2) 280 16 20 ; www.embachile.be/
Consulat
Menschelsesteenweg 10, 2000 Anvers,
tél. (031) 232 76 11

CANADA
Ambassade
1413-1450 O'Connor St., bureau 1413, Ottawa, Ontario, K1P6L2, tél. (613) 235 44 02
www.chile.ca
Informations touristiques
Sparks St. 56, Suite 801, Ottawa, Ontario,
tél. (613) 235 44 02
Consulats
– Bloor St. West 170, Suite 800, Toronto,
tél. (416) 924 01 06
– Sherbrooke Ouest, bureau 710, Montréal, Québec, H3A 2R7, tél. (514) 499 04 05 ou (514) 499 92 21
www.cgchilemontreal.cjb.net
– 2885 rue du Danube ; Québec, Québec, G1P 4G5,
tél. (418) 687-2175

FRANCE
Ambassade
2, av. de La Motte-Picquet, 75007 Paris,
tél. 01 44 18 59 60 ; www.amb-chili.fr
De 9 h à 13 h et de 15 h à 17 h du lundi au vendredi (services culturels : *tél. 01 44 18 59 60*).
Consulats
64, bd de La Tour-Maubourg, 75007 Paris,
tél. 01 47 05 46 61.
De 8 h 30 à 13 h 30 du lundi au vendredi (passeports, visas, etc.).

SUISSE
Ambassade
Eigerplatz 5, 12ᵉ étage, 3007 Berne,
tél. (31) 371 07 45
www.eda.admin.ch/santiago

OÙ SE RENSEIGNER

OFFICES DU TOURISME
Les services culturels de l'ambassade ou du consulat du Chili assurent les fonctions d'office du tourisme pour tous les pays francophones.

LIBRAIRIES ET CENTRES DE DOCUMENTATION
Astrolabe
46, rue de Provence, 75009 Paris,
tél. 01 42 85 42 95
Institut des hautes études de l'Amérique latine (IHEAL)
28, rue Saint-Guillaume, 75007 Paris,
tél. 01 44 39 86 71
Itinéraires
60, rue Saint-Honoré, 75001 Paris,
tél. 01 42 36 12 63
Les Amitiés franco-chiliennes
127, bd Auguste-Blanqui, 75013 Paris,
tél. 01 45 80 57 07
Librairie hispano-américaine
26, rue Monsieur-le-Prince, 75006 Paris,
tél. 01 43 26 03 79
Maison de l'Amérique latine
217, bd Saint-Germain, 75007 Paris,
tél. 01 49 54 75 00

SITES INTERNET
www.abc-latina.com/chili
Portail Internet sur l'Amérique latine (en français).
www.turistel.cl
Site de l'éditeur de guides Turistel. Toutes sortes d'informations en espagnol sur le pays.
www.sernatur.cl
Site de l'office du tourisme chilien, en espagnol.
www.sitios.cl
Portail (en espagnol) de plusieurs sites chiliens : journaux, institutions, partis politiques, cartes et plans, météo, recettes de cuisine, etc.
www.lycos.cl
Moteur de recherche sur le Chili (en espagnol).

VACCINATIONS

Aucun vaccin n'est exigé des services sanitaires pour pouvoir pénétrer sur le territoire chilien. Il est cependant recommandé de se prémunir contre certaines maladies, dont le tétanos, la typhoïde, la diphtérie et l'hépatite.

CLIMAT

Le climat est très variable en fonction de l'altitude et de la latitude. Comme le Chili se trouve dans l'hémisphère Sud, les saisons sont inversées par rapport aux saisons européennes. En juillet-août, on est au plein cœur de l'hiver alors que janvier-février sont des mois d'été. On distingue quatre zones climatiques :
– au nord, le climat est désertique : la température peut monter dans la journée jusqu'à 40 °C et descendre la nuit à 10 °C. En hiver, la température est plus douce (20 °C en moyenne) ;
– au centre, le climat est de type méditerranéen, assez sec. Les étés sont chauds (température moyenne 28 °C) et les hivers doux (5 à 15 °C) ;
– dans la région des lacs, le climat est tempéré et de plus en plus pluvieux à mesure qu'on descend vers le sud. Température moyenne en été : 15 °C, en hiver : 7 °C ;
– au sud, le climat est froid et pluvieux toute l'année, avec des vents violents. En été, la température moyenne est de 11 °C, en hiver de 3 °C ;

En altitude, dans la cordillère, les températures sont évidemment moins élevées et l'amplitude plus forte. L'île de Pâques a une température à peu près égale, quelle que soit la saison, autour de 25 °C.

QUE FAUT-IL EMPORTER ?

GARDE-ROBE

L'attrait principal du Chili réside dans les activités de plein air : on a donc intérêt à mettre dans sa valise des vêtements confortables et pratiques. Dans le désert d'Atacama et sur l'île de Pâques, le soleil peut être particulièrement dangereux et provoquer de graves brûlures. Il faut prévoir de la crème protectrice, des lunettes de soleil et un chapeau. Dans le sud du Chili, il peut faire extrêmement froid en raison du vent et de la pluie (même lorsque la température est aux alentours de 10 °C). Si l'on envisage de se rendre dans les régions de Magallanes, Chiloé, Aisén, ainsi que dans la région des lacs pendant l'hiver austral, il est primordial de se munir de chaussures et de vêtements chauds et imperméables ainsi que d'un coupe-vent. Certains objets pourront s'avérer très utiles, par exemple : lampe de poche, couteau suisse, parapluie, duvet léger.

Pour sortir à Santiago, il est préférable de s'habiller car les Chiliens sont assez pointilleux sur la tenue. Prévoir une ou deux tenues en conséquence.

PHOTOGRAPHIE

Prévoir une forte luminosité dans le Nord et des ciels souvent voilés dans le Sud (100 ASA). Les services de développement rapides sont nombreux, mais relativement chers pour la qualité du travail.

PHARMACIE ET PRÉCAUTIONS SANITAIRES

Emporter les médicaments usuels : aspirine, antidiarrhéique, antiseptique intestinal, collyre, désinfectant, pansements et compresses.

L'eau du robinet est potable partout au Chili. Toutefois, on peut, par précaution, éviter de manger des crudités et des fruits de mer, surtout dans les restaurants de Santiago.

Si l'on se rend au-dessus de 3 000 m d'altitude, on risque de subir la *puna*, ou mal des montagnes. La plupart du temps, les symptômes en sont assez bénins : fatigue, manque de souffle, nausées et maux de tête. Pour ne pas être trop incommodé, il est conseillé d'effectuer des activités peu fatigantes, de manger léger et d'éviter de fumer. Une demi-journée suffit généralement pour s'habituer à l'altitude. On peut aussi emporter un stimulant cardiaque, ou encore prendre du sucre ou des comprimés de glucose. Si les symptômes sont violents (vomissements, pouls rapide et irrégulier, insomnie), il faut immédiatement redescendre à une altitude inférieure.

PERMIS DE CONDUIRE

Le permis de conduire international est indispensable pour les voyageurs qui souhaitent louer une voiture au Chili.

ASSURANCE VOYAGE

Avant de contracter une police d'assurance assistance rapatriement, vérifier que ces garanties ne figurent pas dans ses contrats d'assurance véhicule, multirisque habitation et carte de crédit.
Mondial Assistance : *tél. 01 40 25 52 04*

DÉCALAGE HORAIRE

Le Chili est en retard de 4 heures sur l'heure GMT en hiver et de 3 heures en été, comme le France applique également l'heure d'été, mais à des dates différentes ; le décalage horaire est comme suit :
Du dernier dim. de mars au 2e sam. d'oct. : Paris – 6 h
Du 2e sam. d'oct. au dernier dim. d'oct. : Paris – 5 h
Du dernier dim. d'oct. au 2e sam. de mars : Paris – 4 h
Du 2e sam. de mars au dernier dim. de mars : Paris – 5 h

SE RENDRE AU CHILI

EN AVION

Différentes compagnies aériennes proposent des vols à partir de l'Europe : Air France, Iberia, Lufthansa, Alitalia, KLM, British Airways, ainsi que Varig, Aerolíneas Argentinas, Avianca, Lacsa et LanChile.

Le voyage dure de 18 heures à 20 heures et comprend automatiquement une escale. Air France est la seule compagnie qui assure un vol sans changement d'appareil. Le trajet le plus court s'effectue avec Iberia ou LanChile : 13 heures de vol entre Santiago et Madrid ; de là, Iberia assure la liaison avec les autres destinations européennes. Aerolíneas Argentinas propose trois vols directs Paris-Buenos Aires par semaine. Les vols d'Avianca comprennent de nombreuses escales.

Canadian Pacific opère un vol hebdomadaire au départ de Montréal et de Toronto et deux au départ de Vancouver. Ces vols font tous escale à Lima. Aerolíneas Argentinas propose des vols vers Buenos Aires au départ de Toronto et de Montréal, qui permettent de rejoindre Santiago.

Les compagnies aériennes des États-Unis ainsi que LanChile proposent toutes des vols New York-Santiago, avec escale à Washington, Los Angeles ou Miami.

COMPAGNIES AÉRIENNES

Aerolíneas Argentinas
2, rue de l'Oratoire, 75001 Paris, tél. 01 53 29 92 30 ; www.aerolineas.com.ar

Air France
2, rue Esnault-Pelterie, 75007 Paris, tél. 01 42 99 21 01.
Numéro national : *tél. 0820 820 820 ; www.airfrance.fr*

Alitalia
69, bd Haussmann, 75008 Paris, tél. 01 44 94 44 00 et 01 44 94 44 20
Numéro national : *tél. 0820 315 315 ; www.alitalia.fr*

American Airlines
109, rue du Faubourg-Saint-Honoré, 75008 Paris
Numéro national : *tél. 0810 872 872*

Avianca
4, rue du Faubourg-Monmartre, 75009 Paris, tél. 0825 869 883 ; www.avianca.net

Iberia
Hall 1, aérogare Ouest, 94310 Orly, tél. 0820 075 075 ; www.iberia.fr

KLM
Aérogare 1, aéroport Charles-de-Gaulle, 95700 Roissy, tél. 08 91 70 02 48 ; www.klm.com

LanChile
représentée en France par la société Kilian
21, av. Saint-Fiacre, 78100 Saint-Germain-en-Laye, tél. 01 39 21 59 20

Lufthansa
106, bd Haussmann, 75008 Paris, tél. 01 42 65 37 35 ; www.lufthansa.fr

Varig
38, avenue des Champs-Élysées, 75008 Paris, tél. 01 40 69 50 50

LIAISONS AÉROPORT-SANTIAGO

Tous les vols internationaux atterrissent à l'aéroport Arturo Merino Benítez, à une vingtaine de kilomètres au nord-ouest de Santiago. De nombreux bus le relient à la station de métro Los Héroes, sur l'Alameda (compagnie Metropuerto) et à la calle Moneda 1529 (compagnie Tour Express). Les taxis demandent environ 25 dollars pour aller dans le centre-ville.

La société Transvip (*tél. [02] 677 30 00*) propose un service de navettes (à domicile), moins cher que le taxi, et très fiable.

EN TRAIN OU EN AUTOCAR

À l'exception des lignes La Paz (Bolivie) Arica/Antofagasta, et Salta (Argentine) Antofagasta, il n'y a pas de trains de voyageurs dans le nord du Chili. Les rares services existants, assurés par des compagnies privées, sont très irréguliers. Se renseigner auprès des offices du tourisme au préalable.

Les autocars des compagnies chiliennes sont remarquablement confortables et les routes en très bon état. Les voyages par voie de terre peuvent donc se révéler particulièrement agréables, surtout si l'on vient d'Argentine et que l'on traverse la région des lacs. À titre d'exemple, le trajet en autocar entre Buenos Aires et Santiago (le plus fréquent) dure 24 heures.

En venant du Pérou, on entre au Chili par Arica en passant par la ville péruvienne de Tacna. On peut se procurer un billet Lima-Santiago à Lima, ou encore un billet Lima-Arica, puis traverser la frontière à pied et prendre un billet pour la destination de son choix de l'autre côté. La même solution est possible entre La Paz (Bolivie) et Arica, mais la route qui relie les deux villes est assez mauvaise.

Les principales compagnies d'autocars internationales sont : Tas Choapa, Cata et Tur-Bus. Certaines assurent une liaison assez épique entre Santiago et Rio de Janeiro, via Mendoza et São Paulo.

Les gares routières d'où partent les autocars internationaux sont le Terminal de Buses Santiago (Brésil, Argentine, Pérou, Équateur et Venezuela), le Terminal de Buses Norte (Pérou, Brésil, Argentine) et le Terminal Los Héroes (Argentine). Voir plus loin (« Comment se déplacer ») pour les adresses.

DOUANES

Il n'y a aucune limite aux sommes d'argent que l'on peut apporter au Chili, que ce soit en devises ou en monnaie locale. On peut importer 400 cigarettes ou 50 cigares, ou encore 500 grammes de tabac, 2,5 litres d'alcool et un nombre raisonnable de flacons de parfums.

L'importation de fruits, de légumes, de fleurs et de produits laitiers est illégale. De même, il est interdit de transporter des fruits et légumes du nord du Chili vers la vallée centrale et Santiago.

POUR LE RETOUR

Prévoir la taxe d'embarquement qui doit être acquittée en pesos ou en dollars (environ 15 dollars). Le formulaire de douane remis à l'arrivée devra être présenter au moment de quitter le pays. Conserver les reçus de change pour pouvoir échanger ses derniers pesos à l'aéroport avant de partir.

À SAVOIR SUR PLACE

JOURS FÉRIÉS ET FÊTES LOCALES

JANVIER

Ngillatún (ou Guillatún), fête de la Fertilité chez les Mapuches, tous les deux ans. La cérémonie s'appelle Ngillamawn.

1er : Nouvel An. À Valparaíso, splendide feu d'artifice sur la baie, festivités dans toute la ville.

20 : Fiesta de San Sebastián ; grande fête populaire à Yumbel, au sud-est de Concepción.

26 janvier-4 février : Semaines musicales de Frutillar, au bord du lac Llanquihue (concerts de musique classique).

3e semaine à fin février : Festival folklorique mapuche (artisanat, musique, chants et danses) à Villarrica.

4e semaine : Festival national de folklore, dans l'amphithéâtre San Bernardo à Santiago.

FÉVRIER

1re semaine : Tapiti Rapa Nuí, fête religieuse sur l'île de Pâques.

Muestra Cultural Mapuche : festival de musique et danses traditionnelles mapuches, sur la rive du lac Villarrica.

Festival international de la chanson à Viña del Mar, dans l'amphithéâtre du parc Quinta Vergara.

Regata de las Mil Millas, course de bateaux de 1 000 milles à partir de Viña del Mar.

2e et 3e semaines : fêtes de Valdivia et carnaval sur le río Calle-Calle.

AVRIL

1re semaine : semaine sainte. Fiesta de Cuasimodo (Quasimodo) : processions et défilés dans certains quartiers de Santiago le dimanche qui suit Pâques.

2e semaine : rodéo de Rancagua, compétition à laquelle participent tous les *huasos* du pays.

MAI

1er : fête du Travail.

21 : Glorias Navales, commémoration nationale du combat naval d'Iquique.

30 : Fête-Dieu.

JUIN

2e semaine : ouverture de la saison de ski dans la région centrale.

29 : Fiesta de San Pedro (Saint-Pierre), patron des pêcheurs. Processions et autres festivités dans les villages de la côte.

JUILLET

12-18 : fête de la Vierge du Carmel à La Tirana, minuscule village andin à 40 km d'Iquique. Cette fête religieuse attire 80 000 personnes ; confréries de danseurs venus de tout le nord du Chili.

Festival de folklore et foire artisanale à Punta Arenas.

AOÛT

15 : Assomption.

30 : fête religieuse de Santa Rosa de Lima à Pelequén (à 40 km au sud de Rancagua).

SEPTEMBRE

Premier lundi du mois : fête de l'Unité nationale.

18-19 : fête de l'Indépendance : festivités (*fondas*), dégustation de *chicha* (jus de raisin fermenté), *empanadas*, danse nationale (*cueca*), rodéos.

Le week-end qui suit : fête (el 18 Chico) célébrant l'Indépendance et offrant le même type de festivités.

19 : Día del Ejército, fête de l'armée. Parade militaire dans le parc O'Higgins, à Santiago.

OCTOBRE

12 : Día de la Raza, anniversaire de la découverte de l'Amérique.

NOVEMBRE

1er : fête de la Toussaint (Todos los Santos).

3e semaine : Salon du livre, centre culturel Estación Mapocho, à Santiago.

4e semaine : Feria Internacional de Artesanía dans le parc Bustamante, à Santiago. Concerts en plein air (rock, chanson chilienne). Exposition et vente d'artisanat.

DÉCEMBRE

8 : fête de l'Immaculée-Conception.

25 : Noël (Navidad).

23-27 : fête de la Vierge d'Andacollo, village au sud-est de La Serena vers lequel convergent plus de 150 000 pèlerins venus de tout le nord du pays. Confréries de danseurs.

HORAIRES D'OUVERTURE

Banques : du lundi au vendredi, de 9 h à 14 h.
Bureaux de change : du lundi au vendredi, de 9 h 30 à 14 h et de 15 h 30 à 17 h 30.
Administrations : de 8 h 30 à 13 h 30.
Bureaux : du lundi au vendredi, de 8 h 30 à 13 h 30 et de 15 h à 18 h.
Magasins : du lundi au vendredi de 10 h 30 à 19 h 30, de 9 h 30 à 13 h 30 le samedi. Dans les grands centres commerciaux, les boutiques sont ouvertes tous les jours, dimanche compris, jusqu'à 21 h.

OFFICES DU TOURISME

L'office du tourisme chilien (Sernatur) possède une antenne à l'aéroport. On y trouvera tous les renseignements nécessaires ainsi que des adresses d'hôtels.

Ancud : *Libertad 665, tél. (065) 622 665*
Antofagasta : *Prat 384, 1er étage,*
tél. (055) 451 818
Arica : *Prat 375, 2e étage, tél. (058) 232 101*
Chillán : *18 de Septiembre 455,*
tél. (042) 223 272
Concepción : *O'Higgins 650, bureau 603,*
tél. (041) 244 999
Aníbal Pinto 460, tél. (041) 227 976
Copiapó : *Los Carrera 691, tél. (052) 212 838*
Coihaique : *Bulnes 35, tél. (067) 231 752*
Iquique : *Serrano 145, 3e étage, bureau 303,*
tél. (057) 427 686
La Serena : *angle des rues Prat et Matta, 1er étage,*
tél. (051) 225 138
Osorno : *Edificio Gobernación, 1er étage,*
tél. (064) 234 104
Pâques (île de) : *angle des rues Tu'u Maheke et Apina, tél. (032) 100 255*
Puerto Montt : *X Región 480, 2e étage,*
tél. (065) 259 615
Punta Arenas : *Waldo Seguel 689,*
tél. (061) 241 330
Rancagua : *Germán Riesco 277, bureaux 11 et 12,*
tél. (072) 230 413
Santiago : *Providencia 1550, tél. (02) 236 14 20*
Talca : *Uno Poniente 1281, tél. (071) 233 669*
Temuco : *Bulnes 586, tél. (045) 211 969*
Valdivia : *Prat 555, tél. (063) 215 739*
Viña Del Mar : *Valparaíso 507, bureau 303,*
tél. (032) 882 285

LANGUE PARLÉE ET RELIGIONS

La langue officielle est l'espagnol. Les Chiliens sont catholiques dans leur immense majorité (90 %). Les religions juive et protestante (luthérienne ou calviniste) sont également pratiquées et les mouvements religieux pentecôtiste et mormon comptent de nombreux adeptes.

ARGENT, MONNAIE ET CHANGE

L'unité monétaire est le peso chilien. Il existe sous forme de billets de 20 000, 10 000, 5 000, 2 000, 1 000 et 500 pesos, et en pièces de 1 à 100 pesos.

Le cours du peso varie mais, pour donner un ordre d'idées, un dollar US ou un euro peuvent valoir entre 500 et 700 pesos (l'euro dépasse les 800 pesos à l'heure où nous publions ce guide). Le site chilien *www.sitios.cl/conversion/divisas.htm* permet de s'informer sur les taux de change au jour le jour et sur leur évolution.

On peut changer de l'argent à l'aéroport, dans une banque ou dans les bureaux de change (*casas de cambio*), qui proposent des taux légèrement plus avantageux. Banques et bureaux de change se concentrent dans le quartier financier de Santiago, au niveau de l'intersection des rues Agustinas et Bandera, ainsi qu'à Providencia. Les hôtels, les agences de voyages et les magasins eux-mêmes acceptent souvent d'acheter des dollars. Par ailleurs, tous les grands centres commerciaux possèdent un bureau de change.

En dehors de Santiago, on ne peut échanger que des dollars ou des chèques de voyage American Express ou Thomas Cook (les plus faciles à changer sont les premiers).

Il est conseillé d'emporter des dollars US, faciles à changer, en petites coupures ou en chèques de voyage. On peut changer des euros facilement à Santiago, mais dans le reste du pays, mieux vaut avoir des dollars sur soi. Les distributeurs automatiques de billets acceptent la majorité des cartes bancaires internationales.

Les cartes de crédit American Express, Master-Card et Visa sont utilisables dans de nombreux hôtels, restaurants, agences de voyages et magasins. Elles permettent également de retirer de l'argent en espèces dans les distributeurs automatiques.
Bureaux American Express
Isidora Goyenechea 3621, P. 10, tél. (02) 350 67 00
Bureaux Visa
Huérfanos 835, 11e étage, tél. (02) 633 95 96

Certains agents de change acceptent de changer les chèques de voyage libellés en euros. Voici deux adresses à Santiago :
Agencia Manquehue
Huerfanos 835, bureau 403, tél. (02) 633 70 78
Guiloff
Miraflores 254, tél. (02) 638 02 56

POSTES ET TÉLÉCOMMUNICATIONS

COURRIER
À Santiago, la poste centrale (*Correo Central*) se trouve Plaza de Armas 983. Elle est ouverte de 8 h à 19 h du lundi au vendredi et de 8 h à 14 h le samedi. C'est là que l'on peut recevoir du courrier en poste restante (*lista de correos*). Les services postaux sont plus fiables et plus rapides que dans la plupart des autres pays latino-américains : par avion, une lettre met environ 5 jours pour arriver en Europe.

TÉLÉPHONE
Le Chili est équipé du système de télécommunications le plus efficace et le moins cher du continent. Les deux principaux opérateurs sont l'ancienne compagnie nationale ENTEL (code 123) et la CTC (code 181), mais ils comptent actuellement une dizaine de concurrents. À Santiago et dans les grandes villes, on trouve de nombreux centres d'appel (*centros de llamados*) pour les communications internationales (y compris en PCV : *cobro revertido*), ainsi que des cabines téléphoniques dont un nombre croissant fonctionnent avec des cartes prépayées (*tarjeta de prepago*) en vente dans les bureaux de la CTC.

Pour appeler le Chili de l'étranger, composer le *00*, le *56* (code national), puis le numéro du correspondant sans le *0* initial. Pour Santiago : *00 56 2*, suivi du numéro.

Le tarif réduit s'applique le soir à partir de 21 h, le samedi à partir de 14 h et le dimanche toute la journée.

TÉLÉCOPIE
Les bureaux ENTEL et CTC, ainsi que de nombreuses boutiques de photocopie proposent des services de télécopie.

TÉLÉGRAMMES
S'adresser à la société privée Chilexpress (*tél. 800 200 102*). Un télégramme met trois à quatre jours pour arriver en Europe.

E-MAIL ET INTERNET
Il est possible d'envoyer et de recevoir des e-mails dans les cybercafés. Leurs adresses, régulièrement mises à jour, sont disponibles sur le site :
www.netcafeguide.com

La plupart des cinémas de la capitale possèdent également leur cybercafé, et les grands hôtels ont des postes Internet à la disposition de leurs clients.

MÉDIAS

PRESSE ÉCRITE
Les quotidiens *El Mercurio* (conservateur), *La Nación, La Tercera, La Segunda* et *La Hora* (qui paraissent l'après-midi) rivalisent avec les meilleurs journaux du monde par l'importance de leur rubrique étrangère et la qualité de leur section littéraire. *El Mercurio* publie un supplément week-end (le jeudi) très apprécié pour ses reportages et ses informations culturelles. *La Época* est un journal de création récente.

El Mercurio : *www.emol.com/*
La Tercera : *www.latercera.cl/*
La Segunda : *www.lasegunda.com/*

Il existe également plusieurs magazines : *Hoy, ¿Qué Pasa?, Análisis, Ercilla* et *Panorama Económico*.

RADIO ET TÉLÉVISION
Santiago reçoit sept chaînes de télévision hertziennes, pour la plupart privées, mais les endroits éloignés de la capitale ne peuvent capter que Canal 13 (la chaîne de l'Université catholique) et Canal 7 (TVN).

Enfin, Radio Cooperativa (et son journal de 13 h) et Radio Chilena sont deux stations d'information très écoutées. La radio Universidad de Chile programme de la chanson française et de bonnes émissions de musique classique.

MESURES ET COURANT ÉLECTRIQUE

Le Chili utilise le système métrique. Pour mesurer le poids de certaines denrées, on se sert encore du quintal (46 kg). Le courant électrique est de 220 volts.

SANTÉ ET URGENCES

Santiago et les autres grandes villes possèdent de bons hôpitaux. Voici quelques adresses à Santiago.
Clínica Universidad Católica
Marcoleta 347, tél. (02) 633 20 51
Clínica Las Condes
Avda La Fontecilla 441, tél. (02) 210 40 00
Clínica Santa María
Avda Santa María 0410, tél. (02) 777 80 24
Clínica Alemana
Avda Vitacura 5951, tél. (02) 210 11 11

Les ambassades peuvent également fournir une liste de médecins à appeler en cas de besoin.
Pour les urgences, contacter :
Ambulances : *131*
Pompiers : *132*
Police : *133* et *134*

SÉCURITÉ

Même si cette situation est en train de changer, le Chili est sans doute l'un des pays les plus sûrs d'Amérique du Sud. On bénéficie à peu près du même degré de sécurité à Santiago qu'à Paris, par exemple. Dans la plupart des quartiers de la capitale, il est possible de se promener à n'importe quelle heure du jour ou de la nuit, que l'on soit un homme ou une femme. En revanche, Valparaíso et les stations balnéaires sont fréquentées par les voleurs à la tire. Sur les marchés et dans les rues, on aura intérêt, comme dans beaucoup d'autres pays, à surveiller son sac et à laisser ses objets de valeur dans le coffre de l'hôtel.

POURBOIRE

L'usage du pourboire est le même qu'en Europe (environ 10 %) et n'est pas obligatoire.

SE DÉPLACER

EN AVION

La compagnie privée LanChile (ancienne compagnie nationale) et sa filiale LanExpress, ainsi que la compagnie péruvienne Aero Continente, assurent l'essentiel des liaisons aériennes intérieures. Les tarifs des vols intérieurs longue distance sont équivalents aux prix des mêmes trajets en bus.
LanChile
Tél. (02) 526 20 00 (à partir de Santiago),
600 526 20 00 des autres villes ; *www.lanchile.com*
Propose des forfaits valables trois semaines, incluant plusieurs destinations (avec ou sans l'île de Pâques). On ne peut les acheter qu'à l'étranger.
Aero Continente
Tél. (02) 242 42 42
Sky Airline
Andrés de Fuenzalida 55, Providencia, Santiago, tél. (02) 353 31 93
Elle dessert Arica, Iquique, Calama et Antofagasta, ainsi que Concepción, Temuco, Puerto Montt et Balmaceda.

Deux compagnies proposent des vols à destination de l'archipel Juan Fernández :
Transportes Aéreos Isla Robinson Crusoe
Avda Los Pajaritos 3020, bureau 604, Santiago, tél. (02) 534 4650
Lassa
Avda Larraín 7941, Santiago, tél. (02) 273 1458

Pour se rendre dans la région d'Aisén et s'y déplacer, le voyageur a le choix entre **Transportes Aéreos, Don Carlos et Aerosur** :
Coihaique : *Don Carlos, tél. (067) 231 981*
Chaitén : *Aerosur, tél. (065) 731 228*
Puerto Montt : *Aerosur, tél. (065) 252 523*

Dans la région de Magallanes, la compagnie **DAP** relie Punta Arenas à la Terre de Feu et à la Patagonie argentine :
Punta Arenas : *tél. (061) 223 340*
Puerto Natales : *tél. (061) 415 100*
Puerto Williams : *tél. (061) 621 051*
Porvenir : *tél. (061) 580089*

EN AUTOCAR

L'autocar est un moyen de transport très utilisé. Les véhicules sont en bon état et très confortables. Presque tous ont des toilettes, et les plus luxueux sont climatisés et équipés de la télévision et de couchettes (*salón cama*). Le prix du voyage comprend souvent des repas (pris dans le véhicule ou dans des cafétérias) et des boissons. Le chauffeur s'arrête parfois pour prendre des vendeurs ambulants postés sur le bord de la route, qui proposent des gâteaux ou des glaces. Les horaires sont respectés.
Il existe de très nombreuses compagnies de bus, et les prix varient énormément de l'une à l'autre. De plus, si Valparaíso et Viña del Mar ne sont qu'à deux heures de la capitale, il faut une trentaine d'heures pour aller de Santiago à Arica et une cinquantaine pour relier Santiago à Punta Arenas (en passant par l'Argentine).

PRINCIPALES GARES ROUTIÈRES DE SANTIAGO
Terminal de Buses Norte
San Borja 184, tél. (02) 778 73 38 (Tur Bus), *(02) 778 70 91* (Pullman Bus), *(02) 778 68 27* (Tas Choapa).
Dessert le nord du pays et l'Argentine, *via Mendoza*.
Terminal de Buses Santiago (ou Terminal Sur)
Alameda 3848, tél. (02) 778 73 38 (Tur Bus), *(02) 779 20 26* (Pullman Bus).
Terminal Los Héroes
Tucapel Jiménez 21, tél. (02) 696 93 11 (Flota Barrios), *(02) 673 19 67* (Pullman del Sur), *(02) 696 93 24* (Cruz del Sur), *(02) 696 93 26* (Tas Choapa).
Ces deux gares routières desservent le sud du pays et la côte, ainsi que le Pérou, le Brésil et l'Argentine.
Terminal Alameda
Alameda 3750, tél. (02) 778 08 08 (Tur Bus), *(02) 776 25 69* (Pullman Bus).
Dessert Valparaíso, Viña del Mar, San Antonio et la région des lacs.
En direction du nord, la plupart des autocars s'arrêtent également à Torres de Tajamar et Providencia 1072.

EN TRAIN

Des trains de voyageurs relient Santiago à Temuco et à Concepcíon, de la gare centrale (Estación Central, Alameda 3170). On peut réserver et acheter les billets sur place (tous les jours de 7 h 30 à 22 h), par téléphone au *(02) 376 85 00*, ou dans les bureaux situés au métro Universidad de Chile (*tél. (02) 688 32 84*), du lundi au vendredi de 9 h à 20 h. Ces trains un peu vieillots ont beaucoup de charme, surtout les anciens wagons-lits (*dormitorios*) encore en service. On a le choix entre trois classes : *económico, salón* et *cama* (couchettes). Les billets sont assez bon marché, et les horaires mieux respectés depuis quelque temps.

Une nouvelle ligne, équipée de trains neufs, dessert Chillán (en 4 heures environ) à partir de Santiago.

EN BATEAU

Étant donné le nombre de cours d'eau, d'îles, de canaux et de fjords qui forment le sud du Chili, le bateau est le moyen de transport le plus utilisé dans cette région. La route australe qui part de Puerto Montt s'arrête à Cochrane.

Pour rejoindre les autres destinations du Sud, il y a trois possibilités : prendre l'avion, faire un (grand) détour par l'Argentine ou prendre le bateau à Puerto Montt.

Les ferries de Transmarchilay et de Navimag assurent l'essentiel des transports dans cette région. Il existe des liaisons régulières entre Puerto Montt et le continent (Puerto Chacabuco, Chaitén et Puerto Natales), et entre Chiloé et le continent (Puerto Montt, Chaitén, Puerto Chacabuco).

Les compagnies Transmarchilay et Skorpios, entre autres, organisent des croisières entre Puerto Montt et la Laguna San Rafael.

Transmarchilay
www.tmc.cl
– *Angelmó 2187, Puerto Montt, tél. (065) 270 411*
– *Avda Providencia 2653, bureau 24, Santiago, tél. (02) 234 14 64*
Navimag
www.navimag.cl
– *Presidente Ibáñez 347, Coihaique, tél. (067) 233 306*
– *Angelmó 2187, Puerto Montt, tél. (065) 432 300*
– *Avda Pedro Montt 262, Puerto Natales, tél. (061) 414 300*
– *Magallanes 990, Punta Arenas, tél. (061) 200 200*
– *El Bosque Norte 0440, Santiago, tél. (02) 442 31 20*
Skorpios
www.skorpios.cl
– *Augusto Leguía Norte 118, Santiago, tél. (02) 231 10 30*
– *Angelmó 1660, Puerto Montt, tél. (065) 255 050*

La compagnie Catamarán Patagonia Express
Fidel Oteíza 1921, bureau 1006, Santiago, tél. (02) 225 64 89) relie Puerto Chacabuco et Termas de Puyuhuapi à San Rafael.

EN VOITURE

Louer une voiture est une très bonne solution pour visiter le Chili (surtout le Nord) ; cela permet de s'arrêter où l'on veut, d'atteindre des destinations non desservies par les transports en commun et de ne pas avoir d'horaires à respecter. Mais ce moyen de transport est assez cher pour une personne seule, et le prix de l'essence peut atteindre des sommes importantes si l'on doit traverser le pays. À titre d'exemple, en Patagonie et le long de la route australe, le carburant coûte en moyenne 20 % de plus qu'à Santiago.

Conditions nécessaires pour louer une voiture : avoir plus de 25 ans et posséder un permis international. Une carte de crédit (de type Visa, Mastercard, etc.) est nécessaire pour la caution.

Quelques adresses à Santiago :
Alamo
Avda Francisco Bilbao 2846, tél. (02) 225 30 61
Avis
Tél. (02) 601 97 47
Budget
Tél. (02) 362 32 00
Ecorent
Manquehue Sur 600, tél. 600 2000 000
Hertz
Avda Costanera 1469, tél. (02) 420 52 00
À l'aéroport : tél. (02) 601 04 77

TRANSPORTS URBAINS

Le centre de Santiago, encombré, bruyant et pollué, est loin d'être le paradis des piétons. Heureusement, les bancs et les jardins du cerro Santa Lucia et du Parque Forestal attendent le visiteur fatigué par le tohu-bohu de la ville. En revanche, de l'autre côté du Mapocho, le quartier de Bellavista donne envie de flâner ; sans se presser, on pourra partir à la découverte de ses rues tranquilles et de ses nombreux cafés avec terrasse.

Santiago dispose de trois lignes de **métro** (ligne 1 Las Condes-Pudahuel, dans le sens est-ouest, et dans le sens nord-sud, ligne 2 La Cisterna-Centro et ligne 3 La Florida-Baquedano). Les stations et les voitures ressemblent à s'y méprendre à celles du métro parisien. Le métro circule tous les jours de semaine de 6 h 30 à 22 h 30, et le dimanche de 8 h à 22 h 30. Les directions sont indiquées très clairement. On peut acheter les billets à l'unité ou par carnets de 10.

La capitale possède un excellent réseau de **bus**, mais on aura peut-être du mal à s'y retrouver (mieux vaut demander conseil à un Santiaguino). Dans le centre, les principaux arrêts sont signalés par des pancartes, mais, dans les quartiers périphériques, il suffit de se poster quelque part sur le trajet et de faire signe au chauffeur qui, selon son bon vouloir, s'arrêtera ou passera son chemin.

De même, pour descendre d'un bus, il vaut mieux profiter d'un feu rouge ou emboîter le pas à d'autres voyageurs (les portes restent toujours ouvertes en été). Mais une fois que l'on a compris le système, on apprécie ce moyen de transport rapide et très économique.

Les *colectivos* sont des **taxis collectifs** : ils ont des itinéraires et des tarifs fixes et s'arrêtent pour prendre d'autres passagers. Ils sont plus confortables et à peine plus chers que les bus.

Les **taxis** de la capitale sont noirs avec un toit jaune. Tous sont équipés d'un compteur, mais les prix varient d'un véhicule à l'autre et doublent après 21 h (vérifier les tarifs affichés sur la vitre). Malgré cet inconvénient, la majorité des chauffeurs sont honnêtes et le taxi reste un moyen de transport pratique et assez économique.

CARTES ET PLANS

Les éditions canadiennes Blay Foldex publient une carte « Amérique du Sud (Sud), Série internationale 383 » qu'on pourra se procurer dans les librairies de voyage ou commander directement aux :
Éditions cartographiques Blay Foldex
40, rue des Meuniers, 93100 Montreuil-sous-Bois, tél. 01 49 88 92 10 ; fax 01 49 88 92 09.

Sur place, des plans de villes sont disponibles gratuitement auprès des bureaux de Sernatur (voir rubrique « Offices du tourisme »), et l'annuaire de Santiago contient un excellent plan de la capitale.

Le site *www.mapcity.com* permet de consulter et d'imprimer les plans de Santiago et de Valparaíso/Viña del Mar.

Les guides chiliens Turistel (en espagnol), mis à jour chaque année, incluent des cartes routières et des plans de toutes les villes chiliennes ; ils sont précis et exhaustifs.

Les stations-service et les bureaux de l'Automóvil Club de Chile (*Andrés Bello 1863 ; Santiago, tél. (02) 431 10 00 ; www.automovilclub.cl*) vendent de bonnes cartes routières.

Dans les kiosques et auprès des vendeurs ambulants, on peut se procurer la Gran Mapa Caminero de Chile (éd. IUPAL) et l'Atlas Caminero de Chile (éd. Silva & Silva) qui regroupe 15 cartes au 1/200 000. Les randonneurs peuvent aussi acheter des cartes topographiques à l'Instituto Geográfico Militar, IGM (*Dieciocho 369, Santiago, tél. (02) 460 69 63*).

LIRE LES ADRESSES

Quelques clés pour comprendre les adresses :
s/n (sin numero) : adresse sans numéro de rue. Usage fréquent dans les petites villes et les villages.
A tres cuadras : à trois rues d'ici, à trois blocs d'immeubles, à 300 m (environ)
Prat con Bulnes (la esquina de Prat con Bulnes) : à l'angle des rues Prat et Bulnes
« Calle », « Avenida » ne figurent pas toujours dans le libellé de l'adresse, et quand le nom de la rue est celui d'une personne, le prénom est souvent omis (ex : *Avda* Manuel Bulnes, Manuel Bulnes ou Bulnes).
L'avenue principale de Santiago peut ainsi être désignée de l'une des manières suivantes : *Avda* O'Higgins, O'Higgins, *Avda* Libertador B. O'Higgins, Bernardo O'Higgins et, le plus souvent, Alameda.
P6 (piso 6) : 6e étage
of. 324 (oficina 324) : bureau 324
dpto (departamento) : appartement
torre : tour
casilla 545 : attention, il s'agit d'une boîte postale, et non de la rue « Casilla » !

CULTURE ET LOISIRS

MUSÉES

ANCUD (CHILOÉ)
Museo Regional Aurelio Borquez Canobra
Calle Libertad 370, tél. (065) 622 413
Tous les jours de 10 h 30 à 19 h 30 en janvier et février, de 9 h à 17 h 50 le reste de l'année.
Avec ses tours crénelées, le musée ressemble à un château fort. Il retrace l'histoire de l'archipel, contient des œuvres d'artistes locaux et des reproductions d'églises chilotes. Les figures de la mythologie chilote (la Pincoya, le Trauco, etc.) y sont également représentées.
Museo Azul de las Islas de Chiloé
Du mardi au dimanche de mars à décembre.

ANTOFAGASTA
Museo Regional
Du mardi au vendredi de 9 h à 13 h et de 15 h 30 à 19 h, de 9 h à 13 h le samedi et le dimanche.

ARICA
Museo Arqueológico de San Miguel
San Miguel de Azapa (à 12 km d'Arica), tél. (058) 205 551
Tous les jours de 9 h à 20 h en été, de 10 h à 18 h le reste de l'année.

Très belle collection d'objets des cultures préhispaniques de la région (du VIIe siècle av. J.-C. à la conquête espagnole). Voir en particulier les momies *chinchorros*.

CAÑETE

Museo Mapuche

Tous les jours de 9 h à 12 h 30 et de 14 h à 18 h en janvier-février, du mardi au samedi de 9 h à 12 h 30 et de 14 h à 18 h, et de 9 h à 12 h 30 le dimanche de mars à décembre.

IQUIQUE

Museo Regional

Baquedano 951

Du lundi au vendredi de 9 h à 13 h et de 15 h à 19 h, le samedi de 10 h 30 à 13 h.

Collections archéologiques et ethnographiques des cultures des Andes et des hauts plateaux. Il renferme, entre autres, des momies *chinchorros* et *picas* ainsi qu'une reproduction grandeur nature d'un village de l'Altiplano avec ses « habitants ».

Museo Naval

Avda Centenario

Du mardi au samedi de 9 h à 12 h 30 et de 15 h à 19 h, le dimanche de 9 h à 12 h 30.

LA SERENA

Museo Arqueológico

Du mardi au samedi de 10 h à 18 h, le dimanche de 10 h à 13 h.

PÂQUES (ÎLE DE)

Museo Antropológico Padre Sebastián Englert

Hanga Roa

Du mardi au vendredi de 9 h 30 à 12 h 30 et de 14 h à 17 h 30, de 9 h 30 à 12 h 30 le samedi et le dimanche.

PUNTA ARENAS

Museo Regional de Magallanes (Palacio Braun Menéndez)

Plaza de Armas

Du mardi au vendredi de 10 h 30 à 17 h, le samedi et le dimanche de 10 h 30 à 14 h de novembre à avril ; du mardi au dimanche de 10 h 30 à 14 h de mai à octobre.

Dans la splendide demeure qui appartenait aux Braun-Menéndez, potentats de l'élevage ovin en Patagonie. Luxueux mobilier et décoration d'origine. Le musée retrace l'histoire de la Patagonie depuis l'arrivée des premiers colons européens.

Museo Regional Salesiano

Bulnes 374

Du mardi au dimanche de 10 h à 12 h 30 et de 15 h à 18 h, d'avril à septembre.

Collection d'objets et de photos retraçant l'histoire des Indiens exterminés par les colons et les épidémies. Tout le matériel a été rassemblé par les missionnaires salésiens qui tentèrent de les sauver en les évangélisant.

Instituto de la Patagonia

Bulnes 1855, tél. (061) 207 051

Du lundi au vendredi de 8 h 30 à 12 h 30 et de 14 h 30 à 18 h 30, samedi de 8 h 30 à 12 h 30.

Centre de recherche de l'université de Magallanes, l'institut abrite une bibliothèque et un musée en plein air où l'on peut voir, entre autres, d'anciennes machines agricoles et un hangar de tonte reconstitué.

ISLA NEGRA

Casa-Museo Isla Negra

Tél. (035) 461 284

L'un des lieux où vécut Pablo Neruda.

SAN PEDRO DE ATACAMA

Museo Arqueológico Padre Le Paige

Plaza Padre Le Paige

Tous les jours de 9 h à 12 h et de 14 h à 18 h.

L'un des musées les plus intéressants d'Amérique du Sud, qui montre l'évolution de la culture atacamène depuis le paléolithique. Il renferme aussi des momies indiennes, dont la célèbre « Miss Chile ».

SANTIAGO

Museo Chileno de Arte Precolombino

Bandera 361

Du mardi au samedi de 10 h à 18 h, le dimanche de 10 h à 14 h.

L'une des plus belles collections d'art précolombien du monde : plus de 1 500 poteries, bijoux, peintures et sculptures provenant de toute l'Amérique du Sud. La boutique du musée vend de splendides reproductions de quelques-unes de ces pièces.

Museo de Santiago (Casa Colorada)

Calle Merced 860

Du mardi au samedi de 10 h à 18 h, le dimanche de 10 h à 13 h.

Dans la demeure coloniale la mieux conservée de Santiago. Dioramas, poteries, cartes et maquettes retracent l'histoire de la ville.

Museo Nacional de Bellas Artes

Parque Forestal

Du mardi au samedi de 10 h à 19 h, le dimanche de 10 h à 18 h.

Le plus ancien musée des Beaux-Arts de toute l'Amérique latine. Sur trois niveaux, près de 3 500 œuvres d'artistes chiliens et européens (français, hollandais et italiens) sont présentées. Le musée organise également d'excellentes expositions temporaires.

Museo Nacional de Historia Natural
Parque La Quinta Normal (au nord de la Estación Central), *tél. (02) 680 46 15*
Du lundi au samedi de 10 h à 17 h 30, dimanche et jours fériés de 12 h à 17 h 30
Faute de moyens, les collections rassemblées par de grands naturalistes se sont détériorées, mais le musée contient un grand nombre d'illustrations et de dioramas, ainsi qu'un squelette de baleine bleue et des animaux empaillés (exposés au rez-de-chaussée).

Museo Artequín
Avda Portales 3530, Parque La Quinta Normal, tél. (02) 681 86 87
Du mardi au vendredi de 9 h à 17 h, dimanche et jours fériés de 11 h à 18 h.
Remplace le Museo de Aviación. Situé dans le splendide Pabellón París, qui représentait le Chili lors de l'Exposition universelle de 1889 à Paris. Inauguré en 1993, le Museo Artequín est un musée interactif d'initiation à l'art et à la peinture (reproductions d'œuvres célèbres, ateliers et activités diverses).

La Chascona
Fernando Márquez de la Plata 192, tél. (02) 777 87 41
Du mardi au dimanche de 10 h à 13 h et de 15 h à 18 h.
La maison qu'habitait Pablo Neruda, au pied du cerro San Cristóbal. Visite guidée en espagnol, sur rendez-vous. Collections privées du poète, bibliothèque et tableaux.

Museo de la Iglesia Catedral
Plaza de Armas 444
Le lundi (et le mercredi, en été) de 10 h à 13 h et de 15 h 30 à 19 h.
Belle collection d'images, d'objets et de vêtements religieux de l'époque coloniale. Grande bibliothèque contenant des manuscrits anciens (certains portent la signature de O'Higgins, de Carrera, etc.).

Museo de Arte Contemporáneo (MAC)
Parque Forestal (face à la calle Mosqueto), *tél. (02) 639 64 88*
Du mardi au samedi de 11 h à 19 h, dimanche et jours fériés de 11 h à 17 h

Museo de Arte Popular Americano
Compañia 2691, tél. (02) 682 14 80
Du lundi au vendredi de 9 h à 17 h.
Art et « argenterie » mapuches, entre autres ; art populaire d'Amérique latine.

TEMUCO
Museo Regional de la Araucanía
Tous les jours en été ; du mardi au samedi de 10 h à 17 h 30 et le dimanche de 10 h à 13 h en hiver.

VALDIVIA
Museo Histórico y Antropológico Mauricio van de Maele
Los Laureles 47 (sur Isla Teja).
Tous les jours de 10 h à 13 h et de 15 h à 19 h de décembre à mars. Le reste de l'année, du mardi au dimanche de 10 h à 13 h et de 15 h à 18 h.
Splendide maison coloniale au bord du río Calle-Calle. Le musée retrace l'histoire de la région, depuis la conquête espagnole et l'arrivée de colons allemands jusqu'à nos jours. Belle collection d'objets de la culture mapuche.

VALPARAÍSO
La Sebastiana
Ferrari 692 (avda Alemana Altura 6900), tél. (032) 256 606
Du mardi au dimanche de 10 h 30 à 18 h 50 en janvier-février, du mardi au vendredi de 10 h 30 à 14 h et de 15 h 30 à 18 h, le samedi et le dimanche de 10 h 30 à 18 h de mars à décembre.
Une des trois maisons de Pablo Neruda transformées en musée.

VICUÑA
Museo Gabriel Mistral
Tous les jours en janvier-février, fermé le dimanche après-midi de mars à décembre.

GALERIES D'ART

Pour tout savoir sur les expositions temporaires, acheter l'édition « Wikén » d'*El Mercurio*.

Santiago compte de nombreuses galeries. Les plus grandes – qui sont aussi les plus chères – se situent dans le quartier sélect de Vitacura. Citons les galeries Plástica Nueva, Animal et Isabel Aninat, toutes trois sur Alonso de Córdova, ainsi que les galeries Tomás Andreu et AMS Marlborough, toutes deux sur Nueva Costanera.

Enrico Bucci, galerie réputée du centre-ville (à l'angle de Miraflores et de Huérfanos), est appelée à disparaître. Sur l'Alameda, les galeries les plus connues sont Mistral et Muro Sur. Prendre le temps de visiter le Museo de Artes Visuales sur la Plaza Mulato Gil, et de jeter un coup d'œil dans les magasins d'art de Merced.

Dans le quartier Baquedano, l'opérateur de télécommunications CTC organise des expositions intéressantes au rez-de-chaussée de son siège social, sur la Plaza Italia.

Nombre de petites galeries, qui exposent souvent des œuvres plus expérimentales, émaillent les rues de Baquedano et Bellavista.

À Bellavista, la Galería del Cerro est la plus connue, mais en flânant dans le quartier, on en découvrira d'autres, plus modestes, qui présentent les travaux de jeunes artistes.

CONCERTS, BALLETS

Teatro Municipal
Calle Agustinas 794
Informations et réservations : *tél. (02) 463 10 00* ou billetterie du centre commercial Parque Arauco.
Nombreux spectacles de haut niveau d'avril à décembre.
Teatro Oriente
Avda Pedro de Valdivia
Informations et réservations : *avda 11 de Septiembre 2214, bureau 66, tél. (02) 251 53 21*
Concerts de musique classique. Saison de mai à octobre.

THÉÂTRE

Santiago compte une centaine de salles de théâtre, qui présentent des pièces d'auteurs chiliens ou étrangers. En outre, durant le mois de janvier, on peut assister à de nombreuses représentations en plein air dans différents parcs de la ville. Pour en savoir plus, se procurer l'édition d'*El Mercurio* qui paraît le jeudi.
Teatro La Comedia
Merced 349, tél. (02) 639 15 23
Teatro Antonio Varas
Morandé 25, tél. (02) 698 12 00
Teatro de la Universidad Católica
Jorge Washington 26, tél. (02) 205 56 52
Multisala Arena
Jaime Guzmán Errázuriz 3283, tél. (02) 204 00 58
Teatro La Feria
Crucero Exéter 0250, tél. (02) 737 73 71
Teatro Arte Cámara Negra
Antonia López de Bello 0126, tél. (02) 777 67 63
Teatro El Conventillo
Bellavista 173, tél. (02) 777 41 64

CINÉMAS

Comme partout ailleurs, les salles de quartier font place à des multiplexes situés dans les centres commerciaux ou en périphérie de Santiago. On peut y voir essentiellement de grosses productions américaines ou des films chiliens. Toutefois, les amateurs de cinéma d'art et d'essai peuvent encore trouver leur bonheur dans quelques salles du centre-ville ou de Providencia.

Les quotidiens nationaux (et notamment *La Tercera*, qui publie un cahier « Spectacles » le vendredi) ainsi que le supplément « *Wikén* » d'*El Mercurio* (qui paraît le jeudi) permettent de s'informer sur les sorties et sur les horaires des films. Une place de cinéma coûte environ 4,5 dollars (demi-tarif le mercredi).

Les cinémas Hoyts (Paseo Huérfanos et San Agustín, dans le centre) et Hoyts La Reina (dans le quartier du même nom, *avda Ossa, tél. 600 500 04 00*) proposent des films commerciaux et d'art et d'essai.

Parmi les multiplexes les plus récents et les plus confortables, citons Cinemark 12, dans le centre commercial Alto Las Condes, et le Showcase Cinemas Parque Arauco, dans le centre du même nom. Ces deux complexes se situent Avenida Kennedy, dans le quartier de las Condes.

La plupart des « cineartes » (cinémas d'art et d'essai) sont :
El Biógrafo, *Lastarría 81, tél. (02) 633 44 35,*
Tobalaba, *Providencia 2563, tél. (02) 231 66 30*
Cine Arte Normandie, *Tarapacá 1181,*
tél. (02) 697 29 79 (un peu vieillot, mais excellente programmation).

VIE NOCTURNE

BOÎTES DE NUIT
Parmi les plus en vogue, citons Blondie, *avda B. O'Higgins* (Alamadea) 2897, ainsi que La Tantra et La Feria dans le quartier de Bellavista. Mais mieux vaut s'informer auprès des Santiaguinos sur les endroits en vogue au moment où l'on séjourne dans la capitale chilienne.

SALSOTHÈQUE
La Havana Salsa
Dominica 142
On peut aussi écouter de la salsa dans de très nombreux cafés de Purísima et des rues avoisinantes de Bellavista, en particulier à La Habana Vieja (Tarapacá 755, musique « live » le vendredi et le samedi).

CAFÉS-CONCERTS
À Bellavista, les cafés-concerts s'animent à l'heure où les restaurants se vident.

La Casa en el Aire Arte, *Antonia López de Bello 125*, propose de la musique « live » tous les soirs, sauf le mercredi.

Pour écouter de la musique « *en vivo* », on peut aussi se rendre dans les grands hôtels, comme le Crowne Plaza Hotel (*tél. 638 10 42*), qui possède un piano-bar (le Trafalgar), ou l'hôtel Sheraton San Cristóbal (*tél. 233 50 00*), dont le bar El Quijote accueille des musiciens le vendredi et le samedi.

SPECTACLES DE VARIÉTÉS
Los Buenos Muchachos
Ricardo Cumming 1031, tél. (02) 698 01 12
Los Adobes de Argomedo
Argomedo 411, tél. (02) 222 21 04
Bali Hai
Avda Colón 5146, tél. (02) 228 82 73

La Querencia
Las Condes 14980, tél. (02) 321 55 22
El Refrán
Avda Larraín 5961, tél. (02) 226 86 03
Confitería Torres
Avda B. O'Higgins 1570, tél. (02) 698 62 20
Le rendez-vous des amoureux du tango.

SHOPPING

La richesse de l'artisanat chilien fera le bonheur de tous les voyageurs : objets en lapis-lazuli (pierre fine de couleur bleue qu'on trouve essentiellement au Chili et en Afghanistan), en argent, en cuivre, en bronze, sacs et masques en cuir, poteries du nord (Arica) et de Pomaire, ponchos multicolores dans la vallée centrale, couvertures, objets tissés et paniers sur l'île de Chiloé, bijoux traditionnels mapuches constituent un aperçu des trésors que l'on peut rapporter. Plusieurs belles boutiques spécialisées dans les bijoux en lapis-lazuli se sont installées sur l'Avenida Bellavista (entre Pío nono et la calle del Arzobispo) à Santiago. Dans ce quartier très animé le soir, une multitude de vendeurs ambulants proposent un vaste choix d'articles le long des trottoirs.

Un peu partout, les festivals folkloriques et *ferias artesanales* offrent toutes sortes d'objets faits à la main.

Almacen Campesino
Purísima 303, tél. (02) 737 21 27
Artisanat en provenance de toutes les régions du Chili. Belle vaisselle en bois (*rauli*), poteries, bijoux, écharpes et vêtements de laine. Coopérative gérée par des Mapuches. Possède également un stand au Parque Metropolitano, sur le cerro San Cristobal.

Alba Pueblito de los Dominicos
Avda Apoquindo 9085
Large éventail de poteries, de sculptures sur bois, d'objets en cuir et en cuivre.

Artesanía Popular Chilena
Avda Providencia 2322, tél. (02) 232 35 58

Artesanías de Chile
Antonio Varas 475, tél. (02) 264 07 30

Feria Artesanal Santa Lucía
Vaste choix d'objets d'artisanat à petit prix sur l'Alameda, face au Cerro Santa Lucía.

Pour la brocante, faire un tour à Providencia et du côté de Baquedano, où se concentrent la plupart des magasins d'antiquités. On peut aussi faire des trouvailles dans les marchés aux puces (*ferias persas*) de la capitale :

Galpones Balmaceda
Calle Balmaceda 2500
Marché ouvert samedi, dimanche et fêtes de 9 h à 20 h.

Feria Persa Franklin (Persa Bio Bio)
Calle Franklin (au niveau de Balmaceda).
Les samedis, dimanches et fêtes de 9 h à 20 h.

Le marché aux puces de Valparaíso (tous les dimanches sur l'avenida Argentina) réserve de nombreuses surprises : à côté des instruments de navigation, figures de proue, malles de marins et autres objets venus de la mer, on trouvera des jouets de collection, des magazines anciens, des étriers en bois sculpté et d'innombrables merveilles.

ACTIVITÉS DE PLEIN AIR

ANDINISME

Adresse utile si l'on souhaite entreprendre un trek dans les Andes :
Federación de Andinismo
Almirante Simpson 77, Santiago, tél. (02) 220 08 88 ; fax (02) 635 90 89 ; www.feach.cl
Les membres de la fédération organisent des expéditions pour les professionnels comme pour les amateurs.

Le site *www.tricuspide.cl* (en espagnol) permet de s'informer et de rencontrer d'éventuels coéquipiers.

EXCURSIONS ET EXPÉDITIONS

Avec ses paysages grandioses, le Chili est le paradis des randonneurs. Ses parcs nationaux offrent de multiples possibilités, allant de la petite randonnée d'une journée à l'expédition réservée aux sportifs bien entraînés. La Corporación Nacional Forestal (Conaf), administration qui gère les parcs nationaux, publie un guide que l'on peut se procurer dans ses bureaux (*Bulnes 285, Santiago, tél. (02) 390 00 00*).

Le désert du Nord ne se prête pas à de longues marches. Il est impératif de s'équiper en conséquence (se munir, entre autres, d'un chapeau et d'importantes réserves d'eau).

Si le Parque Nacional Torres del Paine reste la destination préférée des marcheurs, le sud du Chili offre quantité d'autres sites qui valent le détour. Si l'on prévoit d'explorer la région des lacs ou Chiloé, un bon vêtement de pluie s'impose, et dans l'extrême Sud, il convient d'emporter de quoi faire face à des conditions climatiques très changeantes.

À moins de disposer de son propre véhicule, on pourra difficilement se passer des services d'un professionnel pour accéder à certains sites et explorer certaines régions. Nous citons plusieurs agences spécialisées pour chaque destination.

Dans la liste ci-dessous, la progression de ville en ville se fait du nord au sud.

ARICA

La visite de la vallée d'Azapa (32 km aller-retour) peut s'effectuer en taxi ou par le biais d'une agence de voyages. On pourra ainsi admirer les pétroglyphes à flanc de colline, les forteresses incas et les momies chinchorros conservées au musée d'archéologie.

Autre site à ne pas manquer : le **Parque Nacional Lauca**, à 260 km à l'est d'Arica. L'idéal est de passer une nuit à Putre et de faire un détour par les villages de Socoroma et Parinacota. Cette région possède d'innombrables espèces d'oiseaux et l'on peut y observer quantité de camélidés sauvages. Il est possible de dormir dans le refuge de la Conaf proche du lac Chungará, à condition d'emporter un sac de couchage et d'avoir réservé au préalable auprès de la Conaf à Arica (*Vicuña Mackenna 820, tél. (058) 250 570*).
Agencia de Viajes Turismo Lauca
Arturo Prat 430, tél. (058) 252 322
Agencia de Viajes Turismo Tacora
21 de Mayo 171, tél. (058) 232 786
Aricadena Tour
Rafael Sotomayor 199, tél. (058) 233 189
Geotour
Bolognesi 421, tél. (058) 253 927

IQUIQUE

Excursions à destination de Pica et Matilla, villages où l'on cultive des agrumes et des palmiers dattiers. Autres événements et curiosités de la région : la fête de la Vierge à La Tirana (en juillet), la ville fantôme de Humberstone et les collines environnantes couvertes de gigantesques pétroglyphes. Possibilité de combiner la visite des villes fantômes et une excursion aux sources chaudes de Mamiña.
Turismo Mané Tour
Amunátegui 1990, tél. (057) 418 715
Agencia de Viajes Iquitour
Patricio Lynch 563, tél. (057) 412 415
Civet Adventure
Bolívar 684, tél. (057) 428 483
Expediciones Laser
Sotomayor 2009, tél. (057) 411 458

CALAMA

Une demi-journée suffit pour visiter la mine de cuivre de Chuquicamata, exploitation à ciel ouvert dont les proportions laissent pantois. Des taxis collectifs effectuent régulièrement la navette entre le centre de Calama et la mine.

Les hôtels et les agences de voyages proposent des excursions vers les villages les plus intéressants de la région, Chiu Chiu, Aiquina et Caspana.
Moon Valley
Sotomayor 1814, tél. (055) 317 456

Takori Tour
Latorre 2018, tél. (055) 342 115
Turismo Tungra
Turi 2098, tél. (055) 313 081

SAN PEDRO DE ATACAMA

Ce beau village entouré de sites historiques qui peuvent se visiter à pied constitue aussi une excellente base de départ pour d'autres excursions plus lointaines. Tous les professionnels locaux, hôtels et agences de voyages, proposent la visite des geysers du Tatio, des salines et des lacs du désert d'Atacama, des anciennes forteresses pré-hispaniques et de la Valle de la Luna.

Parmi les nombreuses agences (qui offrent des prestations et pratiquent des prix comparables), citons :
Atacama Desert Expedition
Tocopilla 411, tél. (055) 851 045
Cosmo Andino Expediciones
Caracoles, tél. (055) 851 069
Turismo Ochoa
Caracoles 337, tél. (055) 851 024

ANTOFAGASTA

Les exploitations de nitrate (*oficinas*) abandonnées et les deux dernières qui sont toujours en activité (María Elena et Pedro de Valdivia) peuvent se visiter en bus ou en taxi ; mais on peut aussi s'adresser à une agence. Au nord de la ville, la côte recèle des paysages spectaculaires, parmi lesquels la Portada, rocher surgi de l'océan qui forme une immense arche naturelle.
Corsa Turismo
San Martin 2769, tél. (055) 251 190
Tatio Travel Service
Latorre 2579, Local 20, tél. (055) 269 144

CHAÑARAL

Base idéale pour découvrir le **Parque Nacional Pan de Azúcar**, doté d'un écosystème très particulier lié à la *camanchaca* (dense brume côtière). Excursions en bateau vers l'île Pan de Azúcar, ses colonies de pingouins et de lions de mer, et ses multiples espèces d'oiseaux marins.
Julio Palma
Comercio 116, tél. (052) 480 062

COPIAPÓ

Plusieurs agences proposent des excursions jusqu'au volcan Ojos de Salado (le plus haut sommet des Andes chiliennes : 6 893 m) et jusqu'à la Laguna Verde. Cette région est également connue pour ses nombreuses variétés de cactus.
Agencia de Viajes Turismo Atacama
Los Carrera 716, tél. (052) 212 712

Desertur Ltda.
Jotabeche 214, tél. (052) 241 365
Permvian Tours
Infante 530, tél. (052) 217 604

LA SERENA
Cette destination célèbre pour la beauté de ses plages est aussi connue des amoureux du ciel ; on peut y visiter les observatoires El Tololo, Gemini Sud, Las Campanas et La Silla. Il serait dommage de quitter la région sans prévoir une excursion à la vallée de l'Elqui, où naquit Gabriela Mistral, et où les fabriques de *Pisco* emplissent l'air d'un délicieux parfum.
Gira Tour
Arturo Prat 689, tél./fax (051) 221 992
Viajes de Turismo Rutas del Inca
Cienfuegos, Edificio La Recova, bureau 201, tél. (051) 222 824

SANTIAGO
Un grand nombre d'agences proposent des services équivalents : tour de la ville comprenant la prise en charge à l'hôtel et la visite des principaux centres d'intérêt décrits dans la partie Itinéraires de ce guide. Compter environ 30 euros. En soirée, la visite s'agrémente d'un détour par le cerro San Cristóbal pour contempler la vue sur la ville, et d'un dîner-spectacle (environ 60 euros au total).

Plusieurs excursions d'une journée sont possibles à destination de Valparaíso et Viña del Mar ; en cours de route, visite de vignobles et déjeuner au restaurant (environ 50 euros la journée). D'autres circuits proposent la visite d'un vignoble en particulier (Concha y Toro, par exemple), avec dégustation et achat de vin. En fin de semaine, de nombreux bus desservent les Termas de Colina, sources chaudes nichées dans la montagne ; aller-retour dans la journée.

Autre possibilité : passer une journée au grand air ou sur les pistes de Portillo ou Farellones, deux stations de ski réputées.
Andina del Sud
El Golf 99, 2ᵉ étage, tél. (02) 388 01 01 ; fax (02) 388 01 02
Sportstour
Moneda 970, 14ᵉ étage, tél. (02) 549 52 00 ; fax (02) 698 29 81
Turismo Cocha
El Bosque Norte 0430, tél. (02) 464 10 00 ; fax (02) 464 10 10
Turismo Mostrando Chile
Antonio Varas 175, bureau 1205, tél./fax (02) 235 06 25

TEMUCO
Temuco est au cœur de l'ancien territoire des Indiens mapuches, qui résistèrent à l'envahisseur jusqu'à la fin du XIXᵉ siècle. Deux excursions passent par les réserves (*reducciones*) Chol Chol et Nueva Imperial, où vivent aujourd'hui la plupart d'entre eux. On peut emprunter un bus régulier ou négocier avec un chauffeur de taxi pour effectuer un circuit de 92 km à travers ces deux réserves. Une excursion plus longue (400 km) mène à la source du río Bío-Bío, à Liucura, et permet de découvrir le parc national de Conguillío, dominé par le volcan Llaima et peuplé d'araucarias. Possibilité de se loger à Curacautín et Melipeuco, où le propriétaire de l'Hostería Hue-Telén (*tél. (045) 581 005*) propose des excursions dans le parc. Mais il est aussi très facile de louer une voiture à Temuco, pour visiter sans se presser cet endroit splendide.
Turismo Christopher
Manuel Bulnes 667, bureau 112, tél. (045) 211 680
Viajes Trébol
Manuel Bulnes 655, tél. (045) 230 021

PUCÓN
Station estivale qui s'anime pendant les vacances. Les professionnels du tourisme accompagnent des groupes jusqu'aux différentes sources thermales, et organisent l'ascension de volcans ou des expéditions pour les amateurs de rafting.

L'office du tourisme propose des circuits pour cinq personnes (ou plus), à destination des Termas de Palguín, ou du Volcán Villarrica.
Andean Sport Tours
O'Higgins 535, tél. (045) 441 048
Turismo Sol y Nieve
Dans le hall du Gran Hotel Pucón, tél./fax (045) 441 070

VALDIVIA
Des excursions en bateau d'une demi-journée permettent de découvrir l'embouchure du río Calle-Calle et les ruines de forteresses espagnoles du XVIIᵉ siècle. Toutes partent des quais situés au centre de Valdivia. Les prix varient selon la durée de l'excursion et les prestations (déjeuner ou dîner inclus ou non).
Turismo Cochrane
Arauco 435, tél. (063) 215 974
Turismo Conosur
Maipú 129, tél. (063) 212 757
Parmi les compagnies de navigation, citons Calle-Calle, Catamarán Extasis, Neptuno et Pillanco, qui se concentrent dans l'avenue Arturo Prat, le long du fleuve.

PETROHUÉ
De Petrohué, des bateaux effectuent la traversée du lac Todos los Santos en une journée, voire moins ; certains circuits comprennent un déjeuner à l'hôtel

Peulla, à l'autre extrémité. On peut aussi embarquer à Puerto Varas ou Puerto Montt.

PUERTO MONTT

C'est de là qu'on accède à la région des lacs, à l'île de Chiloé et au sud de la Patagonie ; des lignes d'autocar régulières desservent également d'autres régions. La ville d'Ancud, sur l'île de Chiloé, peut se visiter en une journée. Plusieurs compagnies partent de la gare routière située sur le front de mer. Pour Castro, destination plus au sud sur l'île, prévoir une nuit sur place.

Agencia de Viajes Andina del Sud
Antonio Varas 437, tél. (065) 257 797

Agencia de Viajes Petrel Tours
Benavente 327-A, tél./fax (065) 251 780

Viajes Especiales Petrohué
San Luis 508, tél. (065) 284 343

PUERTO VARAS

À Puerto Varas, plusieurs agences proposent la descente en rafting du Río Petrohué, ainsi que l'ascension du Volcán Osorno.

Agencia de Viajes Andina del Sud
El Salvador 72, tél. (065) 232 811

Agencia de Viajes Aqua Motion
San Francisco 328, tél./fax (065) 232 747

Austral Exploraciones
San José 320, tél. (065) 346 433

CASTRO-CHILOÉ

De courtes excursions en bateau permettent de visiter les plus petites îles de l'archipel. Pehuén Expediciones propose différents circuits. Achao, sur l'île de Quinchao, peut se visiter en empruntant le bus qui dessert egalement Dalcahue. L'une des plus belles plages du Chili se situe à Cucao, sur le Pacifique ; de là, on peut prévoir une randonnée à cheval ou un trek dans le parc national de Chiloé.

Turismo Pehuén
Blanco Encalada 299, tél./fax (065) 635 254

COIHAIQUE

Les possibilités d'excursion ne manquent pas dans cette région de lacs, de montagnes et de glaciers. De décembre à avril, elle attire les amateurs de pêche à la truite et au saumon.

Andes Patagónicos
Horn 40, tél./fax (067) 216 711

Aventura Turismo
General Parra 220, tél./fax (067) 234 748

PUERTO NATALES

C'est le point de départ des excursions à destination du parc national Torres del Paine et, plus au nord, de la petite ville argentine d'El Calafate et du glacier Moreno.

De Puerto Natales, des circuits en bateau permettent de découvrir les glaciers Balmaceda et Serrano.

Agencia de Viajes Tour Express
Bulnes 769, tél./fax (061) 411 639

Big Foot Expediciones
Bories 206, tél. (061) 414 611

PUNTA ARENAS

Beaucoup d'excursions en bateau partent de Punta Arenas. L'une des plus courtes permet d'aller observer la colonie de manchots sur l'île Magdalena. Une autre, plus longue (265 km), offre l'occasion de découvrir la forêt vierge native et la richesse de la faune qui peuple les environs du Lago Blanco.

Turismo Aventour
Avda España 872, tél. (061) 241 197

Turismo Pehoé
José Menéndez 918, tél. (061) 244 506

Turismo Viento del Sur
Fagnano 585, tél. (061) 226 930

SPORTS

ACTIVITÉS SPORTIVES

La longueur du littoral chilien et l'abondance de lacs et de cours d'eau ravira les amateurs de surf, ski nautique, rafting, kayak, plongée sous-marine, pêche,... Le pays est aussi très bien équipé pour de nombreux autres sports : golf, tennis, natation, cyclisme, équitation...

Les Andes offrent également de splendides domaines skiables, connus dans le monde entier (la saison va de juin à octobre). Les stations sont très bien équipées, et les paysages exceptionnels. En été, les sommets, délestés de leur neige, font le bonheur des alpinistes comme des simples randonneurs.

Pour se renseigner sur la pratique des sports, les équipements disponibles et se procurer la liste des clubs sportifs, s'adresser à la **DIGEDER** (*Dirección General de Deportes, Fidel Oteíza 1956, 3e étage, Santiago ; tél. (02) 655 00 90*).

SPORTS DE SPECTACLE

COURSES DE CHEVAUX ET RODÉO

Les Chiliens sont grands amateurs de concours hippiques et, bien sûr, des fameux rodéos (le Chili est un pays d'éleveurs de chevaux). L'hacienda de Los Lingues (120 km au sud de Santiago) organise des séjours de découverte de l'équitation (visite des haras, rodéos…).

La saison du rodéo dure de septembre à fin mars. Les épreuves ont lieu le samedi et dimanche entre 9 h et 19 h. Il y a une vingtaine de *medialunas* à Santiago même. En mars se déroule, à Rancagua, la finale du championnat national.

Réservation à Santiago : *Providencia 1100, Torre C. de Tajamar, bureau 205, tél. (02) 235 24 58.*

Club Hípico
Avda Blanco Encalada 2540 ; tél. (02) 693 96 00
Tous les lundis et jeudis en été, les mercredis et
dimanches en hiver.
Hipódromo Chile
Avda F. Vivaceta 2753 ; tél. (02) 270 92 00
Courses le vendredi soir, un lundi sur deux (à partir
de 14 h 30) et un dimanche par mois.

FOOTBALL
Comme dans beaucoup d'autres pays, le football est
un sport très populaire au Chili. La saison va de mars
à décembre. Les matches ont lieu le samedi, le
dimanche et parfois le mercredi. Les principaux
stades de la région de Santiago ont pour nom Estadio
Nacional, Estadio Municipal de San Bernardo, Estadio Santa Laura, Estadio la Cisterna, San Carlos de
Apoquindo et Estadio Monumental.

OÙ LOGER

Toutes les grandes villes du Chili comptent au moins
plusieurs hôtels de bonne qualité. Question confort,
il y a peu de différences entre les hôtels et les *hosterías*. Les *residenciales* sont moins bien équipées :
généralement, elles ne disposent pas de restauration
sauf les petits déjeuners, les salles de bains sont com-
munes…
    On trouve également à se loger chez l'habitant.
Les chambres d'hôte (*hospedajes*) sont signalées par
une pancarte. Cette solution est à la fois la moins
onéreuse et l'une des meilleures façons de découvrir
le pays et ses habitants.
    Le prix des chambres doit être payé en pesos,
même si un certain nombre d'établissements affichent leurs tarifs en dollars.

SANTIAGO

Hotel Carrera**
Teatinos 180, tél. (02) 698 20 11 ; fax (02) 672 10 83
Le plus bel hôtel de Santiago, face au palais de la
Moneda. Restaurant et piscine en terrasse.
Hotel Hyatt**
*Avda Kennedy 4601, tél. (02) 218 12 34 ;
fax (02) 218 25 13*
Un peu excentré, mal desservi par les transports en
commun, mais possède un jardin et une piscine très
agréables.
Holiday Inn Crowne Plaza**
*Avda Libertador B. O'Higgins (Alameda) 136,
tél. (02) 638 10 42 ; fax (02) 633 60 15*
Proche du centre-ville. Piscine, courts de tennis, salle
de sport et centre de conférences.

Hotel Plaza San Francisco Kempinski**
*Avda Libertador B. O'Higgins (Alameda) 816,
tél. (02) 639 38 32 ; fax (02) 639 78 26*
Au cœur de Santiago. Établissement haut de gamme.
Excellent restaurant. Salles de conférences.
Sheraton**
*Avda Santa María 1742, tél. (02) 233 50 00 ;
fax (02) 234 17 29*
Hôtel de luxe dans un quartier calme, mais un peu
excentré, au pied du cerro San Cristóbal. Piscine.
Hotel Foresta*
*Victoria Subercaseaux 353, tél. (02) 639 62 61 ;
fax (02) 632 29 96*
Les chambres qui donnent sur le cerro Santa Lucía
jouissent d'une très belle vue.
Hotel Gran Palace**
*Huérfanos 1178 (10ᵉ étage), tél. (02) 671 25 51 ;
fax (02) 695 10 95*
Préférer les chambres du côté opposé à la rue, plus
calmes.
Hotel Montecarlo**
*Victoria Subercaseaux 209, tél. (02) 638 11 76 ;
fax (02) 633 55 77*
Agréable, avec vue sur le cerro Santa Lucia, mais un
peu bruyant.
Residencial Londres**
Londres 54, tél./fax 638 22 15
Bon rapport qualité/prix.
Apart Hotel Santa Magdalena**
Santa Magdalena 104, tél. (02) 231 80 68
Appartements avec coin cuisine au cœur du quartier
Providencia ; proche du métro.
Albergue Juvenil* (hôtel pour jeunes)
Cienfuegos 151, tél. (02) 671 85 32
Établissement assez récent. Ambiance amicale.

LE NORD

ARICA
Hotel Azapa*
*Guillermo Sánchez 660, Azapa,
tél./fax (058) 223 448*
Assez éloigné de la mer, mais piscine et agréable
jardin.
Hostería Arica*
*San Martín 599, Playa El Laucho, tél. (058) 254 540 ;
fax (058) 231 133*
Proche des plus belles plages d'Arica. Piscine.
Hotel Savona**
Yungay 380, tél. (058) 231 000 ; fax (058) 231 606
Petit hôtel proche de la place centrale.

IQUIQUE
Hotel Arturo Prat*
*Anibal Pinto 695, tél. (057) 427 000 ;
fax (057) 429 088*

Vue sur la Plaza Prat.
Hostería Cavancha***
Los Rieles 250, tél. (057) 434 800 ;
fax (057) 431 039
Au bord de la mer. Piscine.
Holiday Inn Express**
11 de Septiembre 1690, tél. (057) 433 300
Nouvel établissement tout confort, buffet au petit
déjeuner.

ANTOFAGASTA
Holiday Inn Express***
Grecia 1490, tél. (055) 228 888 ; fax (055) 285 457
Établissement un peu excentré, mais très agréable.
Hotel Antofagasta***
Balmaceda 2575, tél. (055) 228 811
Le plus grand hôtel de la ville, face à la mer. Piscine.
Hotel Diego De Almagro**
Condell 2624, tél. (055) 268 331 ; fax (055) 251 721
Confortable et bien situé.

CALAMA
Hostería Calama***
Latorre 1521, tél. (055) 341 511 ; fax (055) 342 033
Tranquille et confortable. Bon restaurant.
Park Hotel Calama***
Camino Aeropuerto 1392, tél. (055) 210 030 ;
fax (055) 319 901
Confortable et proche de l'aéroport. Excellent res-
taurant. Salles de sport et de jeux.

SAN PEDRO DE ATACAMA
Explora Hotel****
Domingo Atienza, tél. (055) 851 110 ;
fax (055) 851 115
Ce nouvel établissement propose des forfaits (de 3 à
7 jours) avec pension complète et visite des salines et
sites archéologiques du désert d'Atacama.
Hostería Casa de Don Tomás***
Tocopilla, tél. (055) 851 055 ; fax (055) 851 175
Nouvel hôtel bien équipé.
Hostería San Pedro***
Toconoa 460, tél. (055) 851 011
Possède 54 chambres et 5 bungalows équipés pour
6 personnes. Piscine.
Hostería/Camping Takha-Takha*
Caracoles, tél. (055) 851 038
Endroit agréable convenant aux petits budgets.
Quelques bungalows pittoresques.

COPIAPÓ
Hostería Las Pircas***
Copayapu 95, tél. (052) 213 220 ;
fax (052) 211 633
Notre meilleure adresse. À l'extérieur de la ville.
Bungalows et piscine.

LA SERENA
Francisco de Aguirre***
Cordovez 210, tél. (051) 222 991
Vieil hôtel au charme désuet. Piscine. Repris récem-
ment par une équipe internationale.
Jardín del Mar***
Costanera 5425, tél. (051) 242835 ; fax (051) 242991
Grand complexe touristique de 164 lits, dans des
appartements et des bungalows pour 5 personnes.
Cabañas de Peñuelas**
Costanera 5351, tél. (051) 244 287
Bungalows bien situés pour petits budgets.

VALLÉE CENTRALE

VALPARAÍSO
Hotel Brighton**
Pasaje Atkinson 153, Cerro Concepción,
tél. (032) 223 513 ; fax (032) 598 802
Ancienne maison transformée en hôtel (6 chambres).
Vue splendide sur la baie. Excellente adresse, mais
réservation obligatoire.
Hotel Prat*
Condell 1443, tél. (032) 253 081 ; fax (032) 253 083
Bon rapport qualité-prix. Restaurant.
Casa Latina*
Papudo 462, Cerro Concepción, tél. (032) 494 622
Chambre d'hôte bien située tenue par des architectes.
Luna Sonrisa Hostal*
Templeman 833, Cerro Alegre, tél. (032) 734 117
Belle maison restaurée tenue par un couple chiléno-
allemand.

VIÑA DEL MAR
Hotel O'Higgins***
Plaza Vergara, tél. (032) 882 016 ;
fax (032) 883 537
Établissement élégant et accueillant.
Hotel Español**
Plaza Vergara 191, tél. (032) 685 145 ;
fax (032) 685 146
Rapport qualité/prix raisonnable.
Residencial Victoria**
Valparaíso 40, tél. (032) 977 370
Spacieux et de caractère. Face à la gare.

CONCEPCÍON
Hotel Alborada**
Barros Arana 457, tél./fax (041) 911 121
Hôtel simple et confortable, tout près de la place
principale. Une très bonne adresse.
Hotel Alonso de Ercilla**
Colo Colo 334, tél. (041) 227 984 ;
fax (041) 230 053
Proche de la place. Établissement moderne, presta-
tions classiques pour sa catégorie.

Hotel Carrera Araucano**
Caupolicán 521, tél. (041) 740 606 ;
fax (041) 740 690
Sur la place principale. Prestations d'excellente qualité, piscine, salles de conférences.
Hotel Ritz**
Barros Arana 721, tél. (041) 226 696
À la fois central et meilleur marché que les autres.

RÉGION DES LACS

CHILLÁN
Gran Hotel Isabel Riquelme**
Arauco 600, tél. (042) 213 663 ;
fax (042) 211 541
Cet hôtel qui possède 87 chambres et 3 suites donne sur l'une des plus belles places de la ville. Prestations d'excellente qualité.
Hotel Rucamanqui**
Herminda Martín 590, tél. (042) 222 927 ;
fax (042) 217 072
Un peu plus économique mais confortable et très central. Parfait pour un séjour d'une nuit.

LOS ANGELES
Mariscal Alcázar**
Lautaro 385, tél./fax (043) 311 725
Sur la place principale. Possède 60 chambres et quelques suites. Service impeccable.

TEMUCO
Apart Hotel Tierra del Sur**
Bulnes 1196, tél./fax (045) 232 439
Établissement moderne. Piscines couverte et en plein air, mais pas de restaurant.
Hotel de la Frontera**
Bulnes 733, tél. (045) 200 400
Tout près de la place principale, hôtel moderne offrant d'excellentes prestations. Piscine, sauna, salles de conférences.

PUCÓN
Gran Hotel Pucón****
Clemente Holzapfel 190, tél. (045) 441 001
Vaste hôtel de luxe disposant de 550 lits. Nombreuses installations, dont un casino.
Hotel Antumalal****
Route de Villarrica, tél. (045) 441 011 ;
fax (045) 441 013 ; www.antumalal.com
Petit hôtel de luxe qui abrita la reine d'Angleterre. Quinze chambres et deux bungalows, sur un terrain boisé surplombant le lac de Villarrica. Piscine chauffée, tennis, rafting et autres activités de plein air.
Termas de Huife****
À 36 km à l'est de Pucón, tél./fax (045) 441 222
Thermes à ciel ouvert, dans un cadre idyllique. Cha-

cun des luxueux bungalows possède sa propre baignoire d'eau thermale.
Hostería « École »***/****
General Urrutia 592, tél. (045) 441 675
Situation centrale pour cet établissement de 40 lits tenu par des Nord-Américains. Restaurant végétarien.

VILLARRICA
Hotel El Ciervo**
General Koerner 241, tél. (045) 411 215 ;
fax (045) 410 925
Emplacement central. Douze chambres, un bungalow pour 5 personnes, piscine.

LICAN-RAY
Lieu de villégiature où presque tout est fermé en dehors de la saison touristique (qui va de la mi-décembre à la mi-mars).
Hostería Inaltulafquén**
Cacique Punulef 510, tél./fax (045) 431 115
Cet établissement simple et accueillant est l'un des rares à rester ouvert toute l'année.

CHOSHUENCO
Hostería Pulmahue**
Casilla 545, Panguipulli, tél. (063) 318 224
Petit établissement bien situé. Bungalows avec vue sur le lac.
Hotel Rucapillán**
San Martín 85, tél./fax (063) 318 220
Hôtel traditionnel au bord du lac. Quelques bungalows.

PANGUIPULLI
Hostal España**
O'Higgins 790, tél. (063) 311 166
Situation centrale pour ce petit hôtel.

VALDIVIA
Hotel Pedro de Valdivia***
Carampangue 190, tél. (063) 212 931 ;
fax (063) 203 888
Près du fleuve, à trois pâtés d'immeubles de la place principale. Piscine. Salles de réception.
Hotel Villa Del Río***
España 1025, tél. (063) 216 292 ; fax (063) 217 851
Au bord du fleuve, face au centre-ville. Grand hôtel doté de 100 chambres et de bungalows, d'une piscine, d'un sauna et d'un court de tennis. Salles de réception.

FUTRONO
Hostería El Rincón Arabe*
Valentín Monsalve, tél. (063) 481 406
Établissement qui domine le lac. Piscine et restaurant.

LAGO RANCO
Apart Hotel Bahía Coique***
À 9 km à l'ouest de Futrono, tél. (063) 481 264 ;
fax (063) 481 250
Nouveau village de vacances, équipé d'un golf et de
courts de tennis.
Hotel Casona Italiana**
Viña del Mar 367, tél. (063) 491 225
Petit hôtel au bord du lac. Cinq chambres et quatre
bungalows.

FRUTILLAR
Hotel Salzburg***
Camino a Playa Maqui, tél. (065) 421 569 ;
fax (065) 421 599
Domine le lac. Piscine, sauna, salle de sport. Nom-
breuses activités : équitation, VTT, pêche.
Hostería El Arroyo**
Philippi 989, tél. (065) 421 560 ; fax (065) 421 656
Petite pension au bord du lac.

PUERTO VARAS
Hotel Colonos del Sur***
Del Salvador 24, tél. (065) 233 039 ;
fax (065) 233 394
Face au lac. Piscine, sauna.
Hotel Licarayén***
San José 114, tél. (065) 232 305 ; fax (065) 232 955
Hôtel moderne face au lac.
Hotel y Cabañas del Lago***
Klenner 195, tél. (065) 232 291 ; fax (065) 232 707
Hôtel luxueux surplombant le lac et la ville ; 42 cham-
bres, une suite. Casino, salle de jeu, sauna.

PUYEHUE
Hotel Termas de Puyehue***
Proche du lac Puyehue, à 76 km à l'est d'Osorno,
tél. (064) 371 272 ; fax (064) 232 157
Hôtel établi de longue date et possédant 80 chambres. Piscines d'eau thermale couvertes et à ciel
ouvert, sauna, bains de boue et d'eau sulfureuse,
courts de tennis, gymnase. Activités telles que VTT,
équitation, pêche, promenades en bateau.
Hotel Antillanca***
Km 98, Ruta 215, Osorno, tél./fax (064) 235 114
Hôtel moderne de 64 chambres au cœur du Parque
Nacional Puyehue. Base de départ idéale pour la randonnée et l'escalade en été, le ski en hiver. Nombreuses installations : piscine, sauna, salle de sport.

PETROHUÉ
Hostería Petrohué***
Tél./fax (065) 258 042
Établissement de 21 chambres modernisé récem-
ment. Proche du lac de Todos los Santos et du río
Petrohué, dans le **Parque Nacional Pérez Rosales**.

PEULLA
Hotel Peulla****
Tél./fax (065) 258 041
Proche du lac de Todos los Santos. Service agréable.
Demi-pension possible.

ENSENADA
Hotel Ensenada***
Villa Ensenada, tél./fax (065) 212 028
Charmant hôtel ancien au bord du lac. De décembre
à mars uniquement.

OSORNO
Hotel Rayantú***
Patricio Lynch 1462, tél. (064) 238 115 ;
fax (064) 238 116
Très confortable. Quinze suites, piscine, jeux pour
enfants.
Gran Hotel Osorno**
O'Higgins 615, tél. (064) 232 171 ;
fax (064) 239 311
Hôtel de 70 chambres sur la place principale.
Hotel Pumalal**
Bulnes 630, tél./fax (064) 242 477
Petit hôtel moderne.

PUERTO MONTT
Colón Apart Hotel***
Pedro Montt 65, tél. (065) 264290 ; fax (065) 264293
Sur le front de mer. Compte 26 appartements avec
coin cuisine.
Don Luis Gran Hotel***
Quillota 146, tél. (065) 259 001 ; fax (065) 259 005
Moderne. Restauration légère uniquement.
Hotel Vicente Pérez Rosales***
Antonio Varas 447, tél. (065) 252 571 ;
fax (065) 255 473
En centre-ville. L'établissement le plus ancien de
Puerto Montt.
Hotel Vientosur***
Ejército 200, tél./fax (065) 258 701 ;
fax (065) 258 700
Hôtel de 30 chambres avec vue sur la ville et la baie.
Salle de gym, sauna.
Cabañas de Melipulli**
Libertad 610, tél. (065) 253 363 ; fax (065) 232 325
Bungalows à 10 minutes de marche du centre. Bar,
piscine et sauna.

CHILOÉ

ANCUD
Hostería Ancud***
San Antonio 30, tél. (065) 622 340 ;
fax (065) 622 350
Vue sur la mer et le Fuerte San Antonio.

Residencial Wechsler**
Cochrane 480, tél./fax (065) 625 975
Établissement un peu austère mais bien tenu.

CASTRO
Hotel Unicornio Azul***
Pedro Montt 228, tél. (065) 632 359 ;
fax (065) 632 808
Charmant. Belle vue sur le port.
Hostería de Castro***
Chacabuco 202, tél. (065) 632 301 ;
fax (065) 635 688
Chalet avec vue sur le port. Bon restaurant.

ACHAO (ÎLE DE QUINCHAO)
Hostería La Nave*
Arturo Prat, tél. (065) 661 219
Bien tenu. Bon restaurant.

CHONCHI
Hotel Huildín**
Centenario 102, tél. (065) 671 388 ;
fax (065) 635 030
Confortable. Dans un immeuble ancien rénové.
Chambres et bungalows.

CUCAO
Deux hôtels simples dans ce petit village de la côte
Pacifique proche du parc national de Chiloé : **La
Posada** (avec restaurant) et **El Paraíso**.
Le **Parque Nacional** est doté de 4 bungalows pour
6 personnes ; il est conseillé de réserver (*tél. 634
005*).

AISÉN

COIHAIQUE
Puyuhuapi****
Termas de Puyuhuapi, tél. (067) 325 103
Hôtel de luxe dans un cadre splendide. Relaxation
thermale, randonnées pédestres et équestres.
Hostería Coyhaique***
Magallanes 131, tél. (067) 231 137 ;
fax (067) 233 274
Résidence moderne au milieu d'un beau parc.

MAGALLANES ET LA TERRE DE FEU

PUERTO NATALES
Hotel Costaustralis****
Pedro Montt 262, tél. (061) 412 000 ;
fax (061) 411 881 ; www.costaustralis.com
Récent, très confortable.
Hotel Juan Ladrilleros***
Pedro Montt 161, tél. (061) 415 978
Chaleureux. Bon restaurant.

PUERTO WILLIAMS
Hostería Wala**
Tél. (061) 621114
Très confortable. Cheminées, mobilier rustique.

PUNTA ARENAS
Hotel Cabo de Hornos****
Plaza Muñoz Gamero 1025, tél. (061) 242 134 ;
fax (061) 229 473
Excellent restaurant. Vue sur la ville et le détroit de
Magellan.
Hotel Plaza***
José Nogueira 1116, tél. (061) 241 300 ;
fax (061) 248 613
Hôtel confortable en centre ville.
Hotel Montecarlo**
Colón 605, tél. (061) 222 120
Hôtel confortable au charme désuet.

TORRES DEL PAINE
Il est indispensable de réserver dans les hôtels du
parc national Torres del Paine. La saison est courte
et la demande dépasse largement l'offre.
Hotel Explora Patagonia****
Tél./fax (61) 228 860
Visites guidées du parc. Séjour minimal de 3 nuits.
Hostería Lago Grey****
Tél./fax (61) 410172
Face au glacier.
Hostería Pehoé****
Tél. (61) 411 390
Petit établissement très confortable sur les rives du
lac Pehoé.
Posada Río Serrano**
Km. 339 Ruta 9 Norte, tél. (061) 412 733
L'une des solutions les moins coûteuses dans cette
région.

ÎLES DU PACIFIQUE

ARCHIPEL JUAN FERNÁNDEZ
L'archipel propose de nombreuses possibilités d'hé-
bergement dans des hôtels modestes ou chez l'habi-
tant. Réservations possibles par l'intermédiaire des
compagnies aériennes qui desservent les îles.
Hostería Aldea Daniel Defoe**
Daniel Defoe 449, tél./fax (032) 751 077
Bungalows dans le village de San Juan Bautista.

ÎLE DE PÂQUES
Hotel Hanga Roa****
Avda Pont, tél./fax (032) 100 299
Le plus luxueux établissement de l'île.
Rapa Nui Inn**
Atamu Tekena, tél. (032) 100 228
Simple, calme et chaleureux.

L'île de Pâques compte également bon nombre de *residenciales,* dont certains proposent à dîner, et de nombreux restaurants.

OÙ SE RESTAURER

La cuisine chilienne est très influencée par les traditions culinaires espagnole, française et allemande. Mais certains plats indiens traditionnels ont aussi perduré. Chaque région présente ses propres spécialités, mais on peut déguster du poisson et des fruits de mer sur une bonne partie du territoire chilien. La viande est de très bonne qualité et, dans la région de Santiago, véritable verger du pays, on trouve une grande variété de légumes et de fruits frais.

SPÉCIALITÉS CHILIENNES

Cazuela : bouillon de viande, de poulet, de poisson ou de crustacés, dans lequel on a fait cuire des pommes de terre, du potiron, du maïs et des piments.
Churascos : sandwiches composés de tranches de bœuf ou de porc, grillées ou bouillies.
Completos : hot-dogs.
Empanadas : chaussons farcis de viande hachée, d'œufs et d'olives ou de fromage.
Ensalada chilena : rondelles de tomates pelées mélangées à des oignons émincés, assaisonnées d'une vinaigrette salée et de coriandre (*cilantro*). Servie seule ou en accompagnement.
Humitas : petites boules de purée de maïs servies dans l'enveloppe d'un épi.
Manjar relleno : beignet chaud en forme de cylindre rempli de manjar (confiture de lait).
Parrilla de mariscos : mélange de fruits de mer et de poisson servi sur un petit gril portatif.
Parrilladas : établissements où l'on sert des *carnes a la parrilla* (morceaux de viande et d'abats cuits sur un petit gril), ainsi que des saucisses grillées, des côtelettes et des steaks.
Pastel de choclo : viande de bœuf ou de poulet, recouverte d'une couche de purée de maïs gratinée.
Pollo a las brasas : poulet grillé.
Porotos granados : soupe épaisse aux haricots, potiron, piment, oignon et maïs doux, souvent servie avec un bifteck.

QUELQUES ADRESSES À SANTIAGO

En dehors de la cuisine chilienne, la capitale propose évidemment de nombreux types de nourriture étrangère. Voici un choix de restaurants de diverses spécialités et dans une gamme de prix variée (de modiques à élevés). Pour faciliter la recherche, les établissements sont classés par quartiers.

CENTRE-VILLE

Le centre de Santiago est le plus animé entre 13 h et 16 h. Qu'il s'agisse d'une simple cafétéria ou d'un élégant restaurant italien, le déjeuner est un repas important au Chili. La plupart des établissements proposent des menus très avantageux : demander « *el menú fijo* » (parfois « *la colación* »).
Ana Maria**
Club Hípico 476, tél. (02) 698 40 64
Spécialités de poissons et de fruits de mer. Une des meilleures adresses de la capitale.

Hereford Grill**
Tenderini 171, 2ᵉ étage, tél. (02) 639 56 12
Cuisine internationale, très bonne viande grillée, service soigné. Ouvert à midi uniquement.
Kintaro**
Monjitas 460, tél. (02) 638 24 48
Excellente cuisine japonaise. C'est le rendez-vous de la communauté nippone de Santiago.
Squadritto**
Rosal 332, tél. (02) 632 21 21
Très bon restaurant italien. Décoration agréable.
Bar Nacional*
Bandera 317, tél. (02) 695 33 68
Cuisine traditionnelle, très bons jus de fruits frais.
Chez Henry*
Plaza de Armas, côté sud, tél. (02) 696 66 12
Spécialités de fruits de mer et de *pastel de choclo*. Excellentes crèmes glacées.
Donde Augusto (Chez Auguste)*
Mercado Central
Petit restaurant dans le marché couvert, qui propose du poisson et des fruits de mer de première fraîcheur. Très fréquenté.
El Naturista*
Moneda 846, tél. (02) 698 41 22
Le pionnier de la cuisine végétarienne à Santiago. Délicieux jus de fruits, copieuses salades et nombreux plats élaborés à partir des recettes locales.
Pérgola de la Plaza*
Plaza Gil (José Victorino Lastarría 305-307)
Agréable restaurant de plein air à prix modérés.

BAQUEDANO

Le quartier qui s'étend autour de la Plaza Italia. Le plus couru de Santiago à l'heure où nous publions ce guide.
De Cangrejo a Conejo**
Avda Italia 805, tél. (02) 634 40 41

Autre endroit au goût du jour. Spécialités de poisson et fruits de mer.

Mucca**
Avda Italia
Cuisine internationale. Très belle décoration ; endroit à la mode.

Puerto Peru**
Condell 1298, tél. (02) 363 98 86
Excellent restaurant péruvien.

BELLAVISTA

El Otro Sitio**
Antonia López de Bello 53, tél. (02) 777 30 59
Cuisine péruvienne typique.

Etnico**
Cuisine japonaise, thaïlandaise et d'autres pays. Un des restaurants les plus en vogue du quartier.

Rigoletto**
Ernesto Pinto Lagarrigue 257,
tél. (02) 737 22 84
Cette trattoria prépare une excellente cuisine italienne.

Sarita Colonia**
Restaurant péruvien doté d'une superbe décoration. Terrasse sur le toit.

Donde la Elke (Chez Elke)*
Dardignac 68, tél. (02) 735 05 26
D'origine suisse, Elke propose des plats élaborés à des prix très avantageux. Ambiance décontractée, terrasse.

El Caramaño*
Purísima 257, tél. (02) 737 70 43
Spécialités chiliennes. Prix très raisonnables.

Venezia*
Pío Nono 200, tél. (02) 737 09 00
Restaurant ancien. Cuisine traditionnelle chilienne. Ambiance populaire.

PROVIDENCIA

Aquí Está Coco***
La Concepción 236, tél. (02) 235 86 49
Le restaurant de poisson et de fruits de mer le plus connu de Santiago. Décor marin, carte très variée.

El Parrón*
Providencia 1184, tél. (02) 251 89 11
Établissement traditionnel rouvert depuis peu. Parfait pour déguster des grillades.

Le Flaubert**
Orrego Luco 0125, tél. (02) 231 94 24
Agréable pour prendre un thé ou un repas léger. Un des rares endroits de Santiago où l'on prépare correctement le thé.

El Huerto*
Orrego Luco 054, tél. (02) 233 2690
Restaurant végétarien. Excellente fondue végétarienne, plateaux de fromages, délicieux desserts.

El Patio Restaurant*
Avda Providencia 1670, Local 8, tél. (02) 236 12 51
Autre bon restaurant végétarien.

Rivoli*
Nueva de Lyon 77, tél. (02) 231 79 69
Bonne cuisine italienne à prix très raisonnables. Terrasse en été.

Café Tavelli
Andrés de Fuenzalida 36
Café le plus fréquenté de Providencia. Très bonnes glaces artisanales.

LAS CONDES ET VITACURA

El Madroñal***
Avda Vitacura 2911, tél. (02) 233 63 12
Un des établissements les plus chers de Santiago. Succulente cuisine espagnole.

Happening**
Apoquindo 3090, tél. (02) 870 36 40
Ouvert il y a peu par les propriétaires du restaurant Happening de Buenos Aires. Viande excellente.

Isla Negra**
El Bosque Norte 0325, tél. (02) 231 31 18
Cuisine chilienne traditionnelle.

Pinpilinpausha**
Isidora Goyenechea 2900, tél. (02) 233 65 07
Excellent restaurant espagnol.

Sakura**
Avda Vitacura 4111, tél. (02) 206 76 00
Un des « sushi bars » les plus appréciés de Santiago.

Zanzibar**
Monseñor Escriva de Balaguer 6400,
tél. (02) 218 01 18
Cuisine internationale, décoration orientale. Idéal pour admirer le coucher de soleil sur la Cordillère.

Café Melba*
Don Carlos 2898, tél. (02) 232 45 46
Service de qualité. Parfait pour y prendre le petit déjeuner ou le déjeuner, ou pour y déguster un café.

Le Fournil*
Avda Vitacura 3841, tél. (02) 228 02 19
Boulangerie française qui fabrique du très bon pain, et sert de bons plats légers.

LA LANGUE

La langue officielle du Chili est l'espagnol. Malgré de nombreuses différences lexicales entre l'espagnol castillan et celui d'Amérique du Sud, les hispanisants n'auront guère de problèmes pour communiquer avec les Chiliens.

LIEUX

Alameda (f) : avenue bordée d'arbres (*alamos* : peupliers)

Altiplano (m) : plaine des Andes située entre 3 600 et 4 500 m d'altitude et large de 150 à 200 km

Balneario (m) : station balnéaire

Bodega (f) : cave à vin

Cabaña (f) : bungalow équipé pour plusieurs personnes, avec coin cuisine

Caleta (f) : cirque, petite baie

Camarote (m) : cabine-couchette sur un ferry ou un bateau

Carretera (f) : grande route

Casa de cambio (f) : bureau de change

Casa de familia (f) : pension de famille

Casona (f) : hôtel particulier de l'époque coloniale

Cerro (m) : sommet, colline

Chifa (f) : restaurant chinois

Comedor (m) : salle à manger

Costanera (f) : route côtière

Estero (m) : estuaire

Hacienda (f) ou fundo (m) : propriété foncière de l'époque coloniale

Hospedaje (m) : chambre d'hôte

Hostería (f) : auberge, en général en dehors des villes, où l'on sert à manger

Isla (f) : île

Islote (m) : îlot

Lago (m) : lac

Laguna (f) : lac (plus petit)

Latifundio (m) : vaste exploitation agricole

Llano (m) : plaine

Lomas (f) : collines côtières du désert, où la végétation pousse grâce à la condensation due au brouillard

Minifundio (m) : petite exploitation agricole

Nevado (m) : glacier couvert de neiges éternelles

Oficina (f) : litt. bureau. À la fin du XIXe siècle et au début du XXe siècle, exploitation de nitrate, qui avait souvent les dimensions d'une bourgade

Pampa (f) : plaine

Parada (f) : arrêt d'autobus

Parrillada (f) : restaurant de viande grillée

Peña (f) : sorte de café-concert et restaurant

Población (f) : faubourg, bidonville

Posta (f) : dans les campagnes, dispensaire

Pukará (f) : ancienne forteresse inca

Pulpería (f) : épicerie, dans les anciennes *oficinas*

Quebrada (f) : ravin

Reducción (f) : réserve indienne, surtout mapuche

Ruca (f) : maison traditionnelle mapuche

Residencial (m) : pension de famille, location bon marché (en général saisonnière)

Salar (m) : saline, désert de sel

Ventisquero (m) : glacier

Villa (f) : village

PERSONNES, ANIMAUX, OBJETS

Alerce (m) : grand conifère indigène chilien

Apunamiento (m) : mal d'altitude

Araucanos (m) : insoumis ; Araucans. Nom générique donné aux habitants de la région située au sud du Bío-Bío, selon le terme imaginé par Alonso de Ercilla dans son poème épique, *La Araucana*

Bencina (f) : essence

Cabildo (m) : conseil municipal à l'époque de la colonisation

Cacique (m) : chef indien

Cajón (m) : caisse en bois à ouverture acoustique sur l'arrière ; gorge d'un fleuve

Cama (f) : lit

Camioneta (f) : pick-up

Carabiñeros : la police

Celular (m) : téléphone portable

Ciervo (m) : cerf

Charrango (m) : petite guitare des métis, dont la caisse de résonance est parfois constitué par une carapace de tatou

Cobro revertido : appel en PCV

Colectivo (m) : taxi collectif

Condominio (m) : lotissement doté d'une entrée commune surveillée par un gardien, et d'équipements : aires de jeux, etc.

Criollo, criolla : créole ; personne d'ascendance européenne née dans les colonies

Cueca (f) : danse nationale chilienne

Encomienda (f) : pendant la colonisation, système d'adjudication des terres

Encomendero (m) : détenteur d'une *encomienda*. Colon auquel la couronne espagnole avait attribué des terres et un certain nombre d'Indiens qui lui versaient un tribut

Ficha (f) : jeton de téléphone

Gringo, gringa : : étranger, en particulier occidental et blanc

Guano (m) : engrais naturel formé par les excréments d'oiseaux

Huaso (m) : le Chilien rural typique, bon cavalier, souvent éleveur de chevaux : les *huasos* concourent dans les rodéos

Llama (m) : nom générique des camélidés andins, parmi lesquels se rangent le lama proprement dit et l'alpaga (domestiques), la vigogne et le guanaco (sauvages)

Lista de correos (f) : poste restante

Micro (f) : petit bus

Ñandú (m) : nandou – sorte d'autruche

Parrilla (f) : gril

Oferta (f) : promotion commerciale

Once (m) : collation de l'après-midi

Propina (f) : pourboire

Sin número : sans numéro, dans une adresse

Puna (f) : mal d'altitude
Temblor (m) : séisme
Terremoto (m) : tremblement de terre
Todo terreno : tout-terrain (véhicule, vélo)
Toqui (m) : chef mapuche
Vicuña (f) : vigogne
Viscacha (f) : viscache (petit rongeur)
Zambo (m) : mulâtre
Zampoña (f) : flûte de Pan des métis

AU RESTAURANT

Aceite (m) : huile
Agua (m) : eau, tisane
Ajo : ail
Ají (m) : piment rouge
Ají verde (m) : piment vert
Almuerzo (m) : déjeuner
Asado : barbecue. Adj. : rôti
Carne (f) : viande
Cazuela (f) : soupe de pommes de terre à base de bouillon de viande ou de crustacés
Cena (f) : dîner
Cerveza (f) : bière
Ceviche (m) : plat de poisson cru macéré dans un jus de citron, de piments et d'oignons, accompagné de maïs ou de pommes de terre
Chirimoya (f) : chérimole, fruit à la chair juteuse et sucrée, qui renferme des pépins non comestibles
Chuleta (f) : côtelette
Churrasco (m) : sandwiches de bœuf ou de porc, grillé ou bouilli
Comida (f) : repas
Completo (m) : hot-dog chilien
Cordero (m) : agneau
Cubierto (m) : couvert
Cuchara (f) : cuillère
Cuchillo (m) : couteau
Cuenta (f) : addition
Damasco (m) : abricot
Desayuno (m) : petit déjeuner
Durazno (m) : pêche
Empanada (f) : chausson fourré à la viande (*de pino, de pollo*) ou au fromage (*de queso*), cuit au four (*al horno*) ou frit (*frita*)
Ensalada (f) : salade composée
Filete (m) : filet
Frutilla (f) : fraise
Gallina (f) : poule
Huevos (m) : œufs
Humita (f) : petit chausson à la purée de maïs
IVA (m) : Impuesto de Valor Agregado : taxe équivalente à la TVA, souvent ajoutée à l'addition du restaurant ou à la note d'hôtel
Lechuga (f) : salade verte
Legumbres (m) : légumes secs

Lista (f) : carte
Manjar (m) : confiture de lait
Mantequilla (f) : beurre
Mariscos (m) : fruits de mer
Mazapán (m) : massepain
Mostaza (f) : moutarde
Palta (f) : avocat
Pan (m) : pain
Parrilla (f) : grillade de viande (ou de fruits de mer et de poisson)
Pastel de choclo : gratin de maïs
Pato (m) : canard
Pimienta (f) : poivre
Piña (f) : ananas
Plátano (m) : banane
Plato (m) : assiette
Pollo (m) : poulet
Ponche (m) : fruits macérés dans du vin blanc
Porotos granados : soupe de haricots
Postres (m) : desserts
Res (m) : bœuf
Sal (f) : sel
Sandia (f) : pastèque
Servilleta (f) : serviette
Sin gas (agua o bebida) : eau plate, boisson non gazeuse
Tenedor (m) : fourchette
Ternera (f) : veau
Vaso (m) : verre
Verduras (f) : légumes
Vino blanco (m) : vin blanc
Vino tinto (m) : vin rouge

EXPRESSIONS USUELLES

La lettre « ll » se prononce comme un « y », le « j » comme un « r » sec et le « ñ » comme un « gn ».
Disculpe : Excusez-moi. S'il vous plaît
Perdone : Excusez-moi. S'il vous plaît
Hasta luego : à bientôt
A la derecha : à droite
A la izquierda : à gauche
¿ A que hora… ? : à quelle heure… ?
Adios : au revoir
Hoy : aujourd'hui
Buenos días : bonjour
Buenas tardes : bonsoir
Me gusta : cela me plaît
¿ Cuanto es ? : combien ça coûte ?
¿ Como está ? : comment allez-vous ?
¿ Que le parece ? : qu'en pensez-vous ?
Lléveme a… ! : conduisez-moi à… !
Me llamo… : je m'appelle…
No entiendo, no comprendo : je ne comprends pas
Solo hablo francés : je ne parle que français

No sé : je ne sais pas
Quiero : je voudrais...
Periódicos franceses : journaux français
El banco : la banque
La estación de ferrocarril : la gare ferroviaire
El correo : la poste
(Muchas) gracias : merci (beaucoup)
No : non
¿ Donde está...? : où se trouve...?
Sí : oui
¿ Habla francés? : parlez-vous français?
Por favor : s'il vous plaît
Todo seguido : tout droit
Una estampilla : un timbre
Una postal : une carte postale
Un sobre : une enveloppe
Una carta : une lettre

Et pour ne pas être pris au dépourvu, on pourra apprendre quelques expressions familières et termes couramment utilisés au Chili (plusieurs sites Internet proposent des lexiques anglais-chilien ou espagnol-chilien, drôles et très bien faits).
A pata : à pied
Al tiro : tout de suite
¿ Cachai? : tu comprends? (argotique)
Cachar : comprendre
Chela (f) : bière
¿ como andai? : comment ça va, comment tu vas?
¿ Cómo estái? : comment ça va, comment tu vas?
Copete (m) : boisson (alcoolisée)
Harto, harta... : beaucoup de...
Lolo, lola : jeune, adolescent(e)
Luca (f) : billet de mille pesos
Patiperro (m) : globe-trotter
Plata (f) : argent
¿ Qué onda? : comment ça va, quoi de neuf?
¡ Qué lata! : quel dommage!
Taco (m) : bouchon, embouteillage
¡ Ya po! : affirmation

LE TEMPS

Ayer : hier
Mañana : demain
Lunes : lundi
Martes : mardi
Miércoles : mercredi
Jueves : jeudi
Viernes : vendredi
Sábado : samedi
Domingo : dimanche
La una : une heure
Las dos, las tres... : deux, trois heures...
Las doce : midi
Medianoche : minuit

LES NOMBRES

? : 0
Uno : 1
Dos : 2
Tres : 3
Cuatro : 4
Cinco : 5
Seis : 6
Siete : 7
Ocho : 8
Nueve : 9
Diez : 10
Once : 11
Doce : 12
Trece : 13
Quatorce : 14
Quince : 15
Diez y seis, diez y siete... : 16, 17...
Veinte : 20
Veintiuno : 21
Veintidos, veintitres... : 22, 23...
Treinta : 30
Cuarenta : 40
Cincuenta : 50
Sesenta : 60
Setenta : 70
Ochenta : 80
Noventa : 90
Ciento : 100
Mil : 1 000
Un millón : 1 000 000
Mil millones : 1 000 000 000
Primero : 1^e
Segundo : 2^e
Tercero : 3^e
Cuarto : 4^e
Quinto : 5^e
Sexto : 6^e
Séptimo : 7^e
Octavo : 8^e
Nono : 9^e
Décimo : 10^e

ADRESSES UTILES SUR PLACE

AMBASSADES ÉTRANGÈRES À SANTIAGO

Argentine
Miraflores 285,
tél. (02) 633 10 76
Belgique
Providencia 2653, bureau 1104,
tél. (02) 232 10 70

Bolivie (consulat)
Santa María 2796, tél. (02) 232 81 80
Brésil
Alonso Ovalle 1665, tél. (02) 698 24 86
Canada
Nueva Tajamar 481, Tour Nord (Torre Norte), 12ᵉ étage, tél. (02) 362 96 60
France
Condell 65, tél. (02) 470 80 00 ; www.france.cl
Pérou
Andrés Bello 1751, tél. (02) 235 64 51
Suisse
Américo Vespúcio Sur 100, 14ᵉ étage, tél. (02) 263 42 11

INSTITUTS CULTURELS

Institut culturel franco-chilien
Merced 298, Santiago, tél. (02) 470 80 60
On peut y faire une halte pour échapper au brouhaha du centre-ville et y consulter la presse française. L'institut organise régulièrement des festivals de cinéma français dans des salles de Santiago, ainsi que des expositions d'artistes français dans des galeries privées. Demander le programme à la réception.

COMPAGNIES AÉRIENNES À SANTIAGO

Aeroflot
Guarda Vieja 255, bureau 1008, tél. (02) 331 02 44
Aerolíneas Argentinas
Moneda 756, tél. (02) 639 50 01
Air France
Alcántara 44, 6ᵉ étage, tél. (02) 290 93 00
American Airlines
Huérfanos 1199, tél. (02) 679 00 00
Avianca
Isidora Goyenechea 3365, bureau 1201, tél. (02) 270 66 00
British Airways
Isidora Goyenechea 2934, bureau 302, tél. (02) 330 86 00
Canadian Airlines
Huérfanos 1199, tél. (02) 688 35 80
Iberia
Bandera 206, 8ᵉ étage, tél. (02) 870 10 70
KLM
San Sebastián 2839, bureau 202, tél. (02) 233 09 91
LACSA
Dr. Barros Borgoño 105, 2ᵉ étage, tél. (02) 235 55 00
LanChile
Avda Américo Vespucio 901, tél. (02) 526 20 00

Lloyd Aereo Boliviano
Moneda 1170, tél. (02) 688 86 80
Lufthansa
Moneda 970, 16ᵉ étage, tél. (02) 630 16 55
United Airlines
El Bosque Norte 0177, 19ᵉ étage, tél. (02) 337 00 00
Varig
El Bosque Norte 0177, 9ᵉ étage, tél. (02) 707 80 00

LIBRAIRIES FRANÇAISES À SANTIAGO

Comptoir du Livre français
Avda Luis Pasteur 5621, Vitacura, tél. (02) 218 27 35
Dolmen Ediciones
Cirujano Guzmán 194, tél. (02) 235 82 95

BIBLIOGRAPHIE

HISTOIRE ET SOCIÉTÉ

Alonso H., Nunez L., Pourrut P., *Les Oasis du désert d'Atacama Nord Chili*, L'Harmattan, Paris, 2003.
Avalos R., *Le Chili*, « Que sais-je ? », PUF, Paris, 1992.
Blancpain J.-P., *Les Araucans et le Chili des origines au XIXᵉ siècle*, L'Harmattan, Paris, 1996 ; *Le Chili et la France*, « Recherche Amériques latines », L'Harmattan, 1999.
Castillo C., *Un jour d'octobre à Santiago*, Bernard Barrault, Paris, 1988.
Castillo C. et Echeverría M., *Santiago-Paris, le vol de la mémoire*, Plon, Paris, 2002.
Collectif, *Chili, le dossier noir*, Gallimard, Paris, 1999.
Collectif, *Patagonie, une tempête d'imaginaire*, Autrement, Paris, 1996.
Forton J., *L'Affaire Pinochet, la justice impossible*, coédition Amnesty International et L'Entreligne, 2002.
García Marquez G., *L'Aventure de Miguel Littín, clandestin au Chili*, Le Livre de Poche, Paris, 1988.
Grenier P., *Des tyrannosaures dans le paradis, la ruée des transnationales sur la Patagonie chilienne*, « Comme un accordéon », L'Atalante, Nantes, 2003 ; *Chiloé et les Chilotes, marginalité et dépendance en Patagonie chilienne*, Édisud, Aix-en-Provence, 1984.
Jourdain G., *Combat au quotidien dans le Chili de l'après-Pinochet*, « Histoire de vie », L'Harmattan, Paris, 2000.
Métraux A., *L'Île de Pâques*, Gallimard, Paris.

Orliac C. et M., *Des dieux regardent les étoiles,* « Découvertes », Gallimard, Paris, 1988.

Pinçon M. et Pinçon-Charlot M., *Justice et Politique, le cas Pinochet,* Syllepse, Paris, 2003.

Vayssière P., *Les Révolutions d'Amérique latine,* « Points histoire », Seuil, Paris, 1991.

Zavala J.M., *Les Indiens Mapuche du Chili,* L'Harmattan, Recherche Amériques latines, 2000.

RÉCITS ET PHOTOGRAPHIES DE VOYAGE

Bagès G. et T., *Île de Pâques-Galápagos,* « Horizons », Alain Barthélemy, Avignon, 1992.

Chenut J., *Nous étions enfants en Patagonie,* Versant Sud, Louvain, 2003.

Darwin C., *Voyage d'un naturaliste autour du monde,* « La Découverte », François Maspero, Paris, 1982.

Föllmi O., *Terre de sel, terre de gel, le Chili, des déserts à la Patagonie,* Olizane, Genève, 1991.

Haon H., *Chili, Patagonie, à la poursuite du vent du désert d'Atacama,* « Horizons d'aventure », Anako Productions, 2003.

Heyerdahl T., *Île de Pâques, les mystères dévoilés,* Albin Michel, Paris, 1989.

Hulot N. et Pédron F., *Le Cap Horn,* « Extrême », Albin Michel, Paris, 1990.

Pigafetta A., *Le Premier Tour du monde de Magellan,* « In-Texte », Tallandier, Paris, 1984.

Le magazine *Géo* a publié un numéro spécial sur le Chili (n° 272, 2001), ainsi qu'un épais dossier sur les vins du monde, et notamment les vins chiliens (n° 286, 2002).

LITTÉRATURE

Allende I., *La Maison aux esprits,* Le Livre de Poche, Paris, 1986 ; *D'amour et d'ombre,* Le Livre de Poche, 1987 ; *Eva Luna,* Le Livre de Poche, 1990 ; *Les Contes d'Eva Luna,* Le Livre de Poche, 1992 ; *Le Plan infini,* Le Livre de Poche, 1994 ; *Paula,* Le Livre de Poche, 1997 ; *Portrait sépia,* Grasset, Paris, 2001 ; *Aphrodite,* Grasset, 2001 ; *Fille du destin,* Le Livre de Poche, 2002.

Bolaño R., *Nocturne du Chili,* 2002 ; *Étoile distante,* 2002 ; *Des putains meurtrières,* 2003. Ces trois romans de Roberto Bolaño ont été publiés chez Christian Bourgois, Paris.

Chatwin B., *En Patagonie,* « Les Cahiers rouges », Grasset, Paris, 1979.

Collyer J., *El infiltrado,* « Série noire », Gallimard, 2001.

Coloane F., *Tierra del Fuego,* « Points » n° 148, Seuil ; *El Guanaco,* « Points » n° 246, Seuil ; *Cap Horn,* « Points » n° 253, Seuil ; *Le Dernier Mousse,* Phébus, 1996 ; *Le Golfe des peines,* Phébus, 1997 ;

Le Sillage de la baleine, « Points » n° 739, Seuil ; *Antartida,* Phébus, 1999 ; *Le Passant du bout du monde,* Phébus, 2000 ; *Naufrages,* Phébus, 2002

Contreras G., *Scènes dans un miroir d'eau,* « Du monde entier », Gallimard, 2000.

Defoe D., *Robinson Crusoé,* Flammarion GF, Paris, 1988.

Donoso J., *La Désespérance,* Presses de la Renaissance, Paris, 1987 ; *L'Obscène Oiseau de la nuit,* « Points » n° 394, Seuil ; *Ce lieu sans limites,* Le Serpent à plumes, 1999.

Gil A., *Le Butin de cendres,* « Denoël, et d'ailleurs », Gallimard, Paris, 1999.

Jodorowsky A., *L'Arbre du dieu pendu,* 1998 ; *L'Enfant du jeudi noir,* 2000.

Letelier H.R., *La reine Isabel chantait des chansons d'amour,* 1997 ; *Le Soulier rouge de Rosita Quintana,* 1999 ; *Mirage d'amour avec fanfare,* 2000 ; *Les trains vont au purgatoire,* 2003. Tous les romans de Hernán Letelier sont publiés aux éditions Métailié, Paris.

Littin M., *Le Voyageur byzantin,* 1998 ; *Le Bandit aux yeux transparents,* 2003. Ces deux ouvrages sont publiés dans la « Bibliothèque hispano-américaine », aux éditions Métailié, Paris.

Loti P., *L'Île de Pâques, journal d'un aspirant* de la « *Flore* », Combelles, Paris, 1988.

Manns P., *Violeta Parra, la guitare indocile,* Cerf, Paris, 1977 ; *Cavalier seul,* « Libretto », Phébus, Paris, 1996.

Michelet C., *Les Promesses du ciel et de la terre,* Robert Laffont, Paris, 1986 ; *Pour un arpent de terre,* Le Livre de Poche, Paris, 1986.

Mistral G., *D'amour et de désolation,* La Différence, Paris, 1989.

Neruda P., *Chant général,* « Poésie », Gallimard, Paris, 1984 ; *J'avoue que j'ai vécu,* « Folio », Gallimard, Paris, 1987.

Raspail J., *Moi, Antoine de Tounens, roi de Patagonie,* « J'ai lu », Paris, 1989 ; *Qui se souvient des hommes ?,* « J'ai lu », 1988.

Sepulveda L., *Le Vieux qui lisait des romans d'amour,* « Points » n° 70, Seuil, Paris ; *Journal d'un tueur sentimental,* « Points » n° 986, Seuil, Paris. Tous les romans de Luis Sepulveda sont publiés aux éditions Métailié, Paris : *Le Monde du bout du monde,* 1993 ; *Un nom de torero,* 1994 ; *Le Neveu d'Amérique,* 1996 ; *Rendez-vous d'amour dans un pays en guerre,* 1997 ; *Yacaré hot line,* 1999 ; *Les Roses d'Atacama,* 2001.

Skármeta S., *Une ardente patience,* « Points-virgules », Seuil, Paris, 1987 ; *Le Cycliste de San Cristóbal,* « Points virgules », Seuil, 1984 ; *T'es pas mort !,* « Points virgules », Seuil, Paris, 1980.

Theroux P., *Patagonie Express,* Grasset, Paris, 1988.

Tournier M., *Vendredi ou les Limbes du Pacifique,* « Folio », Gallimard, Paris, 1977.

FILMOGRAPHIE

Aguero I., *Cent enfants qui attendent un train*, 1988. Documentaire sur un atelier d'initiation au cinéma dans une población de Santiago.

Bustamante J.-C., *Histoires de lézards*, 1988. Trois histoires sur la fuite, le retour, la solitude, la violence, la mémoire.

Bustamante P. et J.-C., *Dimanche de gloire*, 1980; *Le Maule*, 1981.

Caiozzi S., *Juillet commence en juillet*, 1979. Amour impossible entre l'héritier d'une latifundia et une prostituée; *Fernando est de retour*, 1998; *La Lune dans le miroir*, 1990; *Couronnement (Coronación)*, 2000; ces deux derniers films sont adaptés de romans de José Donoso.

Francia A., *Valparaíso, mi amor*, 1969.

Galaz C., *Radio sexo latino (El chacotero sentimental)*, 1999.

Graef Marino G., *Johnny 100 pesos*, 1993. Hold-up avec prise d'otages dans un bureau de change illégal de Santiago. La retransmission en direct de l'événement provoque des remous en haut lieu.

Guzmán P., *Au nom de Dieu*, 1987. Documentaire qui analyse le rôle joué par l'Église catholique et par le « vicariat de la Solidarité » durant la dictature; *La Bataille du Chili*, 1973-1979; *Chili, la mémoire obstinée*, 1996; *L'Île de Robinson Crusoé*, 1997; *Le Cas Pinochet*, 2001.

Jodorowsky A., *El Topo*, années 1960; *Santa sangre*, 1989.

Justiniano G., *Hijos de la guerra fría*, 1986; *Amnésie*, 1994.

Larraín R., *La Frontera*, 1991. Un professeur est condamné à une peine de relégation dans une île du Chili méridional. Ce film a remporté l'ours d'argent à Berlin en 1992.

Littín M., *Los Náufragos*, 1994. Histoire d'un Chilien de retour au pays après vingt ans d'exil. L'homme recherche le corps de son frère disparu depuis le début de la dictature; *Tierra del fuego*, 2000.

Lübbert O., *Un taxi pour trois*, 2001.

Perelman P., *Image latente*, 1987. Histoire d'un photographe à la recherche de son frère disparu depuis dix ans.

Ruiz R., *Trois tristes tigres*, 1968, *Personne n'a rien dit*, 1971, *Dialogues d'exilés*, 1974, *Les Trois Couronnes du matelot*, 1982.

Sarmiento V., *Amelia Lopes O'Neil*, 1990. Portrait de femme et hommage à Valparaíso.

Skármeta A., *Une ardente patience*, 1983. L'histoire de l'amitié entre Pablo Neruda et l'un de ses admirateurs, un jeune facteur d'Isla Negra.

Solanas F., *Le Voyage*, 1992. Martín Nunca décide de quitter son collège et la ville où il a grandi, en Terre de Feu, pour partir à la recherche de son père à travers toute l'Amérique du Sud; *El Sur*, 1988.

CRÉDITS PHOTOGRAPHIQUES

Couverture
Désert d'Atacama © Patrick Escudero

Intérieur
Armando Araneda/Kactus Foto 16, 103, 241
Axiom Photographic Agency 106, 142-143, 187
Mark Azavedo Photolibrary 115, 119, 327
M. Bocxe/Sipa Press/Rex Features 25, 51
Daniel Bruhin 6-7, 122, 128, 210-211, 211, 213, 215 g, 216 d, 217, 218, 219, 288-289, 290, 291, 293, 296, 298, 299, 300, 301, 302, 312
Cytrynowicz/Sipa Press/Rex Features 84-85
Thomas Daskam 112, 114, 116, 117, 118, 119, 280, 285, 295, 309
Julio Etchart/Reportage 95
Eduardo Gil 8-9, 12-13, 18-19, 24, 26, 27, 28, 30, 34, 48, 50, 62, 68, 69, 73, 75, 77, 79, 81, 82, 86, 87, 99, 100, 102, 104, 145, 147, 148, 149 g, 150, 151, 152, 153, 154 g, 154 d, 156 g, 157, 158, 165, 167, 168, 170-171, 172, 173, 176 g, 176 d, 177, 183, 186, 193, 195, 198-199, 203, 204, 205 g, 205 d, 206, 220, 233, 236, 237, 239, 240, 242 g, 242 d, 243, 244, 246, 248, 249, 250, 251, 252, 253, 255, 257, 260, 261, 263, 265 g, 265 d, 266, 269, 270, 273, 274, 275, 276, 277, 281, 314-315, 321, 324, 325, 332, 333, 336
David Forman Images 258-259
Andreas M. Gross 4 b, 5 bg, 53, 109, 110-111, 132-133, 192, 196, 201, 254, 256, 262, 271, 272
J. Halber 22-23, 101, 149 d, 163
Eugenio Hughes/Kactus Foto 5 bd, 10-11
Helen Hughes 20-21, 52, 63, 78, 107, 113, 123, 124, 138, 160-161, 162, 166, 169, 175, 178, 179 g, 179 d, 180, 188, 189, 191, 200, 221, 224, 225, 226, 229
Robert Harding Picture Library 136-137, 144
Eric Lawrie 207
Claire Leimbach 317, 320, 322, 323, 330
Le Segretain/Sipa Press/Rex Features 42-43
Museo Historico Nacional 31, 46, 47, 80
Richard T. Nowitz 14, 55, 60, 61, 64, 65, 70, 74, 76, 98, 108, 159
Oronoz 32, 38, 45
La Penna/Sipa Press/Rex Features 54
Tony Perrottet 110, 120-121, 126, 127, 216 g, 297, 306, 310, 311, 313, 331, 334
Pictures Photo Agency 283
Steven Rubin 49 d, 56-57, 58-59, 71, 72, 83, 88, 89, 91, 92, 223, 227, 268
Christopher Sainsbury 232, 238, 264, 267
Avec l'aimable autorisation de l'**université du Chili** 39, 40, 49 g, 181, 194

Mireille Vautier 197
Guy Wenborne/Kactus Foto 4-5, 125, 129, 182
Günther Wessel 17, 66-67, 96-97, 105, 134-135, 151 h, 155, 156 d, 166 h, 174 h, 180 h, 185, 185 h, 190, 206 h, 214 h, 228, 230-231, 235, 237 h, 245, 245 h, 247, 252 h, 278-279, 283 h, 284, 294, 297 h, 299 h, 303, 307, 309 h, 316, 319 h, 326, 327 h, 328, 329, 335

Encadrés
– Pages 130 131
De haut en bas et de gauche à droite : Eugenio Hughes/Kactus Foto, Armando Araneda/Kactus Foto, Eduardo Gil, Armando Araneda/Kactus Foto ; Eugenio Hughes/Kactus Foto ; Julio Etchart, Armando Araneda/Kactus Foto, Eduardo Gil.
– Pages 208-209
De haut en bas et de gauche à droite : Andreas Gross, Andreas Gross, Guy Wenborne/Kactus Foto, Andreas Gross ; Mireille Vautier ; Mireille Vautier, Günther Wessel, Richard T. Nowitz.
– Pages 286-287
De haut en bas et de gauche à droite : Andreas Gross, Gaston Oyarzun/Kactus Foto, Guy Wenborne/Kactus Foto, David Forman Images ; Mireille Vautier, Andreas Gross ; Eric Lawrie, Günther Wessel, Mark Azavedo.
– Pages 304-305
De haut en bas et de gauche à droite : Armando Araneda/Kactus Foto, Eugenio Hughes/Kactus Foto, Guy Wenborne/Kactus Foto ; Gaston Oyarzun/ Kactus Foto, Andreas Gross ; Andreas Gross, Andrea Pistolesi, Armando Araneda/ Kactus Foto, Guy Wenborne/Kactus Foto.

Cartes
– Fabrication :
Polyglott Kartographie
© 2002 Apa Publications GmbH & Co. Verlag KG (Singapour)
–Édition : Zoë Goodwin

Conception graphique
Carlotta Junger, Graham Mitchener

Recherche iconographique
Hilary Genin, Monica Allende

Fabrication
Stuart A. Everitt

INDEX